D1236019

PRESENCIA NEGRA: TEATRO CUBANO DE LA DIÁSPORA

Armando González-Pérez

PRESENCIA NEGRA: TEATRO CUBANO DE LA DIÁSPORA

(Antología crítica)

Prólogo de José A. Escarpanter

Prefacio de Kenya C. Dworkin y Méndez

editorial BETANIA
Colección ANTOLOGÍAS

Colección ANTOLOGÍAS.

Portada: *Las palomas de Obatalá* (1996), de Leandro Soto.

Dibujos interiores de Domingo Poublé.

Apartado de Correos 50. 767.
28080 Madrid, España.

I. S. B. N.: 84-8017-111-1
Depósito Legal: M-28.545-1999

Imprime Coopegraf.

Impreso en España — Printed in Spain.

Nuestro agradecimiento a los autores por su permiso para incluir sus obras en esta **antología crítica** titulada: **Presencia negra: Teatro cubano de la diáspora**. Queda entendido que en todo momento y en todo lugar, los derechos de autor (*Copyright.*) son de los escritores antologados y que cualquier puesta en escena, retransmisión radial o televisiva, lectura dramática, traducción o nueva publicación debe hacerse con un nuevo permiso de cada uno de ellos.

Rita and Bessie. *Copyright* 1986 de Manuel Martín Jr. (*Copyright* de edición revisada 1992). Esta obra fue estrenada Off-Broadway, en agosto 1988, por el Duo Theater, dirigida por el autor y bajo la dirección musical de Tania León, y actuada por Jannis Warner y Jill Romero.

Trash. *Copyright* del original de 1989 de Pedro R. Monge Rafuls; *Copyright* de publicación 1995. Esta obra fue estrenada, Off-Broadway en noviembre 1995, por DoGooder Productions on Theatre On Three, dirigida por Mark Robert Gordon, y actuada por Sam Valle.

Por último, mis más sinceros agradecimientos a los siguientes amigos y colegas: A los autores por el generoso permiso otorgado y el genuino deseo de cooperación en este proyecto; a Leandro Soto por su pintura para la portada; a José A. Escarpanter por el prólogo del libro y a Kenya C. Dworkin y Méndez por el prefacio; a Elsa Gilmore, Mirza González y Belén S. Castañeda por la lectura del manuscrito y sus valiosas sugerencias; a Jean-Pierre Lafouge y Alan F. Lacy por el asesoramiento técnico.

Yoruba soy, lloro en yoruba
lucumí.
Como soy un yoruba de Cuba,
quiero que hasta Cuba suba mi llanto yoruba:
que suba el alegre llanto yoruba
que sale de mí.

NICOLÁS GUILLÉN: *Son número 6*

Todo tendrá que ser reconstruido, y los viejos mitos, al reaparecer de nuevo, nos ofrecerán sus conjuros y sus enigmas con un rostro desconocido. La ficción de los mitos son nuevos mitos, con nuevos cansancios y terrores.

JOSÉ LEZAMA LIMA: *La expresión americana*

El hombre no tiene ningún derecho especial porque pertenezca a una raza u otra; dígase hombre, y ya se dicen todos los derechos... Hombre es más que blanco, más que mulato, más que negro...

JOSÉ MARTÍ: *Obras completas, Volumen II*

A la memoria de mis padres
y a todos los que no vieron
a Cuba libre.

ÍNDICE

PRÓLOGO

Después de dos valiosos libros sobre literatura negra (*Antología clave de la poesía afroamericana*, Madrid: Ediciones Alcalá, 1976 y *Acercamientos a la literatura afrocubana: Ensayos de interpretación*, Miami: Ediciones Universal, 1994), el profesor Armando González-Pérez ofrece el presente ensayo sobre el tema negro en el teatro del exilio cubano con una antología crítica de piezas: texto indispensable y, en cierto modo, complementario de otro estudio fundamental sobre el tema publicado hace unos pocos años. Me refiero a *Cultura afrocubana* de Jorge e Isabel Castellanos, donde en el capítulo IV del tomo IV los autores trazan un preciso panorama de lo negro en el teatro cubano hasta la llegada de la Revolución del 1959. Se puede decir que González-Pérez retoma el asunto donde lo dejan estos autores y lo circunscribe a la producción teatral del exilio. No tengo noticias de que este motivo haya sido eje de algún trabajo entre los estudiosos del teatro en Cuba en las últimas décadas y he aquí uno de los aciertos de esta edición.

El atrayente ensayo de González-Pérez sitúa al lector frente al tema partiendo de unos presupuestos sólidos expuestos con claridad y excelente organización y, a continuación, comenta acertadamente cada una de las obras seleccionadas. Entre ellas se encuentran algunas editadas con anterioridad, como *La navaja de Olofé* de Matías Montes Huidobro, *Las hetairas habaneras* de José Corrales y Manuel Pereiras García y *Trash* de Pedro R. Monge Rafuls, pero la mayoría se publican por primera vez aquí. Como sucede siempre al ponernos en contacto con cualquier antología, podemos disentir con alguna de las selecciones del compilador, pero las preferencias personales no le restan ni equilibrio ni importancia a este empeño. González-Pérez domina la materia a cabalidad y sus decisiones en los títulos escogidos son muy válidas y acertadas.

Además de todas estas virtudes, el libro se enriquece con testimonios de los autores de los textos. Estas declaraciones, que no abundan en el mundo del teatro cubano de esta orilla, arrojan mucha luz tanto sobre la personalidad de los creadores como sobre sus piezas. Por desgracia, el teatro que se escribe fuera de Cuba no ha tenido apenas acogida entre los investigadores de la escena hispanoamericana —casi siempre por los mecanismos desatados por el régimen revolucionario contra los artistas que se negaron a doblegarse a él— y de los dramaturgos del exilio, por tanto, se sabe poco, con excepción del caso de José Triana, que tuvo un reconocimiento en la isla antes de ser marginado. Estos comentarios llenos de notas personales contribuirán a que este puñado de escritores esforzados, verdaderos luchadores contra los molinos de viento de la indiferencia y los prejuicios, sean conocidos y apreciados desde una perspectiva más humana y dejen de ser meros nombres mencionados en artículos.

Esta meritoria edición se completa con un glosario de términos que facilita la comprensión de algunas de las obras y con una lista adicional de textos teatrales relacionados con el tema que no aparecen en la selección y que pueden resultar de gran utilidad para aquellos lectores deseosos de ahondar en el conocimiento de esta parcela de la literatura de la diáspora.

El presente libro de González-Pérez viene, por tanto, a cumplir con varias urgencias del teatro exiliado. Celebremos su aparición y disfrutemos de su contenido, que nos sitúa, una vez más, ante la riqueza de la cultura cubana, producto de un fructífero mestizaje.

JOSÉ A. ESCARPANTER
Auburn University

PREFACIO

En su libro *Presencia Negra: Teatro Cubano de la Diáspora*, el profesor Armando González-Pérez nos permite contemplar el mundo del teatro cubano de la diáspora desde una perspectiva privilegiada, tanto desde el punto de vista del estudioso como de los mismos creadores. Mediante su excelente introducción, González-Pérez nos revela la complejidad intertextual de estas obras con su incorporación de elementos fundamentales de la africanía cubana: la ritualidad, la musicalidad, el movimiento y el idioma, todos productos de una innegable transculturación. Los dramaturgos antologados nos explican cómo con estos ricos matices han querido convertir su teatro en un espacio dialógico que permite tratar temas tanto sociales como políticos de gran urgencia para todos los cubanos de todas las razas y de ambos lados de la herida geográfica conocida como Estrecho de la Florida: temas como la sexualidad, las drogas, el racismo y el régimen socialista en Cuba.

González-Pérez también logra rescatar el lugar prominente que debe ocupar este teatro producido fuera de la isla en el canon literario cubano así como en el de la literatura estadounidense, importante vínculo de continuidad histórica enrte otros desterrados de renombre, como lo fueron Varela, Heredia y Martí, y nuestros escritores contemporáneos. Ni el abatimiento del cataclismo político y el destierro ni las raíces arraigadamente enterradas en un suelo ahora lejano limitan la fecunda creatividad de los dramaturgos y estudiosos cubanos; tanto González-Pérez como los escritores Montes Huidobro, Monge Rafuls, Corrales, Pereiras, Raúl de Cárdenas, Héctor Santiago, Martín y Leandro Soto y sus variadas obras, dan fe de eso en *Presencia Negra: Teatro Cubano de la Diáspora*.

DRA. KENYA C. DWORKIN Y MÉNDEZ
Carnegie Mellon University
Pittsburgh, Pennsylvania

Green Chair (1980). © Poublé.

INTRODUCCIÓN

Como he señalado en mi libro *Acercamiento a la literatura afrocubana*, es un hecho innegable que la última literatura de inspiración yoruba tanto en Cuba como en el Exilio corrobora su vigencia literaria y muestra una revalorización del aporte negro al acervo cultural cubano. La nueva promoción de artistas cubanos ha volcado la mirada al pasado africano dentro del presente con proyección al futuro para expresar sus más íntimos sentimientos y redescubrir sus raíces en busca de su identidad nacional. (11-12)

Las creencias religiosas procedentes de África tuvieron en Cuba un firme asentamiento y desarrollo. El proceso transculturativo que se inició en la colonia continúa influyendo hoy día la vida del cubano de ambas orillas. Rogelio Martínez Furé, profesor del Instituto de Arte de La Habana y fundador del reconocido Conjunto Folclórico Cubano, declara en una entrevista a la revista *Cuban Update*: "Cuba is among the countries with the greatest diversity of popular religions of African origins; they are alive and in an open process of growth, both here and abroad... What is happening right now is simply that people have taken off their white mask and are assuming their true culture features their destiny" (28). Por otro lado, la crítica Isabel Castellanos observa lo siguiente respecto al exilio y la cultura afrocubana: "Hoy, en otro forzado exilio, esa cultura, lejos de agotarse, reflorece, se expande y emprende otra sorprendente empresa transculturativa en el seno de la sociedad norteamericana... el espíritu afrocubano es invencible. Resiste todos los cambios sociales, económicos y políticos a que se le someta... Nunca muere. Se modifica a sí mismo dejando siempre incólume su esencia. Y si ayer realizaba sus aspersiones con una ramita de albahaca, hoy, cuando no la encuentra en Miami, en Nueva York o en Los Angeles, utiliza para regar el agua de las Siete Potencias... una lata de aerosol..." (33).

I. TEATRALIDAD Y ANTECEDENTES AFRICANOS:

El célebre crítico y etnógrafo cubano Fernando Ortiz observa en su interesante y revelador libro *Los bailes y el teatro de los negros en el folklore de Cuba* la intrínseca teatralidad que existe en los sistemas mágico-religiosos traídos a Cuba por los distintos grupos de esclavos (431-434). Rine Leal corrobora esta idea al afirmar que la influencia africana en la dramaturgia cubana hay que buscarla en la colonia donde aparecen las primeras manifestaciones de una forma incipiente del arte teatral cubano (Vol. I, 63). Por otro lado, el dramaturgo Matías Montes Huidobro destaca la estrecha relación que hay entre la liturgia africana y el mundo teatral cubano al añadir que "La liturgia negra ha tenido siempre una particular fuerza dentro del panorama cubano, tan fuerte como la liturgia cristiana; más fuerte según algunos... Nos encontramos así con un fuerte elemento mágico de primera mano procedente de las religiones africanas supervivientes en Cuba, de un rico mundo literario, religioso y mágico que se puede encontrar en las fuentes de los negros yorubas... Mundo mágico, mundo teatral y mundo negro parecen ser sinónimos" (41-44). Como sabemos, el elemento mágico-religioso afrocubano en el teatro a que aluden estos críticos, tiene un ilustre antecedente en obras como *Yari, yari, mamá Olúa* de Paco Alfonso; *Juana Revolico* de Flora Díaz Parrado; *Caín o La hora de estar ciegos* de Dora Alonso; *Shangó de Ima* de José Carril; *Requiem por Yarini* de Carlos Felipe y *Electra Garrigó* de Virgilio Piñera. Estas dos últimas piezas dramáticas no sólo ocupan primerísimos puestos en la creación literaria dentro del contexto de la mitología afrocubana sino que cada una está considerada un clásico del teatro cubano. Después del triunfo de la Revolución de 1959, autores como José R. Brene, José Milián, Eugenio Hernández Espinosa y Gerardo León Fulleda, escriben obras como *Santa Camila de la Habana Vieja, Mamico Omi Omo, María Antonia* y *Plácido*, para mencionar unas cuantas, donde el elemento negro sirve de inspiración para la creación de un teatro social bajo las directrices del discurso revolucionario. El tema afrocubano es también fundamental en la creación artística de José Triana, quien escribe al comienzo del sesenta dos obras importantísimas dentro de esta modalidad literaria: *Medea ante el espejo* (1960) y *La muerte del Ñeque* (1963). Triana, a diferencia de muchos autores del grupo, formados ideológicamente en el Seminario de Dramaturgia del Teatro Nacional, no se pliega a las consignas políticas y literarias del régimen y sale para el destierro en 1964.

La presencia del negro en el teatro culto hay que buscarla también en el teatro popular cubano del siglo XIX en las obritas de Bartolomé Crespo Borbón y en el teatro bufo de la década del sesenta cuyos personajes regulares son *el gallego*, *el negrito* y *la mulata* y el empleo de un lenguaje callejero y a veces irreverente cuya base es el *choteo* cubano. La imagen del negro en estas obras es mayormente caricaturesca y negativa. Esta tradición teatral según ha observado la crítica Kenya C. Dworkin y Méndez, en varios de sus brillantes artículos, continuó como afirmación de la identidad cubana en el contexto socio-cultural de las comunidades de Ybor City y West Tampa a partir de 1886 con la fundación de la industria tabaquera de esta región. Y aunque hoy ya casi no existe ni un teatro cubano o latino ni una industria tabacalera fuerte en Tampa, la tradición se mantiene viva con la representación de vez en cuando de una que otra zarzuela, una revista musical o una obra teatral.[1]

II. EXILIO Y TEATRO

Hay en el teatro cubano de la diáspora, donde lo afrocubano es casi un acto de identidad nacional, un grupo de teatristas que han acudido en su quehacer literarios a la mitología yoruba con su rico repertorio de cantos, bailes, rezos corales, pantomimas y diálogos. La presencia negra en este teatro, aunque poca, es cualitativamente superior y debe valorarse en el contexto histórico, político, social y artístico en que se desenvuelven estos autores, cuyo marco cultural les ofrece pocas posibilidades para la propagación de sus obras y mucho menos para su representación. El teatrista exiliado ha tenido que abrirse camino por sí mismo en un mundo incomprensible y a veces hostil. Vale decir que ninguno de ellos cuenta con el apoyo económico del aparato estatal que tienen sus contemporáneos en la Isla en la diseminación del rico folclore afrocubano.

---

1. Véanse los siguientes artículos de esta crítica: "De bufos y otros patriotas: En torno al teatro cubano de los tabaqueros tampeños" en la revista *Gestos* (1999) donde discute el teatro bufo en Tampa; "The Tradition of Hispanic Theater and WPA Federal Theatre Project in Tampa-Ybor City, Florida", *Recovering the U. S. Hispanic Literary Heritage*. Vol. II, 1996, 279-294; "From Factory to Footlights: Original Spanish-Language Cigar Worker Theatre in Ybor City and West Tampa, Florida", *Recovering the U. S. Hispanic Literary Heritage*. Vol. III. Houston: University of Houston Press, 1999 (de próxima aparición) donde discute el paralelismo en el contexto originario del bufo en Cuba y Tampa, de las diferencias de los dos, y de la técnica teatral del bufo tampeño. Para una discusión del desarrollo del teatro bufo en Cuba, consúltese Matías Montes Huidobro, *Persona, vida y máscara en el teatro cubano*. Miami: Ediciones Universal, 1973, 69-79. Véase también del mismo autor *Teoría y práctica del catedratismo*. Honolulu, Hawaii: Editorial Persona, 1987, 9-58. En el cuarto tomo de su *Cultura Afrocubana*. Miami: Ediciones Universal, 1994, 195-263, Isabel y Jorge Castellanos también discuten el desarrollo y las características del bufo en el contexto del teatro cubano.

El propósito de esta antología crítica es presentar una visión informativa, no exhaustiva, del elemento negro en el teatro de la diáspora y comentar el intrínseco valor artístico y temático de las obras seleccionadas. La variada temática de estas obras se plantea bajo la influencia de distintas formas dramáticas que comunican un mensaje directo, sin miedo a ninguna represalia, al enfocar temas tan controvertidos como la homofobia, el sida, el incesto, las drogas, el racismo y, desde luego, la crítica al discurso revolucionario que en Cuba sería arriesgado abordar y mucho más llevar a las tablas.

Los autores que han escrito o logrado montar sus obras en el exilio, inspirándose en el elemento negro, son muy variados y representan distintas promociones de teatristas cubanos como Matías Montes Huidobro, Raúl de Cárdenas, José Corrales, Manuel Pereiras García, Pedro R. Monge Rafuls, Manuel Martín Jr., Dolores Prida, Héctor Santiago, y Leandro Soto, entre otros.[2] La mayoría de estas obras están escritas en español aunque hay un número de ellas como *Rita and Bessie* y *Trash*, para mencionar unas cuantas, que están escritas en inglés y forman parte de una nueva modalidad llamada por la crítica *teatro cubanoamericano*.[3] Por otro lado, la obra de Leandro Soto *E-*

---

2. Para una idea general del teatro cubano en el exilio, consultése el artículo de Pedro R. Monge Rafuls, "Sobre el teatro cubano", *Ollantay: Theater Magazine*, vol. II, 1, 1994, 101-113. Conviene señalar que este teatro que contiene elementos de cultura negra cubana y que refleja el mestizaje de nuesrta cultura está escrito por escritores que en su mayoría son blancos, como era y sigue sucediendo en la Isla.

3. El crítico José A. Escarpanter en su excelente artículo "Rasgos comparativos entre la literatura de la isla y del exilio: el tema histórico en el teatro" en *Lo que no se ha dicho* publicado por *Ollantay: Theater Magazine*. New York, 1993, 53-62, además de denominar el teatro escrito en inglés como "***teatro cubanoamericano***", clasifica estas diferentes promociones de dramaturgos en dos generaciones, "la generación escindida" y "la generación trasterrada". Isabel Álvarez Borland en su libro *Cuban American Literature of Exile: From Person to Persona*. Charlottesville: University Press of Virginia, 1998, 6-9, también al hablar de la narrativa cubana escrita en el exilio propone cuatro categorías "***first generation, second generation, one-and-a-half generation, Cuban-American ethnic writers***" tomando en cuenta el grado de formación intelectual de cada autor dentro o fuera de Cuba, los diferentes grupos migratorios a los Estados Unidos, la variedad lingüística entre estos grupos y el papel que la problemática cubana juega en la creación artística de cada escritor. Rine Leal en su artículo"Asumir la totalidad del teatro cubano," *Ollantay*, Vol. I, 2, 1993: 33-39, reconoce la existencia de un teatro fuera de la isla, la necesidad de estudiarlo y asegura que existe sólo un teatro cubano sin tener en cuenta dónde y quién lo escriba. *Medea en el espejo* (1960) y *La muerte del Ñeque* (1963) no se incluyen en esta antología ya que fueron escritas antes de que José Triana saliera para el destierro. Véanse también el incisivo artículo de Matías Montes Huidobro "Censura, marginación y exilio en el teatro cubano contemporáneo", *Anales literarios: dramaturgos*, I, # 1, 1995, 7-25 y la excelente reseña de Jorge Febles "Hacia el reajuste y la reinserción: apuntes sobre *Teatro cubano contemporáneo*" de Carlos Espinosa Domínguez, *Anales literarios: dramaturgos*, I, # 1, 1995, 167-185.

Motions /E-Mociones se estructura exclusivamente a partir de lo visual y está estrechamente relacionada con un teatro basado en la representación escénica, en la "imagen teatral" y, por lo tanto, carece de texto. Las obras que se escriben dentro del contexto de la mitología afrocubana usan de vez en cuando la lengua yoruba, especialmente en los ritos, rezos y cantos. Estas piezas dramáticas, escritas y representadas fuera de Cuba desde 1959 en español o inglés, son por derecho propio parte del cuerpo cultural de la vida cubana como cualquiera de las otras obras literarias escritas en otros de los tantos destierros sufridos por otros autores a lo largo de la accidentada historia política cubana. Como ejemplo, pensemos en la poesía del gran poeta romántico José María Heredia, en la del Apóstol José Martí o en la gran novela cubana del siglo XIX, *Cecilia Valdés*, escrita por Cirilo Villaverde.

III. AUTORES Y ANÁLISIS DE LAS OBRAS

Matías Montes Huidobro escribe *La navaja de Olofé* en 1981, y la publica en 1982 en la revista *Prismal Cabral* de la Universidad de Maryland. Esta pieza se basa en los componentes que había esbozado en una obra de los años cincuenta titulada *Las caretas* que ha desaparecido. *La navaja de Olofé* interpreta muy libremente las leyendas y los mitos yorubas que se identifican con algunos de los orishas transplantados a Cuba, especialmente Ochún, Changó y Yemayá. En esta breve pieza dramática, el autor enfoca desde un principio la problemática amorosa/sexual de los protagonistas. La aparente sencillez temática se complica cuando se introduce mediante el elemento mágico de la santería el escabroso tema del incesto. La incorporación de este elemento dramático facilita el desdoblamiento de los personajes y contribuye a las posibles interpretaciones de la obra. La navaja puede aludir al instrumento que el hombre emplea para afeitarse o al arma que la mujer usa para la castración simbólica al final de la obra. La navaja también puede aludir al falo que es símbolo de la fuerza y el poder sexual que identificamos con Olofé, corrupción de Olofi, dios supremo en la cosmogonía yoruba, y Changó, personificación del macho por excelencia.

El joven protagonista mulato de esta obra muestra desde un principio una actitud machista hacia la amante. La rechaza y le grita que está cansado de ella y que esta noche de carnaval se irá de juerga a gozar con las mulatas jóvenes y ardientes. El área de acción cama/sillón contribuye al desdoblamiento del personaje de la Mujer. La Mujer/Amante se tumba en la cama y le invita a fornicar para que no se vaya. El carácter de la Mujer sufre un cambio ante el rechazo; se levanta enojada y se dirige al sillón. El autor logra, mediante la magia yoruba, transformarla ahora en una Madre triste y preocupada por lo que pueda ocurrirle a su hijo en esta noche de perdición. Le advierte al hijo del peligro del alcohol y la navaja, y le aconseja tener cuidado con esas mulatas que son candela. La Madre/Amante añora los buenos tiempos pasados y lamenta su vejez: "¡Qué lejos están mis tiempos! Aquellas noches. El santo se me subía... Alcohol noventa con gotas de limón... ¡Ay, hijo, si hubieras conocido a tu madre en otros tiempos! Sería una de ellas..." (211). La Madre/Amante tiene celos de esas mulatas y culpa a Olofé de su condición física. Cuando se acerca al Hijo/Amante, frente al espejo, canta grostescamente: "Tú ves, yo no puedo caminar,/ Tú ves, ya yo no puedo sinchar,/ Tú ves, que yo soy negra mandinga,/ Tú ves, que yo soy negra sin dinga"(209). La Madre/Amante, igual que la diosa Yemayá, es símbolo de la fertilidad, la Tierra-Madre o la Madre Agua, de donde mana toda vida. La Madre regresa a la cama y evoca lascivamente la leyenda de la seducción de Changó por su madre Yemayá. La Madre/Amante juega un papel activo en la seducción de su hijo a quien llama su Changocito. La cópula mística tiene lugar cuando la Madre, como la diosa lucumí, exclama: "¡Ven, tócame Olofé! ¡Olofé soy yo! ¡Olofé eres tú! ¡Olofé es la cama!... ¡Vuela y nada! ¡Nada en el agua! ¡Nada... en el... agua!" (210).

La navaja de Olofé es una obra bastante compleja. El empleo de la magia y el mito yorubas, soportes importantes de la técnica dramática, destacan la teatralidad de la obra y enriquecen el aspecto interpretativo. El tema del incesto se relaciona con las teorías de Sigmund Freud y el inevitable complejo de Edipo. *La navaja de Olofé* es una pieza donde la santería sirve de inspiración al autor y los mitos yorubas se recrean en relación con la acción de la obra, la función de los personajes y el montaje escénico. Matías Montes Huidobro ha logrado crear en esta obra, mediante el elemento afrocubano, una deslumbrante teatralidad al presentarnos un mundo compuesto de personajes poseídos por los dioses Olofé/Changó en que destaca la figura de la Madre/Amante/Yemayá en sus múltiples papeles dramáticos.

Otra historia, escrita por Pedro R. Monge Rafuls entre 1993 y 1996, presenta algunos elementos nuevos dentro de esta modalidad como es la presencia física e intervención de los orishas en la vida cotidiana de los protagonistas, los amores vistos en escena entre Changó y Ochún y el tema de la homosexualidad, aceptado en un momento de la obra, en una religión donde los dioses son generalmente homofóbicos. La presencia de los orishas permea toda la obra y se establece desde un principio la relación entre estas divinidades, los protagonistas y el espectador. La magia comienza desde el mismo momento en que llegamos al teatro y los orishas nos reciben, vestidos con sus colores emblemáticos, haciendo "despojos" a uno que otro espectador. El poder de los orishas es tan importante que incluso el rito santero está determinado por la voluntad de los orishas. La presencia de lo afrocubano y la magia son aspectos fundamentales del texto y justifican su estructura teatral para el planteamiento de la trama y su escenografía. Se emplea un lenguaje lineal mezclado con rompimiento del diálogo, el tiempo y el espacio. La trama de *Otra historia* gira en torno al triángulo amoroso entre José Luis, Marina y Teresa y entre José Luis, Marina y Marquito. La intriga amorosa se apoya en las acciones de las mujeres a lo largo de la obra y el hábil empleo de la magia. La voluntariosa y celosa mujer de José Luis presiente algo raro en su comportamiento y le confiesa sus dudas a Teresa, mujer astuta y zalamera, que también lo apetece. Los diálogos entre ambas mujeres están llenos de ironía porque aluden constantemente al aspecto machista y mujeriego de José Luis cuando sabemos que, en realidad, la persona con quien él se siente más cómodo no es ninguna de ellas, sino Marquito. Marina acude al santero, su padrino, para confirmar su sospecha. La escena frente al altar de Elegguá está cargada de presagios. Le coloca una ofrenda y lo consulta mediante el Oráculo de los Cocos. La revelación le resulta increíble: "Yo, mi padre... no... Usted no puede permitir eso... Debo haberme equivocado al preguntarle porque... no... Yo estoy segura que no. Elegguá debe haber una equivocación..." (28). Marina, desesperada y loca de rabia, destruye el altar de Elegguá. El orisha se retira enojado por la falta de respeto. La otra historia, la historia de amor entre José Luis y Marquito es, pues, el tema central de la obra. Monge Rafuls presenta al final del primer acto una atrevida escena de amor entre Changó y Ochún que sirve de contrapunto a los amores mencionados anteriormente. Changó está bravísimo con su ahijado José Luis y Elegguá le está cerrando los caminos poco a poco. El padrino regaña a José Luis y le recuerda que los dioses aconsejan que se vaya al monte, a la botánica terrestre, a purificarse, a despojarse, a cambiar de vida. José Luis debe aprovechar la situación porque Elegguá también está enojado con su ahijada Marina por haberle destruido el altar. Los amantes tienen suerte porque como indica el santero a Marquito, casi al final de la obra, Ochún lo protege y quiere ayudarlo. La voluptuosa y sandunguera diosa del amor es capaz de convencer al mismo Changó y hacerle cambiar de opinión:

> PADRINO.— A Oshún no le importa lo que a otros les importa, pero Yeyé sabe que Changó es muy varonil y mujeriego... ¡Qué no le gustan los addodis! ¡Pero, tú eres hijo de Oshún! y Oshún Yeyé siempre se sale con las suyas. Buscó a Changó... lo volvió a seducir porque ella siempre lo ha conquistado. ¡Babami es muy enamorado!... y siempre cae con Oshún que le hace muchas trampas. (35)

La escena final de *Otra historia* puede considerarse el clímax y desenlace de la obra porque al mismo tiempo se abre a varias interpretaciones. Monge Rafuls nos presenta en esta dramática escena una deslumbrante ceremonia teatral altamente simbólica donde por medio del elemento mágico se manifiestan los orishas y convoca al público a participar en el final abierto de la obra. Las palabras no son tan determinantes como los movimientos coreográficos de esta escena que se nos presenta casi como si fuera un baile moderno. No cabe duda que aquí podemos apreciar uno de los mejores logros de esta pieza dramática donde el empleo de la magia y lo afrocubano juegan un papel importantísimo en el montaje escénico.

Siguiendo el consejo del Padrino santero, José Luis y Marquito acuden al monte sagrado a cumplir lo que les han ordenado los dioses y pedirles que les permitan vivir juntos en paz:

> JOSÉ LUIS.— Hay que pedirle permiso a... Eggó, el Monte,... aquí estoy, estamos... con su permiso... He venido a pedirle lo que hace falta... que me oiga, tal como yo soy... Eggó, vengo con todo mi respeto... con mi amigo para que nos defienda cualquier fuerza adversa... Mis saludos al viento del Monte... Elegguá. Changó, Yemayá, Oshún... todos los santos y los muertos, todos los egguns, vengo... venimos a cumplir lo que se me ha mandado para que pueda ver claro mis problemas. Para que la felicidad me alcance y podamos vivir nuestras vidas... Elegguá, ¡ábrame los caminos! (38)

Ahora los orishas convertidos en árboles se acercan a José Luis y lo envuelven y se lo llevan, dejando a Marquito solo. Pero la diosa Ochún se separa de ellos y acude a protegerlo. Lo viste de chivo y se lo lleva monte adentro también. En este deslumbrante final dramático oímos los berridos de los chivos y vemos a través del elemento onírico; es decir, mediante el sueño de José Luis, la aparición de Teresa y Marina. La mujer de José Luis ha venido, puñal en mano, a vengar su engaño. Monge Rafuls logra en esta escena simbólica que el lector/espectador llegue a sus propias conclusiones en cuanto al mensaje de la obra. El empleo de la magia destaca el final ambiguo de esta obra y hace que nos preguntemos: ¿Se cumple el ciclo destinado a esta pareja con su muerte por parte de una mujer burlada? ¿Aprueban los orishas sus amores al convertirlos en chivo y carnero? ¿Se convierte la pareja en los chivos sacrificados? No hay dudas de que el empleo y manejo del elemento mágico-religioso de la santería por Monge Rafuls es muy novedoso en *Otra historia* y pone de manifiesto su creatividad artística. Este factor es fundamental para el desarrollo de la acción dramática y contribuye singularmente a superar el realismo convencional escénico y elevar esta valiente y provocadora obra a un nivel mucho más poético creando reacciones muy especiales en el lector/espectador.

Las hetairas habaneras, escrita en 1977 por José Corrales y Manuel Pereiras García, y *Los hijos de Ochún*, escrita en 1998 por Raúl de Cárdenas, son obras que enfocan el tema político dentro del contexto de la mitología afrocubana para el desarrollo de la trama. Por otro lado, la intertextualidad clásica de estas obras es evidente también. *Las hetairas habaneras* se inspira en *Las troyanas* de Eurípides y *Los hijos de Ochún* en *Los Persas* de Esquilo. En ésta se narra la guerra entre griegos y persas, contada desde el punto de vista de estos últimos, los vencidos. Ninguna de las dos obras se adhiere totalmente a los patrones establecidos por la tragedia griega, aunque sí se observan algunas técnicas de la tragedia griega como el coro, el desarrollo continuo de la acción, las distintas formas de expresión, las diferentes secuencias de la obra, y el canto fúnebre, que vemos al final de *Los hijos de Ochún*.

José Corrales y Manuel Pereiras García manejan con gran habilidad y acierto la parodia en su obra *Las hetairas habaneras* para subvertir el discurso revolucionario cubano. La parodia gira en torno a la figura de Menelao Garrigó/Fidel Castro. La obra se desarrolla en un burdel capitalino durante los primeros años de la revolución castrista. El primer acto nos muestra a Diosdada, dueña del prostíbulo "La Gloria", celebrando con las otras prostitutas el nacimiento de su nieto Nicomedes, personaje que no aparece en la obra pero que es clave en el desarrollo de la trama, como en la tragedia griega. El sincretismo religioso permea toda la obra y y lo podemos apreciar especialmente en el segundo acto y en las canciones que las hetairas entonan alabando al niño. Sus cantos mezclan elementos de la liturgia cristiana con referencias a las creencias africanas en la isla: "Lo bendiga Eleguá,/ y lo bendiga/ los orishas del monte,/ to's los orishas. / De ceiba y la palma / traigo la fuerza, la altivez, el encanto/ y la fiereza. / Y también del tabaco/ y del café/ traigo para este niño todo su ashé" (19). Diosdada quiere que su hija Iluminada, inspirada por Orula, dios de los Oráculos, le augure el porvenir al niño tirándole los caracoles o leyéndole las cartas. Las prostitutas también comentan que Estrella, la mujer de Menelao, se ha fugado con Juan Alberto, el hijo menor de Diosdada. La relación Fidel/Menelao es obvia, ya que éste es también el comandante de un grupo de revolucionarios. Yemayá, sincretizada en Cuba con la morena Virgen de Regla, y San Roque, a quien se le asocia con el poderoso orisha Elegguá, preparan un castigo para las hetairas por su irresponsable conducta al aceptar ciegamente las ideas y consignas del nuevo gobierno: "Yemayá: —Diosa preciada. Oshún bendita, también humillada por estas mujeres que por congraciarse con el que manda se han olvidado de los santos y de los paleros" (33). La tragedia anunciada por los dioses en el segundo acto se cumple en el tercero, nueve años después, cuando Menelao tortura a Diosdada, mata a sus hijos Yayo y Juan Alberto y obliga a Estrella y a las hetairas que proclamen públicamente su virilidad sexual: "Estrella:... Me arrepiento de haberle faltado a mi marido porque mi marido es fuerte, porque mi marido es grande, porque mi marido me ofrecía cada noche la salsa de la vida, porque mi marido tiene el miembro más grande, más robusto y más erecto que se ha visto" (51). La venganza total se cumple cuando, con la fiel colaboración de Alejo, se castra al niño Nicomedes: "Diosdada: —Cómo le arrancaron al hijo de Yayo su palmera. Ahí lo tienen. Ahí lo llevan. Al fin Menelao lo logró: ahí lo llevan, al hombre nuevo..." (57). El mensaje es claro. Menelao/Fidel ha logrado lo que se propuso: un hombre nuevo, sumiso y dócil, plegado incondicionalmente a los derroteros de la revolución. La obra concluye con las hetairas siendo conducidas a un campo de rehabilitación. *Las hetairas habaneras* es una obra alegórica, estructuralmente sólida, y de alto vuelo poético en la que los autores mediante el hábil uso de la parodia, en un contexto afrocubano, logran subvertir el nuevo discurso revolucionario cubano y criticar a aquellos que, como las hetairas, confiaron demasiado en sus falsas promesas.

Raúl de Cárdenas emplea también en *Los hijos de Ochún* la mitología afrocubana para evocar el trágico conflicto de Playa de Girón, la guerra entre hermanos. De ahí que, por ejemplo, la reina de los persas, Atosa, se convierta en Ochún, identificada en la santería con la Virgen del Cobre, la santa patrona de Cuba, y su hijo Jerjes se desdoble en los *ibeyis,* Taebo y Kainde, hijos de la divinidad lucumí. La enigmática y borrosa figura de Changó podría identificarse con Batista, causa de muchos males de la patria. Ogún vendría a ser la encarnación de Fidel Castro, con sus odios y miedos paranoicos.

Los hijos de Ochún, más que tratar simplemente los efectos exteriores del conflicto, indaga en las causas que motivaron la tragedia y nos ofrece la perspectiva del derrotado, como en la obra de Esquilo. La eterna rivalidad entre los dioses hermanos Ogún y Changó se proyecta a la actual problemática cubana. Ogún acusa a los hijos de Changó, Taebo y Kainde, de provocar el conflicto: *"Soy* Ogún, dios del hierro y la guerra/ que he venido a devorarlos/ para que pague Changó/ con la vida de sus hijos/ todo lo que me adeuda. / He venido a reclamar/ en la sangre de ustedes, mi eterna enemistad con Changó,/ quedará saldada la cuenta... / Han vuelto malditos gusanos. / Han regresado, calladamente,/ para violar las sagradas entrañas/ de nuestra sagrada revolución" (18). Kainde le contesta a Ogún que él es el verdadero culpable al forjar una leyenda extraña y vender la patria a una potencia extranjera. Kainde afirma que él y su hermano han regresado porque es su deber hacia la patria: "Hoy esa muchedumbre que se embriagó con tus palabras y se dejó subyugar por tu retórica se rebela contra los muchos excesos cometidos. Hoy los dioses nos han llamado para cuidar las heridas que sangran y hemos regresado porque es nuestro deber curarlas" (20). Por otro lado, Ochún acusa a Changó de ser en parte responsable de esta tragedia, de no importarle nada, de abandonar la patria: "No te has preguntado, poderoso Changó, si tú no has tenido que ver con esta desgracia? Por supuesto que no, me dirás sin siquiera con un titubear de los labios... Tú tuviste que irte, abandonar tu reino dejando que otros tomaran las rienda." (57). Además, le reprocha su indiferencia ante los hechos al decirle: "Todo comenzó contigo, Changó... todo comenzó contigo. Muchos no se dan cuenta, ni siquiera tú mismo, que son tus hijos los que hoy pagan con sus vidas el precio de esta epidemia que se propaga como un río que se desborda... Son ellos los que le han hecho frente a esta plaga maldita que amenaza con destruirnos a todos... Son ellos los sacrificados: Tú, Changó, eres ahora sólo una sombra... un recuerdo" (61).

El desenlace de la tragedia es el fusilamiento de Kainde, el más joven de los *Ibeyis*, por órdenes de Ogún, y el milagroso escape de su hermano Taebo. La tragedia concluye con el *itutu* o toque fúnebre yoruba acompañado de un canto con la intervención del Coro de Miami y el *akpuón* o solista. Entra el cortejo con el cuerpo de Kainde envuelto en una bandera cubana. La majestuosa y adolorida Ochún recibe al hijo muerto y Taebo alaba la valentía del hermano caído y de todos aquellos que ofrendaron sus vidas por la patria. Un ángel expresa conmovedoramente en los últimos versos de la obra la solidaridad y esperanza del pueblo cubano de poder tener una patria libre para todos: "Somos la furia, la lágrima/ de la madre que llora. / Somos la ira del justo patriota/ que luchó contra España. / Somos el bronce del negro Maceo,/ somos la lira que estremeció a Martí. / Somos Cuba, somos uno,/ y uno en todos los que ofrecieron/ sus vidas por la libertad... / Somos Cuba y Cuba sabrá renacer" (78-79).

Los hijos de Ochún es una obra que está escrita en una prosa elegante y en versos de gran musicalidad. Raúl de Cárdenas incorpora en esta pieza varias técnicas escénicas modernas de la dramaturgia norteamericana y aprovecha hábilmente los rasgos generales que le ofrece la tragedia de Esquilo para proyectar su mensaje de la actual tragedia cubana dentro de un contexto mitológico afrocubano.

La pieza dramática *La eterna noche de Juan Francisco Manzano*, escrita por Héctor Santiago en 1995, tiene como inspiración la triste existencia o eterna noche del esclavo Juan Francisco Manzano. Esta obra evoca en una forma poética muy atrayente el estado de abyección y nulidad a que fue reducido Juan Francisco Manzano por la ignominiosa y odiada institución de la esclavitud. La intertextualidad de esta pieza dramática es evidente respecto a la primera parte de la autobiografía de Manzano y las versiones apócrifas de la segunda parte de sus memorias.

La eterna noche de Juan Francisco Manzano es una obra muy efectiva dramáticamente debido en particular al papel que juega el personaje de la Ikú. La creación y elaboración de este personaje no sólo añade grandes posibilidades dramáticas a la obra sino que también contribuye singularmente a la comprensión del carácter ambivalente del protagonista. Ikú, personificación de la muerte, funciona como el subconsciente de Juan Francisco Manzano, recordándole siempre su dilema de esclavo: "¿A dónde te llevo mulato? Se dicen tantas cosas de ti. ¡Eres un soberbio que no aceptó su destino! El esclavo lo sigue siendo aunque compre su libertad. Mira tu pellejo y dime qué ves..." (5). Manzano no quiere aceptar esta realidad. El pasó los primeros años de su vida como esclavo urbano en una situación relativamente "privilegiada" dentro de una escala de valores degradados por la sangrienta y cruel institución de la esclavitud. El carácter de Manzano sufre al criarse sin ningún acervo africano, separado de la crueldad que sufría su gente, creyendo que por medio de su intelecto lograría el respeto y la libertad que ansiaba. Pero su fortuna cambió en 1809 con la muerte de su primera ama, la Marquesa Justiz de Santa Ana, quien lo mimaba y lo consideraba "el niño de su vejez". El conflicto de Manzano queda claro en las siguientes palabras de la Ikú: "Espero que tu historia sea interesante y logre interesarles. ¿Titubeas? ¿Toda tu vida no te la has pasado, tratando de lograr la aprobación de ese público blanco?... Te ayudaré... Algo me sé de las candilejas. ¡Recuerda que yo soy quien baja el último telón!" (7).

Héctor Santiago logra acercanos en esta obra mediante diferentes técnicas dramáticas y una innovadora coreografía a la triste y atribulada vida del esclavo Juan Francisco Manzano quien se vio involucrado en el controvertido suceso histórico cubano antiesclavista de 1844 conocido como La Conspiración de la Escalera. Como consecuencia de este trágico y despiadado suceso histórico, Manzano sufrió varios meses de cárcel y el poeta liberto Gabriel de la Concepción Valdés, conocido como Plácido, fue fusilado.

Rita and Bessie, escrita por Manuel Martín Jr. en 1986 y estrenada por el DUO Theater en 1988, es otra intensa pieza dramática, con música, en la que también se plantea el tema de la discriminación, y el racismo que sufrieron en mayor o menor grado las dos famosas protagonistas: la conocida cantante norteamericana de "blues" Bessie Smith (1894-1935) y la incomparable Rita Montaner (1900-1958), ídolo cubano de la zarzuela y la música popular.[4]

---

4. Roepke, Gabriela, "Tres dramaturgos en Nueva York", publicado en *Lo que no se ha dicho* por Ollantay Press, 1993, 73-96. Consúltese también en esta publicación Lillian Manzo-Coats, "Who are you anyways?: Gender, Racial and Linguistic Politics in the U.S. Cuban Theater", Ollantay Press, 1993, 10-30.

Manuel Martín Jr. nos presenta en esta obra el encuentro ficticio de estas dos mujeres en la oficina de un agente de artistas, en el último piso del Edificio Chrysler en Nueva York, adonde han acudido con la esperanza de encontrar empleo. Se establece un debate verbal entre las dos mujeres que nos revela acontecimientos artísticos, triunfos y exageraciones, y problemas personales en la vida de las dos cantantes. Mérito indudable de esta obra es el magistral desarrollo de los personajes y el hábil empleo de un lenguaje que sirve para destacar su estado social. Bessie se caracteriza por el constante uso de un lenguaje vernáculo que nos revela matices importantes de su personalidad. Su pobre educación se debe a la feroz discriminación que sufrió en su vida: "BESSIE: — I know nothing about your high class, Havana schools but, baby in America you were lucky if they let you go through the public school door. (*Laughs bitterly.*) No siree, no high class school for a nigguh" (7). Y nos cuenta que de niña en un hospital, después de un accidente automovilístico, se negaron a darle agua por ser negra y que siendo mayor, cuando viajaba con una orquesta de blancos por el sur de los Estados Unidos, no podía usar los baños públicos o sentarse a comer con ellos en los comedores. Por eso, Bessie dice que ella es la personificación de todas las mujeres cantantes de su raza que sufrieron esta misma humillación:

> ... What else you wanna hear? That my name is not Bessie, and the real story is that I'm a bastard, my name is Ethel. No, no, my name is Billie, no, no, my name is Josephine, and I was born in St. Louis, perhaps my real name is Ma, and I'm the one and only, Mother of the Blues... No, no, my name... I've got so many names that they have swollen my fat body. Fat accumulated for one hundred years. One hundred years draggin' my fat body through the American wasteland. Oh, baby, they wanted to kill my dreams, but no sonafabitch was goin' to do that because others like me will stand up and will dream them with me... (44)

En contraste con la trágica vida de Bessie, Rita recuerda haber tenido otra experiencia. Le habla a Bessie de sus padres, un farmacéutico y una maestra, de sus estudios en las mejores escuelas de La Habana, de su esposo médico, de sus gloriosos triunfos artísticos y de que en Cuba no había discriminación. Sin embargo, esto es lo que Rita quiere recordar. Según avanza la trama, comprobamos en muchas escenas de la obra, a través de la técnica de la retrospección, que el pasado de Rita también está lleno de soledad, angustia, tristeza y discriminación. Ejemplo magnífico de esta solapada discriminación en la sociedad cubana es la escena en que el compositor susurra a un personaje imaginario lo siguiente al referirse a Rita: "How do you think we can make her skin lighter?" (12); o en el comentario de unas mujeres respecto a un hombre blanco que se enamora de un personaje que Rita está representando:

VOICE OF WOMAN # 1.— You saw it. He touched her.
WOMAN # 2.— He had to. He was supposed to be in love with her.
WOMAN # 1.— But she is a Negress...
WOMAN # 2.— She's almost white.
WOMAN # 1.— There's no such thing as almost... You are either Black or White.
WOMAN # 2.— Please! It's only a play.
WOMAN # 1.— Today it's a play. Tomorrow it may be happening in your own home. Something must be done. (16)

La cuestión socio-política cubana también afecta a la protagonista. Sólo basta recordar la escena en que ella denuncia por la radio la muerte de su hermano y la inmediata represalia que el gobierno desata contra su persona.

VOICE OF POLICEMAN # 1.— Open your Mouth!
RITA.— (*She speaks with clenched teeth.*) Noooo!
VOICE OF POLICEMAN # 2.— Listen to the boss. Open your mouth!
RITA.— Nooo!
VOICE OF POLICEMAN # 1.— Open your mouth! Don't force me to use a tougher method.
POLICEMAN # 2.— (*Laughs.*) A little Castor oil never killed anybody...
RITA.— (*With clenched teeth.*) Nooo!
VOICE OF POLICEMAN # 1.— Just a little laxative to clean your tongue. You'll never use a microphone to insult our President. (29-30)

Los personajes en esta pieza dramática están bien delineados y son creíbles. Hay un consciente desarrollo de sus personalidades a lo largo de la obra. Mujeres explotadas que se identifican y comparten su miseria al final de la obra... Rita se llega a identificar con Bessie y la llama "sister". El Agente rechaza a las dos mujeres porque en el caso de Bessie las canciones de "blues" están pasadas de moda y en el de Rita, ella es demasiado latina para interpretar el papel. Al final de la obra las dos mujeres se dan cuenta que el único contrato que firmarán será con la muerte, acción que, desde luego, las hermana y las libera para siempre de los prejuicios sociales y raciales de este mundo.

Manuel Martín Jr. maneja con gran habilidad técnicas escenográficas modernas para la ambientación y la dramatización del improbable encuentro de estas dos grandes cantantes. No cabe duda que el decorado, el vestuario, la luminotecnia, la música, el lenguaje y la técnica de retrospección o "flashback" contribuyen extraordinariamente a la efectividad dramática de esta brillante y extraordinaria pieza dramática, en la que Manuel Martín Jr., nos plantea la problemática del racismo y la discriminación social.

En el monólogo *Trash*, escrito en 1989 y puesto en escena en Hunter College en 1995, Pedro R. Monge Rafuls también se enfrenta al problema del racismo, la explotación, y la marginalización y alienación del exiliado en una sociedad indiferente, hostil y violenta como puede ser la ciudad de Nueva York.[5]

El argumento de esta obra es directo y descarnado. El protagonista de este monólogo es un joven mulato llamado José que llegó a los Estados Unidos en 1980 durante el conocido éxodo masivo por el puerto habanero del Mariel: "Hi! I am José... a lot of people call me José. I am not Joe, I am José... I 'm a *Marielito*. You know, a boat people." (109) José sale del infierno de Cuba con la esperanza de encontrar una vida mejor en Los Estados Unidos, pero inmediatamente se encuentra con el prejuicio que sufrieron los marielitos al llegar a este país: "Everybody in this country is afraid of Cuban boat people. They say that we kill everybody and rape all the women. You heard a lot of stories about us... Not all boat people are bad. Castro put a lot of criminals and crazy people in the *flotillas*. They went to jails and mental hospitals and pulled prisoners out and sent them here in the boats, but most of us wanted to be free when we decided to come to this country. I couldn't live in Cuba anymore. Cuba is like a big hell!" (109) Pero la vida de José en los Estados Unidos se convierte en una tremenda pesadilla al ser explotado, rechazado y marginado: "Here, I went to school. (*Very frustrated*) But for one year only. Race relations and life for a minority person have gone from bad to worse in the last years. It's not easy." (11)

El final trágico de la obra ocurre cuando José nos cuenta el desenlace fatal de un encuentro homosexual. A José se le acusa de asesinar a un hombre cuando en realidad sabemos que su muerte ocurrió al descargarse accidentalmente el revólver en un forcejeo cuerpo a cuerpo. Aislado y alienado, la vida de José se ha convertido en una violenta pesadilla americana; es decir, en vez de una vida mejor en la "tierra prometida" ha caído en otro basurero. Creemos que Monge Rafuls logra en *Trash* con su aguda sensibilidad e intuición artística concientizar al lector/espectador de la problemática social, racial y sexual a que se enfrenta su protagonista José, desterrado en un medioambiente corrosivo, hostil y discriminatorio.

Por último, unas cuantas palabras sobre el "Teatro Visual" de Leandro Soto y su obra *E-Motions/E-Mociones*, carente de texto. El énfasis de esta pieza ritual radica en la danza, la máscara,el movi-

---

5. *Trash* fue publicado en 1995. Todas las citas están tomadas de esta edición. Consúltese el interesante artículo de Robert Vorlicky sobre esta obra titulado "The Value of *Trash*: A Solo Vision" en *Ollantay Theater Magazine*, III, 1, 1995, 103-106.

miento, el lenguaje gestual no las palabras. Tal vez habría que buscar el origen occidental de este teatro en el Misterio Medieval, las representaciones de los carros medievales con escenas fijas, en el experimento de los artistas de los años 20; por ejemplo, Antonin Artaud, el expresionismo Alemán, y el cine mudo de Charles Chaplin. En Cuba los toques de Santos, con todo el colorido de los orishas, las instalaciones donde se pone comida, se baila y se canta, sería otro ejemplo del arte visual. En los años 60 se hicieron en los Estados Unidos muchos *happenings* pero no todos eran visuales aunque quienes lo hacían eran artistas plásticos. Según indica Luis Camnitzer en su libro *New Art of Cuba*, Leandro Soto es uno de los primeros en comenzar este movimiento en Cuba en los años 80. Su obra *E-Mociones* sintetiza el sentido de una imagen visual con el movimiento y las formas inspiradas por ella. *E-Mociones* es una obra ritualista inspirada por el poeta y dramaturgo francés Antonin Artaud: el Artaud que vivió en México entre los indios Tarahumaras y conoció el Oráculo de Ifá en Cuba. La inquietud y expresividad de Leandro Soto lo ha llevado a crear en esta obra un espectáculo en el que cinco máscaras son utilizadas como pretexto para expresar la importancia de la cultura afrocubana a través de danzas, artes visuales, teatro y música. Cada máscara utilizada es importante en su contenido preciso dentro de un espectáculo de particularidades únicas. Vemos, por ejemplo, como en "Los espíritus me están llamando" el personaje de una negra, babalocha de la religión yoruba, es poseído por el espíritu del orisha que la hace bailar en contra de su voluntad. Leandro Soto capta en su obra *E-Mociones* con dinamismo, versatilidad e intensidad el ritual yoruba traído y sincretizado en Cuba a través de la danza, la música y la visión estética.

Las obras seleccionadas para esta antología constituyen por su variedad temática e intrínseco valor artístico una muestra parcial pero valiosa del teatro cubano de la diáspora en que el elemento negro juega un papel importantísimo en la creatividad de un grupo novedoso de teatristas cubanos exiliados. Cada uno de ellos se acerca a la figura del negro con sensibilidad artística y humana considerándolo como parte esencial de la nacionalidad cubana y no un mero juguete de interés y atracción folclóricos. Si esta antología crítica sirve como medio expositor de este valiente y dinámico grupo de escritores y contribuye a un mejor entendimiento del negro y de su aporte al acervo cultural cubano, y facilita un mayor conocimiento del rico folclore afrocubano, con sus creencias, mitos y leyendas, habré cumplido mi propósito como autor. Sea el lector quien pase el último juicio. MAFEREFUN ORISHAS. MAFEREFUN OLODUMARE.

OBRAS CITADAS

Cárdenas, Raúl de. *Los hijos de Ochún* (1998). Inédita.
Castellanos, Isabel y Jorge Castellanos. *Cultura afrocubana*. Vol. 4. Miami: Ediciones Universal, 1994.
Corrales, José y Manuel Pereiras. *Las hetairas habaneras*. Honolulu: Editorial Persona, 1988.
Espinosa Domínguez, Carlos. *Teatro cubano contemporáneo: Antología*. Madrid: Centro de Documentación Teatral y Fondo de Cultura Económica, 1992.
González-Pérez, Armando. *Acercamiento a la literatura afrocubana; ensayos de interpretación*. Miami: Ediciones Universal, 1994.
Leal, Rine. *Teatro Bufo: Siglo XX: Antología*. 2 vols. La Habana, 1975.
Martínez Furé, Rogelio. "Black Culture, Cuban Culture", *Cuban Update*. XXVI, 1991, 27-28.
Martín Jr., Manuel. *Rita and Bessie* (1986, inédita).
Monge Rafuls, Pedro R. *Otra historia* (1990, inédita).
—. *Trash*. New York: Ollantay, 1995.
Montes Huidobro, Matías. *Obras en un acto*. Honolulu: Editorial Persona, 1991.
—. *Persona, vida y máscara del teatro cubano*. Miami: Ediciones Universal, 1973.
—. *Teoría y práctica del catedratismo*. Honolulu, Hawaii: Persona, 1987.
Ortiz Fernando. *Los bailes y el teatro de los negros en el folklore de Cuba*. La Habana: Editorial Letras Cubanas, 1985.
Santiago, Héctor. *La eterna noche de Juan Francisco Manzano* (1995). Inédita.

PRESENCIA NEGRA EN OTRAS OBRAS DRAMÁTICAS

Corrales, José. *Cuestión de santidad* (1996). Inédita.
—. *Nocturno de cañas bravas*. New Jersey: The Presbyter's Peartree Press, 1994.
—. *Orlando* (1987). Inédita.
—. *Vida y mentira de Lila Ruiz* (1989). Inédita.
Monge Rafuls, Pedro R. *El mito de la señora Camila* (1998). Inédita.
Prida, Dolores. *Botánica* en *Beautiful Señoritas & Other Plays*. Houston: Arte Público, 1991.
Sánchez-Boudy, José. *La rebelión de los negros*. Miami: Ediciones Universal, 1988.
Santiago, Héctor. *Historias de orishas yorubas de la isla negra de Cuba: cuatro patakis* (1995) Inédita.

—. *Medea y los cuchillos* (1996). Inédita.
—. *Shangó Olufina: Alafin de Oyó* (1996). Inédita.
—. *Taita Jicotea y Taita Ciervo* (1993). Inédita.
—. *Vida y pasión de la Peregrina*. Miami: North/South Center Press, 1997.
Triana, José. *Palabras comunes* publicada en *Teatro*. Prólogo de José A. Escarpanter. Madrid: Editorial Verbum, 1991.

REFLEXIONES DE MATÍAS MONTES HUIDOBRO

ESCRITURA Y TEATRALIDAD

Todo comentario que haga un autor sobre su propia obra tiene el inconveniente de dejar en el receptor un determinado punto de vista que puede restringir la opinión de la crítica. Es por eso que casi siempre estoy un poco renuente a hacerlo, porque no sé hasta qué punto estoy en lo cierto.

En todo caso para mí todo se reduce a la "escritura", al acto mismo de escribir como agente que me sostiene en los momentos más desoladores y sin la cual no podría sobrevivir. De ahí que la narrativa, el teatro, la poesía e inclusive el ensayo, forman parte de todo un proceso creador en constante movimiento. La conciencia de la "escritura" configura una diferente realidad, una realidad total, que es algo así como si me escribiera a mí mismo, en el sentido de "hacerme" a mí mismo. Me hago cuando me escribo.

Ahora bien, lo que distingue la "escritura" teatral de las otras, es que en este caso, más que en la novela, me vivifico en la corporeización de las palabras, los movimientos y las acciones de los demás. En cierto modo no necesita representación, no necesita escenario (es decir, como proceso consciente del yo) porque la "vivo" en el momento que la creo. Pero naturalmente la puesta en escena (cuando está bien hecha) es ya casi un acto corporal, un parto. De ahí que el frecuente desplazamiento del dramaturgo en el proceso final de la puesta en escena, es un acto de usurpación, un secuestro, cuando no se comparte con el"escritor" y no se le reconoce debidamente; inconveniente que no tiene la narrativa y mucho menos la poesía. Sin embargo, ver en escena un personaje dramático que uno ha creado y que no podría existir si yo no lo hubiera gestado, es una experiencia única. El teatro es un acto ritual que queda particularmente definido por Rubén al final del segundo acto de *Exilio*.

En cuanto a *La navaja de Olofé*, algunas aclaraciones adicionales me parecen pertinentes. El punto de partida de esta obra hay que buscarlo en una obra que escribo por los años cincuenta que llamé *Las caretas* (hoy afortunadamente desaparecida) donde están establecidas las bases de la relación del hombre y la mujer, pero de forma muy esquemática, y donde el elemento afrocubano era más bien ambiental. A fines de los setenta o principios de los ochenta vuelvo a retomar el texto, que prácticamente reconstruyo completamente, ahora dentro de un contexto, me parece, más sólidamente afrocubano. De ahí que en realidad se trata de un nuevo texto que poco tiene que ver, como teatro, con la primera versión. Sin duda mi trabajo académico sobre nuestro teatro *Persona, vida y máscara en el teatro cubano,* tuvo mucho que ver en el asunto, ya que al trazar las bases de nuestra estética teatral destaco, de un lado, los componentes sexuales que entran en juego en las batallas de la sexualidad en la escena cubana, las técnicas de la metateatralidad, el ritualismo mágico de los componentes afrocubanos de la cultura y la distorsión verbal. Todos estos participantes entran en juego en *La navaja de Olofé*, a los que habría que agregar el toque freudiano, no menos abundante en mis interpretaciones críticas. Por otra parte, la afrocubanía del texto está ajustada a mi propia mitificación, a mi propia invención léxica (lo que explica la distorsión verbal de "Olofi" en "Olofé"), que no intenta reproducir la realidad sino sus esencias.

LA NAVAJA DE OLOFÉ

OBRA EN UN ACTO

de

MATÍAS MONTES HUIDOBRO

Lugar de acción: *Santiago de Cuba. Primera mitad del siglo XX. Época de los carnavales santiagueros.*

Personajes: *Un hombre y una mujer.*

Escenografía: *Al fondo, puerta tradicional de la Cuba colonial, de persianas, con arco de medio punto y vitrales de varios colores. La escenografía tendrá áreas de acción que ayudarán a establecer la correlación dual de los personajes.*

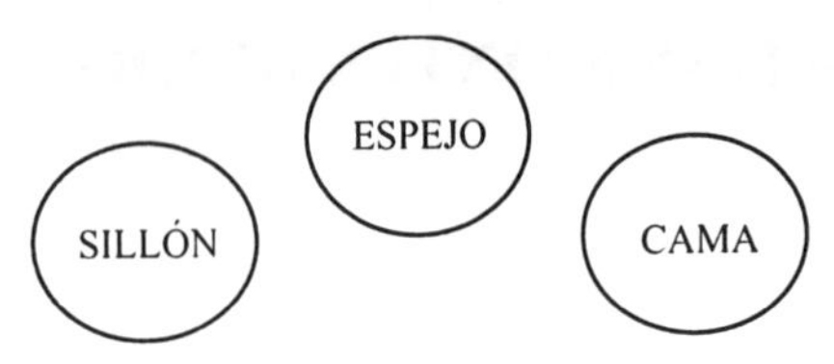

Un gran espejo al centro centralizará la acción. Es el área narcisista del hombre, que al descorrerse el telón se estará afeitando con una navaja de barbero. El acto de vestirse nunca se llevará a efecto. Se tratará de un proceso ritual que no llega a su fin. Los detalles, en su mayor parte, quedarán a libertad del director. En algún momento retocará con sumo cuidado unos zapatos de dos tonos, que podrán estar sobre una mesita colocada junto al espejo. También podrá haber una percha, de la que cuelgue un juego de guayabera y pantalones inmaculadamente blancos. El área del espejo es el área del hombre, donde se desarrolla el acto narcisista de adorarse a sí mismo, así como la ceremonia de adoración de la mujer.

Ambos personajes son mulatos. El tiene unos veinte años. Ella tendrá unos cuarentas años o más. Por momentos resultará muy atractiva, pero en otros dará la impresión de estar prematuramente envejecida.

El área de acción de la mujer, cuando represente el carácter de la madre, será el sillón; como la amante, la acción tendrá lugar en el lecho. El frente del escenario y el área del espejo son de carácter intermedio.

Se escuchará la música de las comparsas santiagueras durante los carnavales. Ritmo de tambores. Fuegos artificiales podrán iluminar la escena en ocasiones.

En la puesta en escena de esta obra se alteró el área de acción del siguiente modo.

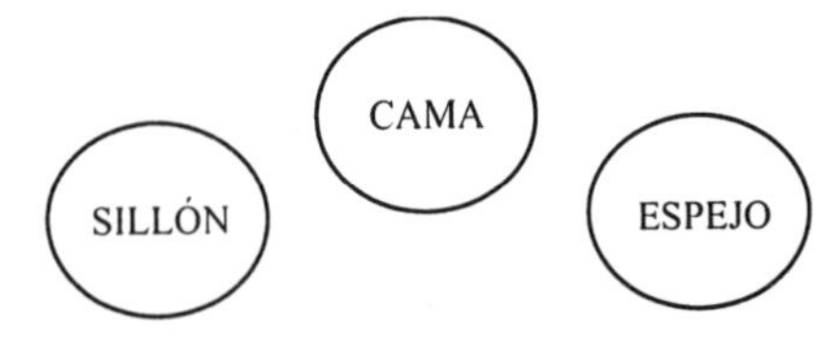

Esta composición escenográfica en la que la cama es el foco central de la pieza, me parece válida, dejando constancia aquí de esta posibilidad para cualquier futura puesta en escena.

MUJER.— (*Al entrar, sorprendida.*) ¿Te vas? ¿Ya te estás vistiendo?

HOMBRE.— ¿Qué te parece? ¿Que me peino o que me hago *papelillos?*

MUJER.— Pero el Viejo no ha llegado todavía. Andará emborrachándose por la bodega de la esquina.

HOMBRE.— ¿Y...?

MUJER.— (*Se acerca, lo acaricia.*) Nada...

HOMBRE.— Nada. Eso es lo que digo.

MUJER.— (*Mismo juego,.*) Nada... Rico... (*Se separa y se tira en la cama.*) ¡Ven...! Otra vez... Hay tiempo todavía...

HOMBRE.— (*La mira, indeciso, pero después se sigue afeitándose.*) No, carajo. ¡Déjate de tanta putería!

MUJER.— (*Se queda todavía en el lecho, en éxtasis. Se incorpora, se arregla los cabellos, mira el sillón, se pone de pie.*) Santiago está que arde! Changó se ha tirado para la calle. No se puede dar un paso... (*Baila.*)

Oculé Mayá, oculé Mayá,
Negro prieto, ¿dónde tú estás?
Oculé Mayá, oculé Mayá,
Negro prieto, ¿dónde tú vas?

(*Se acerca al sillón y, sin sentarse, empieza a mecerlo, cantando una canción de cuna.*)

Drume drume Changoncito
que Yemayá te quiere a ti...
Drume, drume Changoncito
que Ochún pregunta por ti...

(*Se sienta en el sillón.*) Ten cuidado, hijo. No tomes mucho esta noche y ten cuidado con la navaja, que tiene la media luna.

HOMBRE.— Cuentos, mamá, cuentos...

MUJER.— Esa vida que tú llevas tiene forma de cuchillo. Me lo dijo Olofé, vestido de mariposa. (*Canta.*)

Drume, drume Changoncito
que Yemayá tiene un regalito...

Drume, negro bonito
que no se despierte mi Changoncito...

HOMBRE.— ¿Y desde cuando Olofé se viste de mariposa? Será por los carnavales. La gente se desbarata por estas fiestas. Y yo también, pero no me muero. Dile a Olofé que se vista de vieja...

MUJER.— Yo no, negrito de azúcar prieta, porque soy Olofé vestida de negra vieja.

HOMBRE.— Hoy se goza de lo lindo. Como nunca.

MUJER.— ¡Pero no yo, que ya soy gandinga con quimbombó, güiro sin agua! (*De pronto cae de rodillas, levanta los brazos y grita.*) ¡Olofé, Olofé, sácame del pozo donde me has metido! (*Transición grotesca. De rodillas, se acerca al hombre en el área del espejo. Canta grotescamente.*)

Tú ves, yo no puedo caminar,
Tú ves, ya yo no puedo sinchar,
Tú ves, que yo soy negra mandinga
Tú ves, que yo soy negra sin dinga

HOMBRE.— ¡Te voy a mear toda!

MUJER.— (*Arrastrándose, llega al lecho.*) ¡Olofé... Olofé... que soy negra sin... dinga! (*Transición. Riendo.*) ¡Ay, pero qué lindo era Olofé cuando venía por las nubes! ¡En cuerito y sin taparabos! La madre, la vieja Olofé, estaba en la nube que ya iba llover, y le decía llorando, porque eran lágrimas: ¡Tápate el rabito, Olofé, porque las perras te lo van a comer! Y Olofé no lo quería creer, porque Olofé el Padre le había dicho: "Mira, Olofé, no le hagas caso a los cuentos de Mamá Olofé, porque siempre hay rabo, que sigue viviendo aunque se lo corten a la lagartija!" Y Olofé era dueño del mundo, pero la vieja Olofé, Mamá Olofé, lloraba y por eso empezó a llover y se hizo agua. Pero, ¡Olofé se reía del agua! (*Hipnóticamente, el hombre deja de afeitarse. La mira a través del espejo.*) ¡Ven, Olofé, le decía la montaña, que estaba partida en dos por el valle! ¡Ven Olofé, que yo soy Tierra Olofé, la que lo tiene todo! ¡Mira estas dos cumbres, Olofé, rico, machito sabroso, chulito de la lengua! ¡Mira estas cumbres, Olofé, y se tocaba las puntas de los senos! ¡Yo soy Tierra Olofé, Olofé! Allá en la nube, que era un espejo, miraba Olofé a Tierra Olofé, y recorría la mirada por la montaña y bajaba al valle y entonces Olofé bajó, porque tenía hambre.

HOMBRE.— (*Volviéndose.*) ¿Cómo era la Tierra Olofé?

MUJER.— ¡Como la estás viendo! ¡Ven, Olofé, muñecón de la ceiba, tronco de palma, aguardientes de caña, melao de Santiago! ¡Ven Olofé, para que rercuerdes a Tierra Olofé...! Recuerda, Olofé... Haz memoria, negrito lindo...

HOMBRE.— ¡Olofé?

MUJER.— Tierra Olofé.

HOMBRE.— (*Ya junto a ella en la cama.*) ¿Olofé?

MUJER.—(*Juntos, en la cama.*) ¡Olofé, ése que era de todo! ¡Olofé era todo! ¡Ven, tócame Olofé! ¡Olofé soy yo! ¡Olofé eres tú! ¡Olofé es la cama! ¡Olofé! ¡Olofé! ¡Olofé tiene de todo y da de todo! ¡Entrega y coge! ¡Quiere y se deja querer! ¡Sube y baja! ¡Besa y se deja besar! ¡Corre y salta! ¡Toca y se deja tocar! ¡Canta y baila! ¡Huele y se deja oler! ¡Come y se deja comer! ¡Olofé eres tú! ¡Olofé soy yo! ¡Vuela y nada! ¡Nada en el agua! (*Ella deja caer la cabeza hacia atrás y él está a punto de besarla. La posición es la de la cópula, pero se distorsiona y la cabeza de ella cae hacia atrás, colgando fuera del lecho. Ella, con la voz angustiada ya, agrega:.*) ¡Nada... en el... agua...!

HOMBRE.— (*Él se va incorporando, todavía sobre ella, dejando ver su torso desnudo, en la misma posición.*) ¡Nada... en el... agua...! (*Se separa, vuelve al espejo y se mira.*) ¡Olofé soy yo!

MUJER.— ¡Cómo pasa el tiempo! (*Incorporándose.*) Parece que fue ayer... Todavía me acuerdo cuando jugabas a la pelota y cuando te llevaba al colegio, que nunca te gustó. (*Está sentada al borde de la cama. Se pone de pie y se dirige al sillón.*) ¡Ay, hijo, como me duelen las piernas! (*Se va acercando al sillón y canta tristemente.*)
Oculé Mayá, oculé Mayá,
Negro prieto, ¿dónde tú estás?
Oculé Mayá, oculé Mayá,
Negro prieto, ¿dónde tú vas?
(*Se deja caer en el sillón.*) Todavía recuerdo a la maestra aquella, ¿cómo se llamaba? ¿Juana María?, que venía siempre a darme quejas de ti... Y parece que todo fue ayer... Pero no, fue hace, mucho tiempo... ¿No es verdad?

HOMBRE.— No sé, no lo recuerdo...

MUJER.— Y ahora, eres un hombre hecho y derecho... Ten cuidado... Esas mujeres te tienen trastornado el seso...

HOMBRE.— No empieces con lo de siempre.

MUJER.— (*Rabiando ahogadamente.*) Los viejos a fregar... A la batea y a la cocina... Los otros a bailar y a desnudarse...

HOMBRE.— Así es la vida.

MUJER.— Las mujeres de hoy son malas, hijo. Tienes que cuidarte.

HOMBRE.— Que se cuiden ellas de mí...

MUJER.— Como decía mi madre... Hijos, ni de plátanos...

HOMBRE.— Mira, vieja, yo no voy a seguir amarrado a tu falda para siempre.

MUJER.— Ten cuidado, hijo. Esas mulatas jóvenes, que se desnudan en un dos por tres, son candela y puedes quemarte... ¡Acuérdate que te lo vengo diciendo desde hace mucho tiempo! ¡Jóvenes, jóvenes!

HOMBRE.— No faltará alguna medio vieja.

MUJER.— (*De pie, irritada, pero todavía junto al sillón.*) ¿Qué quieres decir?
HOMBRE.— Lo que oíste.
MUJER.— Aguantar... ¡Maldita sea! Bonito papel... Los viejos a cuidar a los nietos mientras ellos van a divertirse tras las comparsas... (*Añorando. Camina hacia el espejo.*) ¡Qué lejos están mis tiempos! Aquellas noches... El santo se me subía... Alcohol noventa con gotas de limón... ¡Ay, hijo, si hubieras conocido a tu madre en otros tiempos! Es muy triste verse como yo me veo. Pero, si fuera joven gozaría, ¿sabes? Yo también tuve mis buenos tiempos. Sería una de... ellas... ¡Sí, hace tanto tiempo! Aún recuerdo cuando aprendiste a caminar. Eras un lindo mulatico, gracioso, y todo el mundo tenía que ver contigo. Te pasabas la vida pegado a mis faldas y cuando tenías miedo hasta te metías debajo de ellas... Allí aprendiste algunas cosas, tal vez. Entonces era yo la que iba a las comparsas... Entonces era yo la que se miraba en el espejo... (*El hombre está en la cama y poco a poco se dejará llevar por el texto de la mujer, como si él recordara también, en un doble plano, de niño y de hombre.*) Aquella noche el Viejo no estaba en casa y tú te habías quedado dormido en mi cama, porque tenías miedo, y te pegaste a mí... Entonces tocaron a la puerta, con un silbido creo yo, y tú seguías dormido allí como un angelito... Yo no quería abrir... Y sabía que el Viejo no iba a ser porque se estaría emborrachándose en el café... Tocaban suavecito y yo sentía aquel toque por todo mi cuerpo, como si me estuviera acariciando antes de llegar... Desde hacía tiempo me venía mirando: en la bodega de Felipe, en la frutería de Panchita, no sé... Y me decía aquellos piropos indecentes que tanto me gustaba oír... Después yo venía y me encerraba contigo, y te empezaba a cantar... "Drume, drume Changoncito..." Pero no, no servía, no podía ser... Y por eso no importaba que me mirara o me dejara de mirar, porque la mirada ya la tenía dentro y me acariciaba todo el cuerpo... (*Está mirando al hijo a través del espejo. Se vuelve y se acerca al lecho.*) Entonces me levanté y te dejé dormido, como un angelito, y yo caminé a la puerta, pero no tenía que abrirla, porque sabía que ya se había metido en la casa. Que ya estaba aquí. Me di cuenta que estaba aquí, en el cuarto, en la cama, y cuando abrí la puerta estaba ahí, el mismísimo Olofé, más bello que nunca, más bello todavía a como lo había visto siempre dentro de mi cabeza. Porque no era el hombre de la bodega, no, no era él. Era Olofé. Y me dijo todo aquello que ya tú sabes: "Ven, tócame Olofé! ¡Olofé soy yo! ¡Olofé eres tú!". (*La posición es similar a la secuencia anterior, pero los papeles se han invertido y la mujer está sobre el hombre. Ahora él tiene la cabeza hacia atrás. Ella, erguida y hermosa, grita casi.*) ¡Yo soy Olofé!

HOMBRE.— (*Violentamente, separándose.*) ¡Tú eras Olofé!
MUJER.— (*Pausa. Ella canta el lamento.*)

Oculé Mayá, oculé Mayá,
Negra prieta, ¿dónde tú estás?
Oculé Mayá, oculé Mayá,
Negra prieta, ¿dónde tú vas?
Los viejos a fregar... A la batea y a la cocina... Los otros a bailar y a desnudarse.

HOMBRE.— (*Cantando con otro tono.*)

Oculé Mayá, oculé Mayá,
Negra prieta, ¿dónde tú estás?
Oculé Mayá, oculé Mayá,
Negra prieta, ¿dónde tú vas?

MUJER.— Estoy cansada de esto ¿sabes? Estoy hasta el último pelo de que me dejes con las ganas y te vayas con las otras.

HOMBRE.— Vamos, déjate de celos, tú sabes que sólo te quiero a ti.

MUJER.— Eres un gallo de cresta colorada. Bien sé que me estás mintiendo como si fuera la gallina más vieja del corral.

HOMBRE.— Vamos no te pongas así con tu negro lindo.

MUJER.— (*En el sillón.*) Los viejos a fregar... A la batea y a la cocina... Los otros a bailar y a desnudarse... El recuerdo... Los calderos y los gritos... Los nietos...

HOMBRE.— Esta noche te voy a mandar a hacer los más lindos. Dentro de nueve meses las gallinas santiagueras empezarán a poner huevos gigantes de los que saldrán alegres gallos colorados.

MUJER.— Sí, para eso crees tú que estoy. ¡Sinvergüenza! Para cuidar los hijos de esas mujerzuelas. Pero te equivocas. No lo voy a aguantar.

HOMBRE.— Ya te veré comiéndotelos a besitos. Los tendrás debajo de la falda, como me tenías a mí.

MUJER.— Créete tú eso. Hoy soy una vieja y ya no sirvo para nada, ni para eso. Estoy hecha un guiñapo. Mis manos tienen callos, son ásperas. Han trabajado mucho para ti... ¡Qué vida tan miserable! ¡Qué hijos tan mal agradecidos!

HOMBRE.— Todavía tienes sandunga, vieja. Lo que tienes que hacer es irte para la calle a bailar con el Viejo.

MUJER.— ¿El Viejo?

HOMBRE.— Cuando no hay pan se come casabe.

MUJER.— ¿Olofé?

HOMBRE.— Oye, vieja, yo creo que a ti te falta un tornillo.

MUJER.— ¡El Viejo! El Viejo no es Olofé.

HOMBRE.— ¡Al carajo con Olofé! Que si Olofé esto, que si Olofé lo otro, que si Olofé lo de más allá. Tu Viejo es Olofé.

MUJER.— (*Se pone de pie.*) ¡Te voy a entrar a galletas!

HOMBRE.— Vamos, vieja, alegra esa cara y no trates de meterme miedo. Ya estoy demasiado mayorcito para que me vengas con esto. Me voy porque sí, y lo otro tienes que darlo por terminado.

MUJER.— No, antes no era así... No puedo... Sí, lo veo... Estoy gorda, gorda y fea como una lechona vieja... Gorda y fofa... Ya no me quieres.

HOMBRE.— Pero vieja, no te pongas así... Claro que te quiero... ¡eres mi Virgencita del Cobre! Y si no te gusta el Viejo, hay otros también...

MUJER.— ¿Qué hombre, ahora, querrá estar conmigo? ¿No te das cuenta? Te entregué mi juventud... No, no te burles de mí... Pero tú sabes que yo, aquí en la cama, a la medianoche, es como si fuera otra mujer... ¡El Viejo! ¿Cómo te atreves a decir tal cosa?

HOMBRE.— Porque se te ha metido eso en la cabeza: que yo soy Olofé. Y no es cierto. Mira a tu alrededor y verás otros como yo, pero más jóvenes, sin experiencia, y tú podrás ser su maestra. Tú les enseñarás a ser Olofé. Razona. Piénsalo otra vez. El Viejo está chocho y no le importa quien sea o deje de ser.

MUJER.— Pero a mí sí... No será tan fácil terminar con todo lo demás, porque cuando le empecé a pegar los tarros contigo...

HOMBRE.— Con el otro... con el de la casa de al lado... con todo el vecindario...

MUJER.— Contigo o con el otro... Ninguno se despegaba de mí... De aquí no salía nadie, con careta o sin careta, la noche del carnaval... Y ahora, así, irte... Enseñarles a las otras lo que aprendiste conmigo...

HOMBRE.— (*Canta:.*) Oculé Mayá, oculé Mayá,/ Negra prieta, ¿dónde tú vas?

MUJER.— Sí, canta, baila, diviértete, ponle la musiquita... "Negra prieta ¿dónde tú estás?" Búrlate de mí... Pero, hijo, neno, machón, eso se oye, se escucha todos los días... En la bodega de Pancho, en la carnicería de Felipe, en la quincalla de Paulina... La novela del mediodía... El chulito que sube como la espuma y se hace representante por la oposición... El ginecólogo que se acuesta con la condesa, con la hija y con la enfermera... El abogado que vive con la secretaria... La señorita que dejó de serlo por una visita inesperada del tamalero... Lo que yo digo... Lo de todos los días... Y después, adiós, si te he visto no me acuerdo... ¿Acaso no me lo has dicho muchas veces? Lo sé... Me lo sé de memoria... La escena de celos... Que si hay una señorita decente, de buena familia, la hija del alcalde, a la que por un descuido has preñado... Una encerrona, en fin... ¿Qué puede hacerse? Que si antes te burlabas de él, el Viejo, y ahora te burlas también de mí... No, no me lo digas si no quieres... Aquí hay espejos, ¿sabes? Me puedo ver, cosa linda, chulito de mala muerte... Antes se los pegabas a él; ahora me los pegas a mí... El cabrón, la cabrona, y el chulo de a peseta que acabó en Caballero de Colón... ¡Qué historia! ¡Qué novelón radiofónico!

HOMBRE.— La vieja que me daba la teta...

MUJER.— Y el niño que se la chupaba toda...

HOMBRE.— Y el otro, que se la venía a quitar, que se la robaba a la mañana y a la medianoche. Siempre, siempre me quedaba con hambre...

MUJER.— ¡Eso no puede ser! El Viejo...

HOMBRE.— No, no era él... Era Olofé. (*Canta.*)

Oculé Mayá, oculé Mayá,
Negra prieta, ¿dónde tú estás?
Oculé Mayá, oculé Mayá.
Negro prieto, ¿dónde tú vas?

MUJER.— Ahora no, Olofé, que el nene está dormido...

HOMBRE.— Cabrón, desvergonzado, hijo de puta... ¡A mí, era a mí a quien le pegabas los tarros! Venía así, encuero, delante de mí, con el rabo en alto...

MUJER.— (*Burlona.*) ¡Vamos, déjate de celos, tú sabes que sólo te quiero a ti!

HOMBRE.— Hasta que aquella noche yo lo dejé sin cabeza...

MUJER.— ¿Aquella noche? No entiendo, Olofé, ¿qué quieres decir?

HOMBRE.— Era muy fácil de saber... (*Acercándose a la cama.*) Como venía cantando, se podía oír. Además, estaba dentro de ti...

MUJER.— ¡Qué niño tan pícaro! Si tu supieras, algo me imaginaba yo, porque a ti te gustaba que te diera muchos besitos... Entonces, ¿era Olofé?

HOMBRE.— Yo no estaba dormido. Me había metido en la cama para despertarme y cuando empezó a silbar "negra prieta, ¿dónde tú estás?", yo empecé a dejarlo silbar por mi boca...

MUJER.— ¿Tú? ¿Entonces, por eso, lo tenía tan cerca? Y él, que no es bobo, ¿no se daba cuenta?

HOMBRE.— No, porque le gustaba tanto que mientras más me gustaba a mí más se creía que era Olofé.

MUJER.— ¡Qué inmoralidad! ¡Qué historia tan indecente!

HOMBRE.— (*Está ya en la cama.*) ¿Comprendes? Si yo hacía aquello, contigo, era entonces yo el que se los pegaba a Olofé...

MUJER.— Y yo, así, de inocente, sin darme cuenta. Las mujeres, como siempre, somos juguetes en manos de los hombres...

HOMBRE.— Claro, pero lo escuchabas tan cerca que se te iba metiendo dentro. Y yo lo sentía todo igual, idéntico, porque en tu carne ya se había metido Olofé pero esta vez yo era Olofé y todo el aire que se respiraba en el cuarto era el aire de Olofé.

MUJER.— ¡Qué locura! ¡Qué cuento de caminos! ¡Santo Dios! ¡La negra Conga vuelve otra vez con su teología yoruba! ¡Chismes, mentiras, supersticiones, habladurías de la gente! Tu abuela era negra, tinta y retinta; pero tu abuelo era blanco y reblanco, católico, apostólico y romano. ¡Cómo puedes hacerte eco de esas historias de Olofé!.

HOMBRE.— Cuando te quedaste dormida...

MUJER.— Imposible. ¿Quién cantaba la canción de cuna? ¿Eras tú o era yo? Y, además, piénsalo bien, en aquel tiempo, eras muy pequeño... Yo te bañaba y yo sabía que eras muy pequeño... Imposible, imposible... No pudiste ser Olofé...

HOMBRE.— (*Sacando la navaja y colocándosela al cuello.*) Eso lo sabía yo, pero yo tenía la navaja y el que tuviera la navaja iba a ser Olofé.

MUJER.— ¡No, no, eso no puede ser!

HOMBRE.— Yo me había visto al espejo y había visto a Olofé. El tenía lo que yo quería tener... (*La acaricia con el filo de la navaja.*)

MUJER.— (*Riendo.*) ¡No, no, lo que yo quería tener! (*Lo acaricia hasta quitarle la navaja. A partir de este momento el juego de la navaja se repetirá una y otra vez, sexual y amenazante, a discreción del director.*)

HOMBRE.— Cuando entró en el cuarto hizo lo de siempre. Como siempre estaba desnudo no tuvo que quitarse la ropa.

MUJER.— Es cierto. Son costumbres de Olofé. Malas costumbres de Olofé.

HOMBRE.— Cuando abrí la puerta todo estaba a oscuras. Yo, que había estado contigo, tenía tu perfume y todo tu perfume era el perfume de Olofé, ¿comprendes? No nos podíamos reconocer.

MUJER.— Acabarás mintiendo. Acabarás diciéndome que quería acostarse contigo y que tú querías acostarte con Olofé.

HOMBRE.— Yo quería lo que él tenía.

MUJER.— Esa no es razón suficiente.

HOMBRE.— Sí, porque con lo que él tenía yo te podía tener.

MUJER.— (*Suspirando.*) ¡Lo que tiene Olofé! ¡Ay, quien tuviera aquí lo que tiene Olofé! No, no lo entiendes, no puedes entenderlo... ¿Quién puede comprenderlo? Porque es anterior a ti... Todas las noches, antes que tú vinieras al mundo, ya existía Olofé... Eso te lo he explicado una y otra vez... Cuando rezabas por las noches... Cuando le rezabas a Olofé... Comprende, era papá Olofé...

HOMBRE.— Cada oración, cada palabra, cada letra, me incitaba contra Olofé... Me dormías con los rezos, pero entre sueños yo lo podía ver...

MUJER.— (*Riendo.*) ¡Olofé, ahora no, Olofé! ¡Que me duele la cabeza, Olofé! ¡Luego, luego, Olofé! ¡Deja esa cosa, Olofé! ¡Que viene el Viejo, Olofé! ¡Sigue! ¡Déjame! ¡Sigue, sigue, Olofé! ¡No, no te vayas, Olofé! (*Mirándolo, saliendo del éxtasis que representa la evocación.*) No, no puedes comprenderlo. Porque, no creas, ni siquiera tú... Ni siquiera tú has podido... has podido como Olofé... Y no lo digo por ofender.

HOMBRE.— (*Sacudiéndola.*) ¡Comprende, comprende de una vez, yo tenía la navaja para hacer mío lo que tú querías de Olofé!

MUJER.— (*Riendo.*) ¿Ahora? ¡No, no Olofé, si lo haces te verá Olofé, que está adentro, ahí, Olofé! Por favor, hazlo por Olofé, que nos está mirando en el espejo... ¿Ahora? ¿Delante? ¡No, no puedo...! ¡Pero es Olofé, tu propio hijo Olofé! ¡Me da pena, me da vergüenza! ¡No me desnudes enfrente de Olofé, Olofé! Cuando me acostaba conmigo, te creaba a ti, Olofé.

HOMBRE.— (*Violentísimo, como si alguien estuviera ante el espejo.*) ¡Cabrón, cabroncito, hijo de puta, que se te ven los tarros!

MUJER.— ¡No, no te pongas así, Olofé!

HOMBRE.— (*A ella.*) ¡Canalla! ¡Hija de puta!

MUJER.— (*Violento, él la sacude brutalmente, pero esto no hace más que acrecentar su voluptuosidad.*) ¡Así, duro, fuerte, Olofé! ¡Mátame, tritúrame, acaba conmigo!

HOMBRE.— ¡Oye! ¡Escúchame! Aquella noche... Cuando tú creías que yo estaba dormido... (*Enseñando la navaja.*) Afilada, cortante, en el cuerpo me la había escondido. El muy canalla... El muy hijo de puta... En la cama... Así... Con las piernas abiertas... (*Le da una vuelta por los cabellos. Ella queda sobre él. Él queda con la cabeza hacia atrás, caída y distorsionada hacia el público.*) Entiende, entiende de una vez. No lo reconociste. Porque cuando tú llegaste ya yo tenía puesto lo que no tenía Olofé.

MUJER.— No, yo soy Olofé. (*Ella levanta un brazo que tiene libre. Él la tiene agarrada por los cabellos, pero como la cabeza está caída hacia atrás, no puede verla. En el brazo ella tiene la navaja de Olofé.*)

HOMBRE.— Entiende, entiende de una vez. ¡Yo tengo lo que no tiene Olofé! Ahora es mío. Ahora lo tengo yo. Ahora soy yo, para siempre, el hijo de Olofé. ¿No lo ves? ¿No lo reconoces? ¡Es Olofé!

MUJER.— Es mío y ya puedes irte. ¡Yo soy la que tiene lo que tiene Olofé! ¡Yo soy la tierra y el cielo! ¡Yo tengo la espada de Olofé! (*Baja el cuchillo y castra a Olofé. Apagón rápido.*)

FIN DE LA OBRA

Fruits (1980). © Poublé.

REFLEXIONES DE PEDRO R. MONGE RAFULS

Nunca pensé cuando yo era un niño, estudiante de bachillerato en el Colegio Luz y Caballero, de Placetas, que el exilio que estudiaba como parte de la historia colonial cubana fuera a repetirse un día en nuestra joven república y que yo iba a ser parte del exilio más triste que se ha vivido no sólo en Cuba, sino en toda las Américas; un exilio incomprendido, vituperioso. Mi vida quedó, pues, marcada por los abusos del castrismo a mi pueblo y por el dolor del exilio que me correspondió.

Nada de eso impidió mi crecimiento artístico, pero para mí es importante dejar constancia del mundo que me agobia. La actitud irracional y egoísta del hombre están presente, de una forma u otra, en lo que escribo y en las actividades que organizo como promotor de las artes "latinas"[1] de los Estados Unidos. Lo podemos ver directamente en obras como *Nadie se va del todo* (1991),[2] *Se ruega puntualidad* (1995),[3] *Recordando a mamá* (1990),[4] *Trash* (1989), que se reproduce en este libro y en las seis obras breves que he cobijado bajo el título de *Momentos*.[5] Ese mundo de opresión lo podemos ver indirectamente en *La oreja militar* (1993), la comedia de humor negro *La muerte y otras*

---

1. No acepto el gentilicio "latino" y/o "hispano" con que erróneamente se clasifica, en los Estados Unidos, a los inmigrantes de los países latinoamericanos y/o a sus descendientes. Por rechazarlo es que lo pongo entre comillas.

2. *Nadie se va del todo* en *Teatro: 5 autores cubanos*, Rine Leal, editor, (Nueva York: Ollantay Press, 1955).

3. *Se ruega puntualidad*, (Nueva York: Ollantay Press, 1997).

4. *Recordando a mamá: antología de teatro breve hispanoamericano*, editores: María Mercedes Jaramillo y Mario Yepes, (Medellín, Colombia: Editorial Universidad de Antioquía, 1997).

5. *Momentos* agrupa las siguientes obras estrenadas y/o publicadas: *Soldados somos y a la guerra vamos* (1992), *No hay mal que dure cien años* (1992), *Consejo a un muchacho que está empezando a vivir* (1993), *Las lágrimas del alma* (1994) y *Cordial discrepancia* (1996). Esta colección de obras muy breves sobre situaciones que tratan la idiosincracia cubana, consecuencia de la época castrista, puede ser aumentada aún.

cositas (1988) y hasta en la comedia *Noche de ronda* (1990),[6] cuyo interés principal es levantar consciencia sobre la epidemia del SIDA.

Mi experiencia con el teatro cubano de la Isla ha sido limitada. He visto las producciones "viajeras" de *Manteca* de Alberto Pedro, en Cádiz, en 1994; y la versión de *El Decamerón* de Giovanni Bocaccio por Héctor Quintero, horriblemente dirigida por Roberto Blanco, en Venezuela, en 1994; He estado en las presentaciones de dos obras de Abelardo Estorino: *Vagos rumores*, en Nueva York en 1996 y *Parece blanca*, en Caracas, en 1997. También vi en Nueva York en 1998 *Fresa y chocolate*, la versión que Senel Paz hizo de su cuento y del guión de la película. He leído varias obras. ¡Mi contacto con el teatro isleño no lo considero una experiencia positiva!

Mi escritura está determinada por mi idiosincracia cubana en la misma proporción que está influenciada por mi condición de exiliado, en Nueva York, en la segunda mitad del siglo. Lo cubano que está dentro de mí se mezcla con el arte angloamericano y con el arte de los inmigrantes latinoamericanos que me ha tocado palpar de cerca y de ahí nace mi obra, sin lugar a dudas-repito-cubana.

Por otro lado, la cultura negra-cubana se me hace tan fuerte como la española-cubana y surge espontáneamente, sin fingimientos, en algunas de mis obras. ¡Lo negro me fascina, sin paternalismo! Las dos obras que se publican aquí son dos percepciones distintas de lo que digo. No obstante, el tema negro no es mi único interés. Creo que mi obra no tiene límites en temas, estilos y técnicas. Estoy en la búsqueda de lo original dentro de las técnicas modernas de la imagen cinematográfica y de la televisión, a las que considero que no me he ni acercado.

---

6. *La muerte y otras cositas* (1998), tuvo una lectura dramatizada en el Teatro DUO, el 28 de junio de 1989, dirigida por la chilena Gabriela Roepke; *Noche de ronda* fue estrenada el 16 de febrero del1991, bajo la dirección del argentino Delfor Peralta. En 1991, el autor obtuvo el premio *Very Special Arts Award*, en la categoría *Artist of New York*, concedido por el Kennedy Center en Washington, DC y el alcalde de Nueva York, David Dinkins.

OTRA HISTORIA

OBRA EN DOS ACTOS

de

PEDRO R. MONGE RAFULS

A José Triana, amigo.
A todos los dramaturgos cubanos,
en el exilio, que no les han dejado
ocupar su lugar.

Deseo agradecer la cooperación
de las santeras Elizabeth Lacera (Ordé De I)
y Elvira Herrera (Oshún Kayordé).

En la tierra, según se sabe, hay más ratones que águilas. Los ratones se juntan y dicen: "Vaya, nosotros volamos mejor que las águilas", y por de contado los ratones lo creen.

JOSÉ MARTÍ

La roca se abrió de alas
Los pájaros se abrieron de picos
los gallos de espuelas y de huevos
las sábanas se abrieron de buen tiempo
los árboles de cielo incierto
las estrellas se abrieron de oscuridades
el sol se abrió de temperaturas gratas
y piel bronceada
el aire se abrió de recuerdos
la tierra se abrió de cuerpos...

JOSÉ CORRALES: *Corpus Mario D.*

I find no kinship with anything;
The world is alien, time estranged—
As if I came in an age too soon or too late.
Or perhaps in an interim.

ABDALLAH AL-BARADUNI[1]

---

1. Traducido del árabe al inglés por John Heath-Stubbs con la colaboración de Salma Khadrajayyusi.

PERSONAJES

El padrino	Elegguá
José Luis	Changó
Marina	Yemayá
Marquito	Oshún
Teresa	Músico

Nueva York. La acción comienza seis meses atrás y termina hoy.

Hay una sóla escenografía con varios espacios que se mezclan: la casa del Padrino, en el Bronx, en la que se respira santería porque a eso está dedicado el lugar. El apartamento de Marquito, en Manhattan, con una decoración moderna. Y la casa de Marina, también el Bronx, que tiene una decoración conservadora. El resto de la acción ocurre en el bar y en el monte; donde se mueven y se trasladan los personajes de acuerdo a la acción. **Lo importante no son los lugares sino los encuentros de los personajes.**

Los orishas Elegguá, Chango, Yemayá y Oshún llenan de magia el ambiente. Estarán recibiendo a los asistentes y se mezclarán con ellos, en el vestíbulo del teatro, antes de que entren a la sala. Despojan a algunos individuos del público con hierbas y/o pañuelos. Le adivinan algo a un espectador, etc., pero no hablan con el público. Además, un músico tocando una conga o un tambor juega con la presencia de los orishas y ameniza con cantos a Elegguá-el que abre los caminos-u otro orisha, en determinados momentos.

Sin molestar la acción los orishas-*que son invisibles para los actores-estarán silenciosos alrededor de la escena y/o entre los espectadores: sentados en los pasillos, en alguna butaca vacia, etc. Para que sus presencias se hagan familiares, el vestuario de los orishas debe ser el apropiado en colores y símbolos.*

El ambiente de magia, ambigüedad y erotismo deben envolver al público todo el tiempo de la obra y queda para la creatividad del director y los actores que deben transmitirlo.

El Padrino se mantiene siempre en la escena: tirando los Caracoles, atento a lo que sucede como si viera a través del espacio y del tiempo, aunque por el diálogo nos damos cuenta que no es así. La presencia del Padrino y cualquier otro actor, que no esté en la acción principal, no puede interrumpir la acción. Los personajes entran y salen de escena o se mueven de uno de los espacios al otro, con naturalidad. No habrá ni congelamientos ni apagones al pasar la acción de un espacio a otro, o de una escena a otra.

El autor está muy interesado en el uso de la técnica moderna en el cine y el video. Por eso recomienda el uso de efectos especiales de 3D con creatividad. Las escenas se suceden como una película.

La obra le agradece mucho a ***El monte*** *de Lydia Cabrera, pero debe anunciarse en el programa que no se ha seguido la realidad del rito santero en la magia, ni la lectura de los Caracoles y, especialmente, de los Cocos. Tampoco se ha tenido en cuenta las diferencias entre la Regla de Ocha y la Regla Conga.*

PRIMER ACTO

(*La acción comienza en la casa del Padrino, un hombre con experiencia, que le está tirando los Caracoles a José Luis, un joven varonil y musculoso. En un ambiente religioso se mezclan el temor, la incertidumbre, la devoción y el fanatismo.*).

PADRINO.— (*Es muy natural la forma en que usa el "pero" y elimina las "s" en algunas ocasiones dando un contraste cuando pronuncia.*) Te volvió a salir... (*Pausa. Interpretando los caracoles.*) 7, 7 *Ordimeye*... Elegguá te está cerrando los caminos... (*Pausa. Otro tono.*) Pero la culpa es tuya... (*Moviendo los caracoles.*) Aquí está... mira. No me haces caso... No quieres oír... Pero, aquí está... Es Changó el que te lo dice... ¿Cuánta' veces te lo he dicho? No baje' la cabeza... Las mujeres te van a perder... (*Otro tono.*) Pero te lo advertí... Yo no, Elegguá y hasta el mismísimo Changó que es ma' rabo caliente que tú... Pero te lo dijo: "El mal te va a llegar por el sexo." (*Pausa. Recriminativo.*) Pero tú te va' detra' de todo' los huecos... (*Otro tono.*) Cuando estás en eso ni piensas...
JOSÉ LUIS.— ... yo no he hecho nada malo.
PADRINO.— Pero Changó está furioso contigo...
JOSÉ LUIS.— Padrino, usted quiere complicar las cosas.
PADRINO.— Lo hiciste quedar mal delante de los otro' orishas.
JOSÉ LUIS.— Él me tiene que entender.
PADRINO.— ¿Por qué?
JOSÉ LUIS.— Él también hace sus trastás...
PADRINO.— Pero, ¿tú te vas a comparar con papá?
JOSÉ LUIS.— Le gusta el sexo...
PADRINO.— No hable' basura.
JOSÉ LUIS.— Sexo es sexo...
PADRINO.— No es que te gusten las mujeres...
JOSÉ LUIS.— ¿Qué quiere que haga?
PADRINO.— Es tu enredo con Marina. (*Pausa.*)
JOSÉ LUIS.— ¿Qué enredo?

PADRINO.— Él está bien orgulloso de que tú seas un jodedor como él, pero Marina es una hija coronada de Elegguá...

JOSÉ LUIS.— ¿Entonces cuál es la complicación?

PADRINO.— (*Trae los caracoles. Los acomoda.*) Changó está bravo contigo.

JOSÉ LUIS.— ¡Qué vaina!

PADRINO.— (*Acomodando los caracoles.*)... Pero te han venido diciendo que te cuides pero tú no oye'... Cuídate, cuídate de lo que hace'... (*Enojado.*) Pero no te sale de los coj... no quieres oír... (*Tira los caracoles.*) ¿Y esto qué es?... (*Interpreta.*) *Ogunda Dí...* Tú ere' una cajita de sorpresas... (*Pausa.*) Aquí, haciendo sombra, hay un hombre... (*Directamente a José Luis.*) Los celos te rodean..., (*Vuelve a mover los caracoles. Lee.*) pero, no entiendo... el amor triunfa, al final.

JOSÉ LUIS.— (*Cortado.*) ¡Yo que sé! (*Demasiado curioso.*) ¿Qué dice? (*El Padrino vuelve a tirar los caracoles.*

PADRINO.— (*Interpretando los caracoles.*) *Ordimeye*, otra vez... Vuelve aparecer este hombre a tu lado.

JOSÉ LUIS.— ¿Qué hombre?

PADRINO.— (*Enseñándole los caracoles que lo dicen.*) Aquí está... bien clarito.

JOSÉ LUIS.— ¿Qué pasa con él?

PADRINO.— Tú eres el que sabe que pasa con él.

JOSÉ LUIS.— ¿Yo?!

PADRINO.— Los santos hablan pero no quieren hablar... Pero *Ordimeye*, no me gusta... En *Ordimeye* te dice que hagas las cosas bien hechas para que todo salga bien... Nace la morbosidad y el desprestigio... (*Muy pensativo. Como para sí mismo.*) Sangre con cuchillo...

JOSÉ LUIS.— (*Parece que va decir algo.*) ¡Padrino...!

PADRINO.— ¿Qué?

JOSÉ LUIS.— Nada.

PADRINO.— (*Mueve e interpreta los caracoles sin tirarlos.*) Aquí sale... (*Describe al actor que interpreta a Marquito.*) Pero Changó quiere quitártelo del lado.

JOSÉ LUIS.— No me complique con eso, padrino. Usted no entiende... es... es que... Usted sabe... No, yo... ¡Quitarme a nadie del lado! ¡Changó que no joda tanto!...

PADRINO.— ¡No blasfemes!

JOSÉ LUIS.— ¡No estoy blasfemando!

PADRINO.— !¿Ah, no?! ¿Cuál es el lío en que te ha' metí'o? (*Moviendo los caracoles en el espacio donde los ha estado tirando.*) Es que... ¿no tienes nada que decirme?... (*Lee los caracoles.*) Otra vez: el amor triunfa.

JOSÉ LUIS.— ¡Yo soy un hombre, Padrino, coño!

PADRINO.— (*Meditabundo.*) Pero sin embargo Changó no está contento del rumbo que están tomando las cosas.

JOSÉ LUIS.— ¿Cuál es el lío? (*Una excusa que no viene al caso.*) Yo me comporto como un hombre con Marina.

PADRINO.— No insistas más en tu machismo...

JOSÉ LUIS.— Los hombres somos hombres hagamos lo que hagamos.

PADRINO.— El quiere que te estabilice'...

JOSÉ LUIS.— Dígale a Changó que no se meta en lo que no le importa.

PADRINO.— Pero, ¿tú está' loco? ¿Cómo va' a blasfemar así?

JOSÉ LUIS.— (*Huyendo de la situación.*) Padrino... me voy. (*Sale.*)

PADRINO.— Se va pa' no oírme... A veces no lo entiendo. Pero tal parece que le han hecho un trabajo... (*Otro tono.*) Le dije que no se metiera con esa mujer; pero se lo dije desde que la vi y vi la sangre... Ay babami, sea lo que sea lo que lo tiene a usted encojonao... perdone a su hijo malcriado. Yo le voy a poner un poco de miel pa' que usted se endulce y no le haga caso... (*Comienza a echar miel sobre Changó, en el altar.*)

EN EL APARTAMENTO DE MARINA

(*José Luis pasa de un lado a otro con naturalidad. El apartamento se encuentra en penumbras, enciende la luz. Marina está sentada, en la oscuridad, esperándolo. Está enojada y cansada. Aparece con una apariencia descuidada.*)

JOSÉ LUIS.— Coño, que susto me has dado. (*Marina no contesta.*) ¿Qué tú haces con la luz apagada? Yo creía que estabas durmiendo... No quería despertarte. (*José Luis la mira fijamente. Sabe que está enojada.*) ¿Tú estás brava conmigo?

MARINA.— ¿Qué tú crees?

JOSÉ LUIS.— ¿Se puede saber por qué? Conmigo no puede ser porque yo no he hecho nada malo, no, ni bueno tampoco. Yo no he he-cho na-da. Na-da. ¿Te lo digo en inglés? *No-thing. I didn't do anything...*

MARINA.— No me vengas con esos chistecitos. Que estás muy grandecito y eres bien estúpi... (*Otro tono. Irónica.*) Y ni siquiera sabes hablar inglés... (*Cediendo.*) No quiero discutir contigo... Déjame quieta.

JOSÉ LUIS.— (*Sin alzar la voz en esta escena, como en toda la obra.*) Yo no estoy discutiendo con nadie... Tú estás discutiendo y amargándote la vida y amargándomela a mí... ¿Por qué? ¡Por nada!

MARINA.— ¡Qué descarado eres! ¿Por nada? ¿Dónde andabas metido? Yo esperándote y tú, ni apareces, ni me llamas. Me preocupo, me pongo a pensar que te ha pasado algo. Que has tenido un accidente, que te han dado un "jolop" por la calle.[1] Coño, (*Saca una moneda de la cartera o de algún lugar. La tira.*) Coge, una peseta para que me llames de un desgracia'o teléfono. En está ciudad hay miles en todas las esquinas. Ya tú no vives en Placetas, donde sólo había un teléfono público. ¿Por qué no me llamaste? ¿Por qué no viniste ayer? Hace dos días que no vienes. (*Pausa.*) Me pude reventar o me pude podrir, aquí, sola... me pudieron pasar miles de cosas y, tú, ni te enteras.

JOSÉ LUIS.— (*Algo impaciente, pero sin levantar la voz.*)... si yo no te dije que iba a venir ayer, ni antes de ayer, ni tampoco te dije que te iba a llamar...

MARINA.— ¿Qué me quieres decir con eso? ¿Qué no tienes que llamarme? ¿Qué no tienes que venir a verme? ¿Y yo, qué? ¿Estoy pintada en la pared? ¿Es que no existo? (*Se queda esperando la respuesta.*)

JOSÉ LUIS.— Me has hecho mil preguntas en un segundo.

MARINA.— ¿Y qué?

JOSÉ LUIS.— Yo no puedo contestarlas todas...

MARINA.— Dime la verdad. ¿Dónde estabas metido?

JOSÉ LUIS.— Pareces de la policía secreta.

MARINA.— Tú tienes una mujer por ahí. (*Convencida.*) Que estúpida... ya te cansaste de mí porque, claro, ya no te sirvo, ya te empalagaste, pero no fue eso lo que me dijiste al principio... que era la mujer con quien querías vivir fuera de Cuba... que lejos de Placetas... que la vida en Nueva York es muy solitaria... que querías asentar cabeza... que querías que fuera la madre de tus hijos... Me llenaste la cabeza de cosas... (*Pausa. Con tono y gesto teatral.*) Me quiero morir. Yo me voy a matar para no estorbarte más... (*Muy dramática.*) Si quieres ser feliz, yo no me voy a oponer... (*Pausa. Furiosa.*) Métete esto en la cabeza... yo no voy a permitir que me dejes por ninguna pelúa... oyelo bien que si te encuentro con otra por ahí te mato a ti y la mato a ella...

JOSÉ LUIS.— (*Seguro de sí mismo, sin exaltarse, deseando convencerla.*) Chica, coño... yo no estaba en casa de ninguna mujer. (*Pausa.*) Si me dejaras explicarte. Estaba en casa de un amigo en Manhattan.

MARINA.— (*Irónica e incrédula.*) ¿En casa de qué amigo? Yo no conozco a nadie que tú conozcas en... ¡Manhattan es muy grande!

---

1. *Jolop*. Españolización del *hold up*. Asalto a mano armada.

¿En que parte de la ciudad? (*Irónica. Recalca.*) ¿En casa de un amigo? (*No, no cree.*) ¿Y después?... porque seguro que no te quedaste a dormir en su casa... ¿Por qué no me llamaste? (*Pausa brevísima.*) Ni tu Padrino sabía dónde tú estabas metido.

JOSÉ LUIS.— ¿Para qué llamaste al padrino?

MARINA.— ¿Cómo que pa'qué? Para saber de ti. Soy tu mujer, ¿no? Y no dormiste en casa de tu mamá. (*Inquisidora, deseando saber la verdad.*) Tú tienes otra mujer.

JOSÉ LUIS.— ¡Coño, vieja! Lo que yo deseo es que me dejes ser feliz... (*Comprende que puede ser mal interpretado y corrige.*) Contigo... De verdad, estaba en casa de un amigo...

MARINA.— ¿Cómo se llama?

JOSÉ LUIS.— (*Tratando de convencerla, pero ocultando algo.*) ¿Qué importa como se llama? (*Adelantándose a su pregunta.*) ¿Qué importa si tú tienes su número de teléfono? (*Con mucha dulzura y sexualidad, tratando de envolverla.*) Lo que importa es que estoy aquí... que vine para estar contigo... y que quiero pasarla bien... con mi mujer. (*Pausa breve.*) ¿Por qué eres tan celosa? Si tú me tienes... No hay ninguna otra mujer... Te lo juro. (*Marina se apacigua pero no cede. José Luis la hala hacia él.*) A ver esa bembita brava... A ver una sonrisa para su marido... un beso. (*Ella lo besa con frialdad. Se está haciendo la enojada aunque la verdad es que ya está "derretida" por él.*) No así no, un beso de verdad, como el de una mujer enamorada... sin rencor. (*Se besan apasionadamente.*)

MARINA.— Mira lo que te compré... (*Saca una cadena con una medallita y se la pone al cuello.*) ¡Santa Bárbara bendita! ¡Changó! Para que proteja a mi hombre...

EN LA CASA DEL PADRINO

PADRINO.— (*Interpretando los caracoles que ha terminado de tirar.*) 6,4 *Obarakozo*... Algo caminando falso... (*Pensativo.*) ¿Por qué babami no habla claro?... como si quisiera que yo no supiera algo... (*Mueve los caracoles.*) Está bravo con su hijo, José Luis, pero lo sigue protegiendo. (*Pausa.*) ¿En qué anda ese ahijado mío? (*Pausa. Dulce; a Changó.*) ¿Hay algo que ese hijo suyo, José Luis, tiene que hacer para contentarlo a Ud., padre? (*Tira los caracoles. Los interpreta sin decir nada.*) Uuuuhh, mi padre, Changó... (*Tira los caracoles.*) 6, 4 *Obarakozo* otra vez, pero... (*Piensa. Parece iluminarse.*) Pero, claro, eso es... debe ir al monte a ponerse a... Con *ewe o vititi nfinda* se purifica...!¿Un chivo?!... El chivo es expiatorio... pero es el animal de Ochún. (*Piensa. Otro tono.*) Yo creo que debía consultar con el coco... (*Convencido.*) Con los cocos no hay tapujos...

EN EL BAR

(*José Luis entra y se sienta. Toma cerveza. Casi inmediatamente llega Teresa, se acerca a José Luis.*)

TERESA.— Con tu permiso. (*Sentándose sin esperar respuesta. José Luis la mira y no dice nada.*)
TERESA.— Espero no molestar.
JOSÉ LUIS.— (*Sin prestarle mucha atención.*) Tú nunca molestas.
TERESA.— Gracias. (*Agarra la cerveza y toma.*) Ay, papi, qué sabrosa...
JOSÉ LUIS.— (*Alto.*) Otra cerveza. (*A Teresa directamente.*) Quédate con esa... (*Pausa. Irónico.*) Hay que cuidarse... el SIDA, tú sabes...
TERESA.— (*Herida.*) ¡No soy una sidosa!... (*Traen la cerveza. El cantinero puede ser un orisha o el músico.*)
JOSÉ LUIS.— Es que cuando alguien es muy promiscuo... o promiscua.
TERESA.— ¡Quítate eso de la mente!... ¡Soy sabrosa, papi! Yo nada más que lo hago con quien me gusta... (*Pausa. Sexual.*) ¡Contigo! (*El no lo cree.*), y olvida eso de que soy fácil... soy una mujer que me gusta vivir, que trato de conseguir lo que me gusta... ¡A ti!... (*Pausa. Tratando de explicar su pasión por él. Orgullosa porque sabe que es hermosa.*) ¡Posibilidades no me faltan!... En el *subway* los hombres tratan de pegárseme como si yo fuera un imán... ¿qué se creen?... Que porque me visto apretá... (*Tocándose el cuerpo. Seductora.*) ¡Es que tengo masa que apretarme!... pero pa'mi hombre. ¡Que no se equivoquen!... que porque estamos en Nueva York no se crean que todas las latinas somos fáciles... ¡No, mi amor! ¡Yo no soy una cualquiera! (*José Luis levanta los hombros en un gesto de desdeño.*)
TERESA.— (*Aún así trata de seducirlo.*) En la calle ¡oye!; ¡si yo quiero me sobran!
JOSÉ LUIS.— El horno no está pa' galleticas hoy.
TERESA.— ¿Qué te pasa?
JOSÉ LUIS.— Nada.
TERESA.— ¿Estás de mal humor?
JOSÉ LUIS.— ¿No se me nota?
TERESA.— Se te nota, se te huele... (*Sin convencimiento; con el deseo de que él cambie su actitud.*) Si quieres, me voy.

JOSÉ LUIS.— Haz lo que tú quieras...
TERESA.— ¿Un lío con Marina?... ¡Seguro! ¿Quieres que vaya a hablarle? (*Pausa.*) Tú sabes que ella me oye...
JOSÉ LUIS.— Si ella supiera...
TERESA.— Si tú no se lo dices, no se va a enterar...
JOSÉ LUIS.— Ella cree que tú eres su mejor amiga... Se calma cuando le digo que estoy contigo.
TERESA.— (*Se ríe.*) Así podemos encontrarnos sin problemas cuando quieras. (*Pausa. Muy sexual.*) ¿Qué le vamos hacer?... Tenemos el mismo gusto por los hombres... Ay, mejor dicho, por un solo hombre porque es que tú estás bien bueno. (*Insinuante. Sexual.*) El día que menos lo piense... Marina se va a quedar rabiando porque, tú, te vas a quedar conmigo.
JOSÉ LUIS.— No estés tan segura...
TERESA.— ¡Estoy segura!
JOSÉ LUIS.— No quiero que me estén complicando la vida.
TERESA.— *Ay, honey,* nunca te complico la vida... yo todo lo acepto. No me importa nada más que tú seas feliz y me...
JOSÉ LUIS.— (*Quisiera que lo dejara tranquilo.*) ¿Y te qué?...
TERESA.— Tú sabes que lo sé hacer como nadie.
JOSÉ LUIS.— Tengo mi experiencia...
TERESA.— (*Muy sexual.*) Por eso es que quiero volver a unir nuestras experiencias... Santo Domingo y Cuba juntos. ¡Ese día tiembla Nueva York! Todavía te falta por saborear lo mejor de mí... (*Pausa. Directa.*) ¡Aaay! y no te olvides..., yo no soy celosa. Te voy a dejar que visites a Marina y a quien tú quieras... Aunque te aseguro que después no vas a tener ganas.
JOSÉ LUIS.— Tú sólo piensas en la cama.
TERESA.— No es verdad... *okey*, es verdad; sólo de verte se me sube la bilirrubina...
JOSÉ LUIS.— (*Disponiéndose a salir.*) Un día de estos te vuelvo a hacer el favor...
TERESA.— Nos damos un pase para gozar mejor.[2]
JOSÉ LUIS.— Yo no necesito nada de eso...
TERESA.— Ay, serás el único en esta ciudad...
JOSÉ LUIS.— Si quieres conmigo olvídate de eso.
TERESA.— ¡Ya me olvidé! ¿Cuándo va a ser Nochebuena?
JOSÉ LUIS.— Yo paso por aquí... (*José Luis sale.*)

---

2. Darse un pase. Oler cocaína.

EL PADRINO, EN SU CASA

(*Está poniendo unas frutas con miel a los orishas. Le pone un coco a Elegguá y riega miel sobre él mismo.*)

PADRINO.— (*A Changó.*) Pero, babamí, ábrale los caminos que usted sabe que él es un buen hombre... perdónele sus locuras, sea lo que sea... Pídale a Elegguá que le abra los caminos pa' que vea claro lo que debe ver claro, pa'que no ande por ahí... Pero es que Ud. sabe papá que él es un hombre bien parecido y las mujeres no lo dejan tranquilo; ¡pa'eso es hombre! Pero Ud. sabe que él nunca ha dicho que no quiere a la hija de papá Elegguá, Marina... Es que es un rabo suelto...

EN LA CASA DE MARQUITO

(*José Luis se comporta como si estuviera en su casa. Marquito es joven, viste bien. Es un tipo de mundo. No es afeminado.*)

MARQUITO.— ¿Y qué le dijiste?
JOSÉ LUIS.— ¿Qué querías que le dijera?... ¡Si salió en los caracoles! (*Otro tono.*) Hasta te describió...
MARQUITO.— ¿Entonces?
JOSÉ LUIS.— ¿Entonces, qué?
MARQUITO.— ¿Qué vamos hacer?
JOSÉ LUIS.— ¿Vamos?... ¡Nada! ¡No tengo que hacer nada! Debe ser... son cosas de padrino que siempre está inventando; además, yo no soy como tú...
MARQUITO.— Pero... salió.
JOSÉ LUIS.— (*Se impacienta. Desea cortar la conversación.*) Nada, no salió nada... ya... ¿Qué salió? No sigas hablando de... de... de nada porque nada que le importe a nadie... ¡ya!... Cállate, habla bajito... Pareces una cabrona vieja chismosa... con tanto lío. No me gusta estar hablando de... de... nada... ¡No compliques mi vida! ¿Qué tiene que salir? (*José Luis se dispone a salir. Los personajes hablan calmadamente, naturalmente en la siguiente escena. Indiscutiblemente Marquito desea decir cosas que por su lado, José Luis no desea escuchar para no tener que confrontar la situación en que están envueltos.*)
MARQUITO.— Uno tiene que enfrentar.
JOSÉ LUIS.— ¿Enfrentar?! Tú eres el campeón para enredar la vida... ¡Vamos! ¡Enfrentar!

MARQUITO.— Tienes miedo de enfrentarte a lo que quieres de verdad...

JOSÉ LUIS.— (*Molesto.*) ¿Qué es lo que quiero? ¡Qué sabes tú que quiero o que no quiero!

MARQUITO.— ... mira lo que hacemos no es tan horrible. El amor es amor y no importa si es de un hombre con una mujer o por otro hombre... Tú tienes ese tabú por nuestras relaciones como si fueran un pecado...

JOSÉ LUIS.— ¡Ya! ¡ya! ¡coño! ¡Si sigues me voy!... ¿Qué es lo que quieres?... ¡Yo no estoy enamorado de ti! ¡Tú no eres una mujer!

MARQUITO.— (*Reacciona irónico al comentario que lo ha herido.*) ¡No me digas! ¿Cuándo te diste cuenta?... (*Tratando de dejar las cosas claras.*) Con una mujer no puedes tener la misma relación que conmigo... Son dos cosas distintas... ¡Son dos placeres distintos! Alguien que vive en dos mundos sin enfrentar ninguno tiene que aprender la diferencia...

JOSÉ LUIS.— (*Lo interrumpe. No desea continuar la conversación. Se impacienta.*) ¿Quieres que te lo diga en chino para que me entiendas? ¿Enfrentar qué? Yo no tengo que enfrentar nada y tú dale que te dale sabiendo que yo no quiero hablar estas cosas. Yo vengo aquí... somos amigos y si pasa algo más es porque tú quieres... tú comienzas a buscarme... (*Otro tono. No sabe como defender su posición.*) Si sigues insistiendo... Hablas bien alto... Vuelves a hablar de... de... de esto y me voy... y no me vas a ver más... (*Señalando a un lado.*) Te van a oír todos los vecinos.

MARQUITO.— (*Mira a todos los lados. Irónico.*) ¿Quién me va a oír? Los vecinos ni saben que tú estás aquí y si lo saben no les importa lo que pasa aquí adentro, ni allá fuera... Esto es Nueva York y no un pueblito. Ellos tienen su propio problema... (*Sin excitarse.*) Quieres aparentar que no está pasando nada... quieres que yo actúe como un robot. ¡No! Oyelo bien, ¡no! Yo quiero ser lo que soy, lo que Dios me hizo porque nadie, que yo sepa, se gana su sexualidad en la lotería... y a mí no me importa nada sino lo que siento... ¿y qué es lo malo que nosotros hacemos? Vamos a vivir la vida que nos toca vivir juntos... Claro que no soy una mujer; tampoco soy Marina que se conforma con el tiempo que te queda libre o cuando tienes ganas. ¡No! Yo no te pido nada, pero no voy a esperar por raticos y sí, estoy esperando que tomes una decisión... a mí no me importa que vivas con ella, pero sí que no te acabas de decidir a vivir lo que te gusta y lo que realmente te va a complementar...

JOSÉ LUIS.— ¿Qué tú estás diciendo?

MARQUITO.— Yo no quiero que te atormentes, pero ten presente que todo se puede terminar. (*Silencio largo y pesado. Ninguno de los dos se mueve.*)

MARQUITO.— (*Transición.*) ¿Ya comiste?
JOSÉ LUIS.— (*También cambia sin problema.*) ¡No! Si donde quiera que voy me comienzan a hacer la guerra. ¡Tengo ganas de irme pa' la luna!
MARQUITO.— Te voy a preparar algo... rápido.
JOSÉ LUIS.— (*Le gusta que se preocupen por él.*) Tráeme una cervecita, primero... (*Marquito sale a buscarla y regresa con la cerveza. Se la abre. La sirve en un vaso. José Luis la saborea.*)
JOSÉ LUIS.— (*Toma. Se relaja. Aspira un cigarro que Marquito le enciende.*) ¡Está bien fría! (*Habla casual, pero mira a Marquito inquisidor sin desear que se note su interés en la respuesta.*) ¿Y qué hiciste ayer, después que me fui?
MARQUITO.— ¿Qué voy hacer?...
JOSÉ LUIS.— (*Curioso. Celoso.*) Te llamé como tres veces.
MARQUITO.— Estaba aquí.
JOSÉ LUIS.— ¿Y por qué no contestaste?
MARQUITO.— Estaba viendo una película... y me quedé dormido.
JOSÉ LUIS.— ¿Cuál?
MARQUITO.— De las que te gustan a tí...
JOSÉ LUIS.— ¿De karate?
MARQUITO.— La grabé para cuando la quieras ver...
JOSÉ LUIS.— (*Ya está calmado. Se relaja.*) Después la vemos... Ve cocina algo para que puedas sentarte... (*Señala un sitio a su lado.*)

EN EL BAR

(*Teresa está sola. Un Orisha le sirve.*)

TERESA.— Ay, cómo me gusta ese hombre... Y Marina que no lo suelta... ¡Dios le da barba al que no tiene quijá'! (*Pensativa.*)... tengo que... Quisiera... quisiera; no, no... no me voy a acobardar... me quedo porque me voy a salir con la mía... claro que yo... tengo que inventar algo para que Marina lo deje... y entonces cuando él se vea solo... Debo hacerlo con... para sacármela del medio. No me da pena en Nueva York que hay que estar con los ojos abiertos. ¡Camarón que se duerme se lo lleva la corriente!... No es culpa mía que ella tenga lo que yo quiero...

EN LA CASA DE MARINA. JOSÉ LUIS ENTRANDO

MARINA.— Mi destino es verte entrar por esa puerta siempre; nunca verte durmiendo a mi lado. ¿De dónde vienes ahora?
JOSÉ LUIS.— Del bar del dominicano.
MARINA.— ¿Y con quién estabas?
JOSÉ LUIS.— Con nadie. Pregúntale a tu amiga Teresa.
MARINA.— (*Se tranquiliza.*) ¿Ella estaba allí?
JOSÉ LUIS.— Ya te lo dije. (*Dulce.*) Vine para estar contigo, mami. (*Muy erótico.*) La noche es para nosotros.
MARINA.— (*Juguetona más que irónica. Teatral. Tocándose el corazón.*) ¡Me va a dar!... ¡Me va a dar un ataque al corazón!
JOSÉ LUIS.— (*Divertido.*) Me voy si te vas a morir.
MARINA.— Me va a dar un ataque, pero no me voy a morir.
JOSÉ LUIS.— Pues, prepárate, ¡que aún hay más!... ¡Vamos al cine a ver la película que me dijiste que quieres ver!
MARINA.— ¿Te acordaste de que quería ver una película? (*José Luis hace un gesto con los hombros y abre las manos, los brazos extendidos como diciendo: "Ya ves, no soy tan malo".*
MARINA.— ¡Dios mío!... ¡Eleggúá! ¡Pellísquenme!
JOSÉ LUIS.— (*Continúa en el mismo ambiente festivo.*)... Y después nos vamos a dar una vueltecita por el Rockefeller Center, a ver los jardincitos... que ya los cambiaron para la estación...
MARINA.— ¿Qué bicho te ha picado, mi amor?
JOSÉ LUIS.— ¡Esta noche es nuestra! (*Salen.*)

EN EL BAR

(*Teresa está en escena. Entra Marquito.*)

MARQUITO.— (*Se sienta.*) Una cerveza. (*Un Orisha o el Músico.*)
TERESA.— Buenas.
MARQUITO.— *Hi*!
TERESA.— *Do you speak Spanish?*
MARQUITO.— Sí.
TERESA.— (*Se sienta sin pedir permiso.*) Nunca te había visto.
MARQUITO.— Nunca había venido.
TERESA.— (*Sexual.*) Bienvenido.
MARQUITO.— Gracias.
TERESA.— ¿Me invitas a una cerveza?

MARQUITO.—(*Comprometido. No le queda más remedio.*) Bueno... me voy enseguida... Vine buscando a un amigo... pero ya veo que no está. Yo creía que lo iba a encontrar aquí.

TERESA.—(*Insinuante.*) Ay, pero encontraste a una amiga... la mejor amiga...

MARQUITO.—(*Un poco nervioso. No es su ambiente.*) Sí, sí... Quizás tú lo conozcas.

TERESA.—¿Cómo se llama?

MARQUITO.—Es un amigo. (*Lo describe en lugar de decir su nombre.*)

TERESA.—¡José Luis!

MARQUITO.—¿Tú lo conoces?

TERESA.—Claro, papi, lo conozco. (*Coqueta.*) Lo conozco, lo conozco y lo conozco... a fondo. (*Marquito se levanta, medio confundido pero no como para que Teresa note algo raro.*)

MARQUITO.—Bueno, me voy... gracias... se me hace tarde. Adiós.

TERESA.—Ay, no te vayas... él ya debe estar por llegar.

MARQUITO.—(*Se vuelve a sentar.*) ¿Seguro? ¿El siempre viene por aquí?

TERESA.—(*Directamente a Marquito, mientras lo mira inquisidora. Sospecha algo que no sabe que es.*) Sí... sólo cuando yo estoy...

MARQUITO.—(*Está nervioso, confundido, Teresa lo nota.*) Aah... No sé si deba quedarme... quizás a él no le va a gustar.

TERESA.—(*Encuentra algo raro en Marquito. Un hombre no se comporta así.*) Ay, que importa lo que a él le guste o no... (*Se ríe.*) No es verdad... a mí me importa mucho... ¿y a tí? (*Pausa. Curiosa.*) ¿Conoces a Marina?

MARQUITO.—¡No!

TERESA.—¿No?... ¿pero tú has ido a su casa?

MARQUITO.—No.

TERESA.—Ay, mi hermano, ¿qué clase de amigos son ustedes?

MARQUITO.—El siempre va a mi casa y hasta sé que... (*Comprende que está hablando demasiado. Se corta. Se para seco.*) Yo me voy... Tengo mucho que... tengo que trabajar... Mucho gusto... (*Le da la mano a Teresa y sale.*)

TERESA.—(*Para sí misma. Pensativa. Maliciosa.*) Ese es medio pendejo... ¿o qué?

EN CASA DE MARINA

(*Marina se pasea por la habitación. Le habla a Elegguá en el altar. Vive en ese mundo suyo en el que José Luis reina aunque no esté presente. Hay en esta escena-como en toda la obra— silencios y cambios de voz que denotan la vida interior de los personajes...)*

MARINA.— (*Va actuando apropiadamente según habla. Al final está llena de la misma pasión que cuenta que la poseyó.*) Papá, Elegguá, hoy, tanto tiempo después, sigo pensando que es lo más grande de mi vida... No sé si darle las gracias por habérmelo puesto en el camino... A veces quisiera no haberlo ni conocido porque sufro mucho, Papá... No tiene que hacer nada para que yo me vuelva loca... Él es el hombre que siempre soñé... Lo siento dentro de mí, tan hombre... No se me va de la mente... José Luis y José Luis es todo lo que pienso... Se lo he dicho mil veces que no quiero ni pensar que se entregue a otra mujer... Papá, usted me tiene que ayudar para no volverme loca... Mire lo que hice hoy en la calle... y hasta vergüenza me da decírselo, pero usted lo sabe... No pude aguantarme... usted lo ve todo... sabe que iba caminando y entonces... José Luis... se me metió en la cabeza... ¿pero es que yo me lo he sacado alguna vez? ¡Ay, Padre! ¡y me puse como el fuego y tuve que hacerlo!... y me metí en aquel baño para poder enfriarme y me parecía que estaba allí, desnudo, tocándome... me parecía que lo estaba haciendo con él... Yo me estoy volviendo loca...

EN CASA DEL PADRINO

PADRINO.— Tienes que hacerte una limpieza en el monte.
JOSÉ LUIS.— No. Changó tiene que comprender...
PADRINO.— Babami no tiene que nada. Te lo manda a hacer para que Elegguá se tranquilice...
JOSÉ LUIS.— Padrino, esto no es África.
PADRINO.— ¿Qué quieres decir con eso?
JOSÉ LUIS.— En esta ciudad no hay montes...
PADRINO.— Vete a New Jersey, vete a *Up State* Nueva York. Pero tienes que ir al monte... El monte... allí todo, pero óyelo bien, todo sucede... Tu salvación está en entrar al monte y hacerte una limpieza con coco y un animal de cuatro patas... y en dormir tres noches en el monte.
JOSÉ LUIS.— Sigo sin entender, Padrino, ¿qué salvación, de qué?
PADRINO.— No sé...
JOSÉ LUIS.— (*Medio desesperado.*) Por favor, Padrino, no me venga con eso ahora.
PADRINO.— (*Sin oírlo. De pronto, Changó toma posesión del Padrino, que se transforma completamente. Su voz cambia y comienza a*

hacer gestos que sugieren que tiene mucho empeño en dejar clara su virilidad.) ¡*Ekúa etie mi okko!* (*Pausa.*) ¿Qué te pasa? Parece que no quieres oír... Estás demostrando que no tienes... (*Tocándose el sexo.*) Que no los tienes tan grande como yo. (*Imperativo.*) Te lo estoy mandando con mi *omó*: El monte es sagrado. Allí están los santos, Elegguá, Oggún, Ochosi, Oko, Ayé, Allágzuna, ¡yo!... y los *Eggun*, los muertos... En el monte se encuentran todos los *Eshu*, entes diabólicos; los *Iwi*, los *addalum* y *ayés*; la Cosa-Mala, Iyóndó, toda la gente extraña del otro mundo... que tienen malas intenciones... (*Pausa.*) No te puedes asustar... No pongas en duda lo que vas a ver aunque sea un ser monstruoso... el diablo. (*Pausa. Paternal.*) Te vas al monte, solo, te llevas todo lo que necesitas para pedirle permiso al monte para entrar. (*Pausa.*) Te quitas la ropa antes de entrar... al cuarto día, después de la tercera noche, desnudo, te limpias con la sangre del chivo... te revuelcas con el chivo muerto como si estuvieras haciendo sexo con una mujer... para limpiarte de lo que andas haciendo y que no me gusta... El carnero me calma... Cada oricha tiene su animal... ¡A veces quisiera que mis hijos fueran carneros! Te vas a limpiar con un chivo, el animal de Oshún.

JOSÉ LUIS.— Papá... yo... babami.

CHANGÓ.— (*Coge a José Luis y lo purifica, ungiéndole la cara y el cuerpo con su sudor; oprime su frente contra la de José Luis y habla.*) Tienes que hacerlo pronto. Elegguá está disgustado porque estás manchando a su hija...

JOSÉ LUIS.— Papá,!¿manchando a su hija?!

CHANGÓ.— Tú sabes que está pasando.

JOSÉ LUIS.— (*Suplicante, entre crédulo e incrédulo.*) En Nueva York no hay montes...

CHANGÓ.— (*Furioso. Separándose de José Luis.*) No me jodas... encuéntralo. (*Pausa. Furioso.*) No me sigas cansando... Te voy a mandar para *Ilé Yansa*. (*Amenazando.*) *Kuruma koi iná koi mowí*[3] (*Muy enojado.*) El venado y la jicotea no pueden caminar juntos. (*El Padrino cae al suelo, contorsionándose cuando Changó lo deja. Se queda tirado como muerto. José Luis, a su lado, le pasa un paño por la frente y la cara. Espera un poco y sale.*)

---

3. Con Changó en tragedia es malo.

EN EL BAR

(*Teresa está sentada frente a una mesa. Entra Marquito y se sienta en la barra, sin saludarla. Ambos están mirando-insistentemente-hacia la puerta. Entra José Luis con Marina. Se dirigen hacia donde está Marquito y se saludan. José Luis le da la mano con afecto y le presenta a Marina. Van hacia la mesa y saludan a Teresa. Se sientan con ella. Es una escena sin diálogo donde los Orishas caminan alrededor de los personajes o los contemplan desde una esquina. Comienza a oírse la canción "Antología de Caricias"* del Grupo Altamira *u otra canción apropiada.*[4] *José Luis y Marquito se entrecruzan algunas miradas naturales, donde no hay ningún secreto, pero Teresa está al tanto de las miradas y todo lo que ocurre. La escena está llena de sexualidad. Uno de los Orishas les trae una cerveza a cada uno de los cuatro personajes. José Luis y Marina comienzan a bailar al ritmo de la música de la canción. Si es necesario, la canción debe alargarse para efectos de la obra. Termina la música. José Luis y Marina salen. Van, caminando, abrazados, hacia su casa. Llegan a la casa, abren, felices; están muy juntos, llenos de erotismo. Mientras tanto, en el bar, Marquito y Teresa se emborrachan. Esta escena debe ser tratada con* mucho cuidado. *Debe lucir real-y no cursi.*)

MARINA.— (*Bajo el ambiente amoroso que existe.*) ¿Te acuerdas cuando nos conocimos?
JOSÉ LUIS.— Fue en la casa del Padrino.
MARINA.— Mi Madrina... ella me llevó a un tambor en casa de tu Padrino. Yo estaba ayudando en la cocina y tú fuiste a pedirme un pedazo de lechón... (*Pausa. Recordando. Se ríe.*) Casi me desmayo cuando me viré y te vi... me puse bien nerviosa...
JOSÉ LUIS.— Me tiraste mojo encima.
MARINA.— Fue sin querer...
JOSÉ LUIS.— Padrino me preguntó.
MARINA.— Él no estaba allí.
JOSÉ LUIS.— Claro que sí, a mi lado.
MARINA.— Yo nada más que tenía ojos para ti.
JOSÉ LUIS.— Se dio cuenta que yo te gustaba. Me lo dijo...

---

4. Altamira Band Show. "Antología de Caricias"de Jankarlo. Núñez Compact Disc. TH-2920. Gerencia de venta y relaciones públicas: Corporación Wilfrido Vargas, c/Fantino Falco, Suite 313, Plaza Naco,Santo Domingo, República Domincana. Ver la letra de la canción, al final.

MARINA.— Desde ese día me volví loca. Me pasaba insistiéndole a mi Madrina que me llevara a casa de tu padrino. Ella no me entendía, porque nunca Elegguá ha querido ir a casa de Changó a saludarlo... (*Pausa. Otro tono.*) Yo lo que quería era ir a ver si te encontraba... o por lo menos saber de ti pero mi madrina no cedía. Al fin me llevó... (*Pausa.*) Entonces me tiraron los caracoles y lo primero que salió era que no me convenías...

JOSÉ LUIS.— ¿Cómo sabía que yo no te convenía? *Se ve a Marquito salir hacia su casa, borracho.*)

MARINA.— No dijo que tú... pero los caracoles te describieron; un hombre que lucía como tú; que no se había fijado en mí...

JOSÉ LUIS.— Yo sí me había fijado en ti...

MARINA.— Los caracoles dijeron que por tu culpa iba haber sangre. (*Pensando, pero sin analizar lo que dice.*) Me dijeron que contigo venía la traición de la persona en que más confío.

JOSÉ LUIS.— No te volví a ver más desde aquel día del tambor y llegué a la casa del Padrino ya cuando tú te ibas... El padrino, con sus cosas, me dijo que me apartara... él también vio sangre. (*Pausa. Otro tono.*) Claro que hubo sangre... al mes ya eras mi mujer. (*Marina, sexual, lo abraza, se besan, se pierden en el piso detrás de algún mueble.*

MARINA.— (*Con pasión.*) No nos van a separar aunque quieran.

EN EL BAR

(*Teresa está nerviosa. Sale.*)

MARQUITO EN SU CASA

(*Marquito, en su casa, se recuesta a una pared y se da golpes con todo el cuerpo contra la pared. Está desesperado.*)

MARQUITO.— (*Tranquilizándose.*)... la desventaja es la ventaja de conocerme y saber lo que debo hacer... a pesar de todo lo que presiento en contra... estoy seguro de... de que las cosas tienen que llegar a su mejor... ¡Alguien tiene que pensar!... Cada vez que estoy solo veo las cosas como deben ser, pero cuando él llega me envuelve... (*Como rebelándose a su destino.*) no me interesa continuar viviendo en este mundo de soledad y ser simplemente un nadie... las relaciones humanas... lo que yo quiero... ¡los dos!... claro., los dos... Va a llegar el momento en que José Luis pierda el miedo y se entregue como se debe entregar...

EN LA CASA DEL PADRINO

PADRINO.— (*Frente al altar.*) Babami... él la quiere... Dele una oportunidad... Sea lo que sea por lo que usted se disgusta, él va a ver claro más adelante. Oshún dice que el amor va a triunfar sea como sea, pero babami, dígame qué es... yo lo he servido bien... (*Coge cuatro pedazos de coco. Hace tres libaciones de agua a Elegguá.*)[5] *Atanú ché oddá li fu aro mo bé aché, aché mí mó aro mo bé omoí tutu, ana tútu tútu laroyé.* (*Cierra los dedos de la mano izquierda y con la derecha toca tres veces en el suelo.*) *ilé mó kuo kuele mu untorí ku, untori aro, untori eyé, untori ofó, untori mó dé li fu lóni.* (*Toma los cuatro pedazos de coco.*) *Obí kú aro obí eyó obí ofú, obí. Elegguá.* (*Pausa.*) *Akañá.* (*Derrama aguas en el suelo.*) *Omí uto lá ero pele rí la bé keke koko laro pelerí ke bó mó gán lorí gán boyé iga. Ibori bechiché.* (*Toca el suelo con las puntas de los dedos y después se los besa.*) *Ilé mó pico mó poleni untori ikú, mó poleni untorí ofó mó dá rimó poleni obí eyó arún obí ilúe. Obí oyó Obí Elegguara.* (*Pausa.*) *Akkuañá.* (*Tira los cocos. Se queda espantado.*) Pero... Elegguá... pero Elegguá. *Aroni,* que Dios nos libre. (*Corre y busca una vela. La enciende. Vuelve a tirar los cocos.*)[6] *Ellife.* (*Pausa larga. Triste. Como manda la letra que ha salido, oprime los pedazos del coco contra el corazón.*) *Baba Elegguá mo ri bale laroye to edun lo osun ni iya ago molluba okokan loraye. ¡Librelo de la muerte!* (*José Luis y Marina han terminado de hacerse el amor. Están desnudos. Marina desea continuar acariciándolo.*)

JOSÉ LUIS.— (*Frustrado.*) ¡Ya! ¡Déjame!

MARINA.— ¿Ves lo que te digo?

JOSÉ LUIS.— No veo nada.

MARINA.— Tal parece que no me deseas.

JOSÉ LUIS.— ¡Claro que sí!

MARINA.— No parece.

JOSÉ LUIS.— La pasamos bien... ¡ya!

---

5. Página 380. *El Monte.*
6. Página 387.

MARINA.— Te quiero mucho.
JOSÉ LUIS.— No seas empalagosa.
MARINA.— Si me quisieras no te empalagarías.
JOSÉ LUIS.— (*Comienza a vestirse.*)... es que nunca te quedas contenta.
MARINA.— A menos compórtate como debes.
JOSÉ LUIS.— (*Siempre sin levantar la voz.*) ¿Y no me comporto?
MARINA.— (*Frustada.*) ¡¿José Luis?!
JOSÉ LUIS.— (*Siempre sin levantar la voz.*) ¿Qué tú quieres? (*Pausa.*) Yo no tomo, no hago drogas... te sirvo como hombre. (*Pausa. Otro tono.*) No te entiendo.
MARINA.— Que mes des calor, amor.
JOSÉ LUIS.— ¡Por favor!
MARINA.— Te siento como si no estuvieras conmigo.
JOSÉ LUIS.— !¿Qué!?
MARINA.— Sí,... ¡ausente!
JOSÉ LUIS.— (*A la defensiva.*) A caso no sentiste como gocé...
MARINA.— No es eso... No te puedo explicar...
JOSÉ LUIS.— Esta es mi manera.
MARINA.— No hay maneras particulares.
JOSÉ LUIS.— Esta... yo soy así. Esta es mi manera.
MARINA.— El amor no se da de una manera.
JOSÉ LUIS.— Acéptame como soy... No sigas tratando de cambiarme porque no voy a cambiar...
MARINA.— Te quiero para mí, sola.
JOSÉ LUIS.— Marina, no le pidas piñas a la mata de coco.
MARINA.— Me siento frustrada.
JOSÉ LUIS.— (*Irónico.*) No te se notó hace un momento.
MARINA.— Eso... eso. Me siento que tú me usas cuando tienes la necesidad, nada más.
JOSÉ LUIS.— (*Irónico.*) Y tú quieres que siempre tenga la necesidad...
MARINA.— No es eso...
JOSÉ LUIS.— ¿Quieres que no vuelva?
MARINA.— ¡Tú ves! ¡Te vas por la tangente!
JOSÉ LUIS.— ¡Por la tangente no! ¡Voy directo! Estás con un titubeo de que sí quiero, y de que no quiero... y que me usas, pero que no me das suficiente...
MARINA.— Quiero cariño de verdad... Que no andes por ahí, que estés a mi lado. (*Pausa.*) Quiero a un hombre a mi lado.
JOSÉ LUIS.— (*Se enoja.*) ¿Es que tú crees que no soy un macho?
MARINA.— Yo no dije eso.
JOSÉ LUIS.— ¿No?
MARINA.— Tengo miedo.
JOSÉ LUIS.— ¿Miedo de qué?

MARINA.— Tú no... es que (*Se para directamente frente a José Luis. Desea entrar en lo profundo de su ser y mirar hasta los más mínimos pensamientos y conocer todos sus secretos.*) ¡Mírame a los ojos...! ¡Mírame, coño sin miedo!

JOSÉ LUIS.— (*La mira, pero no lo hace de frente.*) No tengo miedo.

MARINA.— ¡Mírame!... ¿Qué ves? Puedes entrar hasta el fondo de mi alma... ¡No hay secretos! ¡No hay recovecos! ¡Todo está limpio!... ¿Y tú? ¿Crees que podrías ver lo mismo en tus ojos? La vida se manifiesta en la mirada; en los ojos. Ten cuidado con la persona que no te mira fijamente... Debo tener cuidado contigo, pero no puedo... (*José Luis sale enojado. Va directamente hacia la casa de Marquito.*)

MARINA.— (*A José Luis, como si aún estuviera en la habitación.*) Yo no puedo... y tampoco te voy a dejar vivir si me fallas... Primero te mato... y después a la que esté a tu lado, y después me mato de un tiro... (*Señalándose el corazón. Aquí...*) No vas ser de nadie. (*Cambio. Habla a una tercera persona invisible.*) Se lo dije a Elegguá... (*A Elegguá.*) Abrame los caminos, padre... o llévenos a los dos porque yo no puedo vivir sin él.

EN EL APARTAMENTO DE MARQUITO

(*José Luis en el apartamento de Marquito. Cambia su temperamento desde que entra.*)

MARQUITO.— (*Fuera de escena.*) ¿Quién está ahí? (*Sale y encuentra a José Luis.*) Oí un ruido...

JOSÉ LUIS.— (*Inquisidor. Sospechoso.*) ¿Estabas esperando a alguien más?

MARQUITO.— Sabía que eras tú, pero si acaso...

JOSÉ LUIS.— ... Vine a despejarme un poco de esa mujer... (*Otro tono.*) A veces pienso irme del todo... y venir a vivir para... (*Detiene el pensamiento.*)

MARQUITO.— Está enamorada.

JOSÉ LUIS.— Es una perra celosa.

MARQUITO.— Por eso mismo, porque está enamorada. Los celos son... son consecuencia de la inseguridad y ella está insegura de ti... Uno se frustra y quisiera detener los sentimientos hacia ti, pero no es fácil... entonces, lo que uno pensó que no iba a suceder ha sucedido... sin darse cuenta uno fue enamorándose y lo que comenzó como un jueguito sexual se ha convertido en una necesidad.

JOSÉ LUIS.— Las cosas suceden... A mí también me suceden y yo también pensé que... (*Cambio. Vuelve a la preocupación anterior.*) ¡No me deja tranquilo con sus celos! (*Dramático.*) ¡Sáquemela de encima Changó! (*Pausa larga. Otro tono.*) Vine aquí porque es donde único puedo descansar... y olvidarme del resto del mundo... (*Pausa larga. En un estado de ánimo especial pero como siempre sin gritar.*) Aunque te voy a decir una cosa... cuando tú fuiste al bar del dominicano a buscarme... ¡No me gustó! No tienen que andar buscándome, ni tú, ni ella, ni nadie... Tú me buscate una sola vez, que si no... Yo... yo, somos amigos. (*Pausa.*) Yo vengo, estamos aquí... hablando y... cualquier cosa y ya. Tú... tú... En fin, no me gusta que me acosen y tú lo sabes... Me están volviendo loco... El Padrino y sus cosas, Marina y no quiero que me... tú, no quiero... Me siento como una liga que todos halan para su lado. (*Pausa. Otro tono. Convencido.*) Las cosas son como son... si son así, duran para siempre. (*Pausa. Otro tono. Se siente víctima.*) Todo el mundo quiere que sea como quieren que sea pero no como yo quiero ser. ¿Cuándo me van a dejar estar tranquilo? Si me aceptas bien. Yo vengo... Tú tienes lo que te gusta y sino, pues tú verás... ¿He hecho algo malo?... ¿Le he hecho algo a alguien?... Vivo complaciendo a todo el mundo y ¿a mí?... ¿a mí quién me complace?... Estoy... me gusta venir... a descansar.

MARQUITO.— Acuéstate en la cama.

JOSÉ LUIS.— Aquí estoy bien.

MARQUITO.— ¿Quieres una cerveza?

JOSÉ LUIS.— Sí. (*Marquito sale y regresa con la cerveza. José Luis toma directamente de la botella. Se la pasa a Marquito que bebe y se la regresa a José Luis. Silencio largo.*) Qué estabas haciendo?

MARQUITO.— Estaba viendo televisión en el cuarto.

JOSÉ LUIS.— Que suerte la tuya que no tienes preocupaciones... ¿Están poniendo algo bueno?

MARQUITO.— Una película de misterio.

JOSÉ LUIS.— Vamos a verla. (*Salen de la escena, hacia el cuarto de dormir.*)

EN EL APARTAMENTO DE MARINA

TERESA.— ... hace días que estaba por venir.

MARINA.— Ya me estaba preocupando... Te iba a llamar.

TERESA.— Ay no sabes lo ocupada que ando. En esta ciudad no le alcanza a una el tiempo para nada... No me explico; allá en mi país una tenía tiempo para todo, pero aquí es corre y corre... el trabajo, la casa... un traguito que me doy de vez en cuando... Me paso más tiempo en el *subway* que en mi cama... sola, al menos.

MARINA.— (*No le presta mucha atención. Tiene otra preocupación.*) Lo importante es que viniste. ¿Viste algo raro?

TERESA.— Primero dame una cervecita. (*Mientras Marina le sirve la cerveza.*) Nada... no vi nada...

MARINA.— (*Sorprendida.*) ¿Nada?

TERESA.— Bueno, tampoco las cosas están claras.

MARINA.— ¿Tú crees que tiene otra mujer?

TERESA.— (*Cizañosa.*) Mi amor es lo más seguro... (*Pausa. Para ver la reacción.*) Con lo mujeriego que es... Algo hay. (*Pausa. Buscando alguna reacción.*) Los otros días fue a buscarlo un tipo al bar.

MARINA.— ¡Elegguá! (*Toca el piso con la punta de los dedos y los besa.*) ¿Quién era?

TERESA.— No sé. No me gustó. Era más misterioso que Sherlock Holmes, el detective.

MARINA.— Un mensaje seguro...

TERESA.— Ese, o está en drogas... ¡o sabrá Dios!

MARINA.— El no coge esa basura.

TERESA.— Ay, mi amor, hoy no se conoce bien a nadie.

MARINA.— ... Eso te lo puedo asegurar.

TERESA.— Anda con un secreto arriba...

MARINA.— ¿Tú crees?

TERESA.— Aún no puedo imaginarme lo que está pasando... pero presiento que es algo fuera de lo normal... (*Muy dulce.*) Lo hago por ti... y que conste.

MARINA.— Lo más seguro es que tiene otra por ahí.

TERESA.— (*Sembrando cizaña sin que Marina se de cuenta.*)... yo... tú sabes que no soy mentirosa... ni me gusta formar enredo y menos a mis amigas... Tu marido... se pierde detrás... Si me descuido me mete mano a mí también... no te engañes, que tú lo sabes. (*Pausa.*)... a mí tiene que respetarme. Tú eres mi amiga... (*Otro tono. Inocente.*) ¡Muchos hombres se confunden conmigo! ¡Es una maldición que tengo! (*Cambio. Tratando de convencerla.*)Si yo fuera tú lo mandaba para el diablo, que hombres son los que se sobran. A los hombres hay que enseñarlos... que se joda. Yo no me explico qué te pasa con José Luis, ni que fuera un artista... (*Muy despechada, sólo Marina no se da cuenta.*) Acaba de mandarlo para el carajo. ¡Conmigo que no cuente!... No seas idiota, que tú estás joven y estás buena... Cuando se vea solo va a saber lo que es bueno.

MARINA.— Pero el me jura que no está con otra mujer.

TERESA.— Ay, mi hermana, te lo digo y te lo repito; no sé que te pasa con él... estás hecha una comemierda que lo cree todo. A donde tú has llegado, yo no quiero estar ni por un minuto. (*Otro tono. Recalcando para hacerla reaccionar en contra de José Luis...*) Yo no soy como tú, mi hombre es mío y de nadie más...

MARINA.— ¿Qué crees que debo hacer?

TERESA.— Síguelo. Averigua... Ya ni por el bar va.

MARINA.— No, no me atrevo porque si lo agarro en algo, me desgracio la vida porque lo mato y después me... Ay, Elegguá... Santo Niño de Atocha.

TERESA.— Contrata a un detective para que lo siga y te diga donde se mete... porque en algún lugar se está metiendo... (*Breve pausa. Piensa rápido.*) Ay, mira que idea más buena se me ha ocurrido; vamos a ir a casa de su Padrino y también vamos a averiguar donde vive el tíguere ése que lo anda buscando y le hacemos una visita.

EN CASA DE MARQUITO

JOSÉ LUIS.— Estoy pensando en irme para Miami... a sacarme tanto lío que tengo encima de mi cabeza.

MARQUITO.— Piénsalo bien.

JOSÉ LUIS.— Es la única solución.

MARQUITO.— ¿Qué dice tu Padrino?

JOSÉ LUIS.— (*Mira a Marquito con una mirada que lo envuelve. Siempre pausadamente su modo de hablar cambia a un tono que no le conocíamos. Cambia de un tono dulce a otro algo aniñado a otro con mayor ternura. El movimiento del cuerpo acompaña el tono de la voz de José Luis; algunas veces se acerca a Marquito de una forma sugestiva y/o cariñosa, sin tocarlo, pero insinuando acercamiento espiritual, compenetración y dulzura. El erotismo sirve para manipular en un juego de dominio. Marquito responde a esos cambios con la mirada y el movimiento de su cuerpo y cuando habla deja claro como se deja envolver sin afeminamiento y a pesar de que parece estar resistiéndose a la proposición que José Luis le está haciendo.*) No le he dicho nada... Yo no vine a este país para seguir igual que en Placetas. Yo vine para encontrar una persona que me entienda y no me complique la vida... Vivir juntos, sin complicaciones... No es fácil encontrar una persona que lo acompañe a uno en la vida, que lo comprenda. Pienso que en Miami podemos volver a empezar; poner un negocito.

MARQUITO.— ¡Tienes uno!

JOSÉ LUIS.— Sí, lo vendo y monto otro en Miami. Yo soy un tipo luchador y tengo ilusiones... No tengo vicios... Nosotros somos amigos... si me voy... para Miami... tú vienes y ponemos el negocito juntos. Una tienda de ropa... ¿Te imaginas la vida que vamos a llevar?... ¡Los dos!... lejos de tanta gente que lo complica todo... que se mete en lo que uno hace o no hace... Tú llevas los libros y eso, y los dos vendemos... la vamos a pasar bien y... y los domingos nos vamos a pescar a los Everglades... y cazar... te voy a enseñar...

MARQUITO.— Una decisión de esa envergadura no la podemos... yo no la puedo tomar tan fácil. Hay muchas cosas que hablar... Tú tienes un negocio, pero yo no.

JOSÉ LUIS.— El negocio va a ser de los dos; eres una persona muy inteligente... vamos a trabajar... el negocio va a ser de los dos... vendo aquí y enseguida que lleguemos a la Florida...

MARQUITO.— No es fácil, no, no es fácil.

JOSÉ LUIS.— ¿Por qué?

MARQUITO.— ¿Y cuándo tú te canses?... yo, ¿qué me hago entonces?

JOSÉ LUIS.— Los dos... vamos... vamos a cambiar de vida...

MARQUITO.— José Luis... ¿y si no funciona?... ¿Qué me hago? ¿Volver sin nada... y solo?

JOSÉ LUIS.— (*Siempre tratando de convencerlo con lógica dulzura. A su manera.*)... para que voy a andarte con cuentos, yo vengo a tu casa porque me gusta... Me siento como en mi casa... y me gusta que me trates con dulzura y que me atiendas... me gustan tus ojos y tu cara y verte desnudo... me vuelvo loco cuando... sí es verdad, pienso en tus nalgas y se me... me excita eso... y no sé por qué, porque a mi siempre me han gustado las mujeres; a mí, tú lo sabes, me gustan las mujeres y eso no lo voy a dejar; no me lo pidas, ¿qué puedo hacer?... me gustas tú... yo... yo te quiero a mi manera, pero no me gusta estar hablando de eso porque me hace sentir lo que no soy... yo no soy como tú y tú lo sabes... pero voy a arriesgarme a que vivamos juntos, como dos socios, nadie tiene que darse cuenta. Te imaginas lo que pensaría mi mamá si se llegara a enterar, ¿y todos mis amigos?... Marina pensaría que por eso... ¡no quiero hablar de esto! (*Pausa larga. Pensativo, sin poder detener el sentimiento. Tratando de ofrecerle seguridad.*)... pero me gusta que te arrodilles y me gusta verte así... haciendo eso... me siento fuerte y más hombre... ahora mismo me excita, pero no me hables de eso, ni me hagas la vida imposible como Marina... ven, vamos... (*Salen para la habitación. Oshún y Changó se acercan al primer plano; se quitan la ropa, se abrazan y abrazados se tiran al piso, mientras se oye el "Kyrie Eleison" de la Misa Luba, o en su lugar un canto a Oshún. Por primera vez se apagan las luces. La unión de los dos orishas significa varias cosas: 1.) la similitud de las relaciones heterosexuales y de las relaciones homosexuales. 2.) la seducción de Changó por Oshún, que como es sabido se vale del sexo para lograr lo que desea; en este caso la salvación de José Luis al que Changó está mirando con malos ojos por sus relaciones con Marquito. 3.) Por lo mismo, la aceptación de Marquito como compañero de José Luis y 4.) Los orichas aceptan y ¿bendicen? a la pareja.)*

FIN DEL PRIMER ACTO

NO HAY INTERMEDIO

SEGUNDO ACTO

EN LA CASA DEL PADRINO

(*Marina y Teresa están frente a la puerta.*)

MARINA.— (*Antes de tocar.*) ¿Tú crees que le saquemos algo?
TERESA.— Ay sí, claro... ¡Toca! (*Marina toca a la puerta. El Padrino abre...*)
PADRINO.— !¿Marina?!, ¡qué sorpresa! pero entra. (*Mira a ver si viene alguien más.*) ¿Y José Luis?
MARINA.— (*Disculpándose.*) Es que... ¿Ud. conoce a mi amiga Teresa? Vine a visitarla, aquí cerquita de su casa y le dije, déjame ir a saludar al Padrino... como José Luis nunca me trae...
PADRINO.— Pero siéntense...
MARINA.— Déjeme saludarlo... Como están las cosas no quiero líos con Changó. (*Marina se tira en el piso, boca abajo, con los brazos a los largo del cuerpo, frente al Padrino. Él la toca en los hombros con las puntas de los dedos.*)
PADRINO.— *Aguaguato Elegguá Mokuehó dide.* (*Marina se para y cruza los brazos sobre el pecho. El Padrino también cruza los brazos sobre el pecho y se pegan, primero un hombro y después el otro...*) Ven a saludar a Changó. (*Van hacia el altar. Marina vuelve a tirarse boca abajo, con los brazos a lo largo. Extiende un brazo y coge una maraca. La toca. Mientras toca la maraca, el Padrino se inclina y toca el piso con los dedos...*)
MARINA.— Bendición Papá. (*Marina besa el piso y se levanta.*)
PADRINO.— Pero siéntense. ¿Qué quieren tomar?
MARINA.— No se moleste Padrino. Si es una vista de un minuto, para saludarlo... Bueno, y si tiene tiempo me tiro los caracoles.
PADRINO.— (*Excusándose.*) No quiero líos con tu Madrina.
TERESA.— Ay, pues me los tira a mí.
PADRINO.— Otro día, otro día, cuando gusten. (*Directamente a Marina. Recalcando las palabras para que el mensaje llegue.*) Algunas veces las cosas están clara' y no se necesitan caracoles... Elegguá

dice que te cuides que la traición te va llegar de quien más confías...

TERESA.— (*Se siente aludida. Disimulando, con descaro.*) El Padrino sabe lo que dice.

MARINA.— (*Sin relacionar a Teresa con el mensaje de traición.*) ¿Hace días que no ve a José Luis?

PADRINO.— (*Entiende que desean saber algo. Escapándose.*) ¡Ese José Luis!

MARINA.— (*Inquisidora.*) Casi todos los días me dice que viene para acá...

PADRINO.— ¡Aaaah!

MARINA.— El viene todos los días, ¿verdad?

PADRINO.— Bueno, pero aunque sea una tacita de café...

MARINA.— ¿Anoche durmió aquí? ¿Verdad, Padrino?

PADRINO.— Enseguida lo cuelo. (*Sale.*)

TERESA.— (*Molesta porque sabe que el Padrino la ha calado.*) ¿No puedes ser más directa?... Así no le vas a sacar nada. Lo que hiciste fue ponerlo sobre-aviso... Olvídate, él no es bobo. Vámonos... me cae mal este viejo.

MARINA.— ¿Y qué quieres que haga? (*Pausa.*) ¿Tú crees que se lo diga a José Luis?

TERESA.— Ay, ¿y qué tú crees? (*Otro tono. Cada vez más molesta.*) Oye, que poco sabes de la vida... (*Se para en disposición de irse.*) Mejor vámonos...

MARINA.— Se va a dar cuenta.

TERESA.— Ya se dio. No perdamos más tiempo aquí.

MARINA.— (*Alto.*) No se moleste, Padrino, ya nos vamos. (*El Padrino aparece con el café.*)

PADRINO.— Pero si ya está... *Les da las dos tazas. Se toman el café en silencio.*)

MARINA.— (*Al terminar de tomar.*) Bueno Padrino, visita de médico. (*Confusa. Buscando una excusa mejor.*) Ud. sabe que... estamos... vamos a comprar unas cosas... mi amiga tiene que... Yo vuelvo en estos días, con José Luis... Le dije cuando llegamos que no podíamos quedarnos mucho rato... sólo fue para saludarlo.

PADRINO.— No se preocupen.

TERESA.— Mucho gusto.

PADRINO.— (*Se dirige solamente a Marina.*) Ya sabes que esta es tu casa. No te olvides de lo que te he dicho... (*Salen.*)

EN LA CALLE

TERESA.— Ese viejo es un latoso. (*Cambio. Decidida.*) Ahora vamos a averigüar donde está la casa del tal Marquito.

MARINA.— No voy a ir. El tampoco me va decir nada.

TERESA.— Lo estoy haciendo por ti. Que a mí nada de esto me importa... Hasta tengo que aguantarle las malacrianzas al viejo... Si deseamos averigüar lo que queremos saber tenemos que ir a los lugares adecuados... (*Aparece Elegguá sin que las dos mujeres noten su presencia. Elegguá rodea a Marina, la limpia espiritualmente. La abraza, se separa de ella. La lleva hasta la casa de Marquito. Teresa los sigue. Marina y Teresa frente a la puerta de la casa de Marquito. Elegguá se retira.*)

TERESA.— A ver si aquí no metes "las patas" como en casa del Padrino...

MARINA.— Elegguá, mi padre, póngame las palabras en la boca. Abrame el camino para no meter la pata. (*Teresa toca. Marquito abre la puerta y naturalmente, se queda sorprendido pero deseando que no se note.*)

MARINA.— ¿Te acuerdas de mí? (*Recalca.*) La mujer de José Luis.

MARQUITO.— Claro, sí... en el bar... Buenas, buenas... Pasen.

TERESA.— (*Sexual.*) ¿Y de mí?

MARQUITO.— Sí, sí. Claro. También el bar. (*Marquito se rompe la cabeza pensando que está sucediendo, pero sin dárselo a entender a las dos mujeres, que por su lado, saben que él se está preguntado el motivo de la visita.*)

TERESA.— (*Dueña de la situación.*) Y te estarás preguntado que hacen estas dos por aquíMARQUITO.— Bueno, no esperaba la visita.

TERESA.— Es que tú sabes, desde aquel día que fuiste al bar... pues yo tenía ganas de volver a verte y como Marina me dijo que tú eras muy amigo de su marido, pues le dije ay, averigüa la dirección y vamos a hacerle una visita... (*Marina le sigue el juego a Teresa, sin embargo Marquito está medio confundido. ¿Qué le ha dicho José Luis a Marina? ¿Qué hacen en su casa?*)

MARQUITO.— Claro, claro... ¿Quieren una cerveza? ¿Un vaso de agua?... ¿Algo?

MARINA.— (*No se siente a gusto.*) No, no... nada.

TERESA.— Lo que tú me quieras dar. (*Marquito se ríe sin saber que hacer o decir.*)

MARINA.— (*No puede contenerse.*) ¿Y José Luis no ha venido por aquí?

TERESA.— (*Cortándola.*) Ay, esta mujer enamorada no hace más que pensar en su marido. (*A Marina, como quejosa.*) Ay, mi amor, vinimos a visitar al señor... no seas... deja de pensar en ese hombre.

(*A Marquito.*) Yo acepto la cerveza, pero tú tienes que tomarte otra, conmigo.

MARQUITO.— Eh, sí... bueno yo iba a salir. Tengo una reunión de... de trabajo, pero me puedo quedar un rato más.

TERESA.— Si molestamos, nos vamos...

MARQUITO.— No, no, no... Voy a buscar las cervezas. (*Sale.*)

TERESA.— ¿Estás loca?... Lo primero que no tienes que hacer es lo primero que haces. Déjame a mi. *¿Okey?*

MARINA.— (*Mirando inquisidora alrededor.*) Vámonos... El no está...

TERESA.— Ya estamos aquí y vamos a ver qué averiguamos...

MARINA.— Me quiero ir...

TERESA.— ¿Tú no crees que este tipo es medio... algo?

MARINA.— Vámonos

TERESA.— Ay, niña, cállate. Vamos a... (*Se interrumpe con la llegada de Marquito.*)

MARQUITO.— (*Parece más dueño de la situación. Le da la cerveza a Teresa. La sirve en un vaso primero. Trae una para él. Se sirve.*) ¿Seguro que Ud. no quiere nada?

MARINA.— ¡No!

TERESA.— ¡Salud! (*Teresa y Marquito chocan los vasos.*)

TERESA Y MARQUITO.— ¡Salud!

MARQUITO.— ¿Y en que puedo servirlas?

MARINA.— Es que bueno, yo vine pensando... Me duele mucho la cabeza... Mejor venimos otro día... (Parándose.) Vámonos, Teresa... (*Teresa sorprendida. Se levanta. Salen sin despedirse.*)

EN LA CALLE

TERESA.— Ay, ¿pero tú estás loca?

MARINA.— Ese hombre me da... no sé... No debimos haber venido... (*Para sí misma. Teresa no entiende.*) Tenía puesta la medallita...

TERESA.— ¿Qué cosa? ¿Qué te pasa ahora?

MARINA.— ¿No le viste la medallita?

TERESA.— ¡No te entiendo! ¿Qué medallita?

MARINA.— La de Santa Bárbara... ¡Changó! (*Elegguá vuelve a unirse a las mujeres que se separan. Teresa sale. Marina va hacia su apartamento. Elegguá va con ella.*)

EN EL APARTAMENTO DE MARINA

(*Marina está sola, frente al altar de los Orishas. Esta es una escena silenciosa, llena de misterio espiritual. Es Marina, sola, con Elegguá, su santo coronado. Le pone una ofrenda. Le habla en silencio. Lo consulta con el coco. Ve y oye.*)

MARINA.— (*Sorprendida. Algo sabe ahora, pero no lo puede creer.*) No, mi padre... No... Usted no puede permitir eso... Debo haberme equivocado al preguntarle porque... no... Yo estoy segura que no. (*Vuelve a preguntar.*) Elegguá, debe haber una equivocación... (*Excitada vuelve a preguntarle al coco y según va viendo la respuesta va desesperándose; se tira al piso y se revuelca dando unos alaridos que no parecen humanos. Se levanta respirando profundamente como posesa y comienza a desbaratar su altar, tirando los objetos sagrados al suelo. Se oye una tempestad de truenos mezclada con el toque de tambor. Algo ha pasado con Elegguá que está enojado por la falta de respeto de Marina. Decide demostrarle su enojo en algún momento. Padrino lo ve y lo oye. Elegguá sale enojado.*)

EN CASA DEL PADRINO

(*José Luis entra.*)

JOSÉ LUIS.— Padrino, vengo a que me tire los caracoles... Ya no la aguanto más. Es una escena detrás de la otra, es igual, no cambia, no quiere cambiar. Me va a buscar a casa de mis amigos. Padrino, tíreme los caracoles.

PADRINO.— Los caracoles no son para jugar.

JOSÉ LUIS.— No es juego Padrino. ¿Qué le pasa? Necesito que me aconseje, estoy desesperado... Mejor no me diga nada. Hay cosas que no se deben decir... hay que aprender a entenderlas... a usted mismo Changó no le ha querido hablar... cada día me voy encontrando... tenemos hábitos mentales y un afán de sentirnos superiores como los orishas... sí, infalibles... ¡no me va entender!... ¡Mejor que no me entienda!

PADRINO.— No puedo ayudarte si no me dices.

JOSÉ LUIS.— (*Confuso.*) Es un sentimiento que no puedo explicar... ¡me voy a volver loco!... que... que penetró de lleno... le tiene miedo al contacto como lo desea el cuerpo... lo establece sin darse cuenta que en su propio ser (*Se da duro en el pecho.*) lo rodean fuerzas que no se pueden... no se pueden... ¡Claro! ¡No quiero! y le he pedido a Changó... y ahora viene a decirme lo que tengo que hacer y que no está contento y que si debo ser un chivo... Por eso me resisto a oírlo porque Él no me oyó, por eso no puedo... (*Se toca el corazón con fuerza; quisiera sacárselo y estrujarlo.*) No quería al principio... y pasó; pasó así, un día.

PADRINO.— Pero, ¿vas a hablar claro o no?

JOSÉ LUIS.— Somos hijos del destino porque la vida comenzó allí, cuando debía comenzar... ¡Yo no quiero ser un chivo!

EN CASA DE MARQUITO

MARQUITO.— (*Para sí mismo.*) ¡Qué raro! Estoy seguro que José Luis no le ha dicho nada... No voy a caer en... Marca un número de teléfono. El timbre se oye en la casa de Marina, pero no hay nadie para contestar. Marquito cuelga. Preocupado. (*Sale.*)

CONTINÚA LA MISMA ESCENA EN LA CASA DE MARQUITO

JOSÉ LUIS.— Nada me sale bien. Ni con Marina, ni con nada. Las cosas en el negocio me van más y más para atrás.

PADRINO.— Ya te he dicho lo que tienes que hacer.

JOSÉ LUIS.— Usted no me entiende.

PADRINO.— Pero lo sé todo.

JOSÉ LUIS.— (*Sorprendido.*) ¿Qué sabe? Usted siempre está divagando, con los santos y todo eso. Bueno es lo bueno pero no lo demasiado. No se puede vivir para eso... Todos... nadie piensa en otra cosa que usarme... Marina quiere que yo sea como ella quiere que sea, para ella... una máquina... el otro, calladito que parece que no moja, pero empapa... tratando de hacerme... hacerme... ¡Ay, Dios!... Teresa... y usted, usted también... quieren que yo sea a sus maneras...!¿Y Changó!?

PADRINO.— (*Triste.*) Me lo dijeron los cocos. (*Pausa. Otro tono.*) Tú sabes que tienes que ir al monte, (*Otro tono. Recalcando.*) cambiar de vida. Yo no te voy a insistir más... Elegguá te va a cerrar más y más los caminos... Por suerte para ti Elegguá se quiere vengar de Marina por lo que hizo al altar y la está confundiendo más y más. Elegguá le ha hecho ver que Teresa no es su amiga sino su peor enemiga... (*Advirtiendo.*) Y algo de lo otro... Nada claro, Teresa no puede creer que tú... que tú...

(*Cambio. No desea hablar de "eso".*) Los santo' hacen a su manera... cuando quieren.

JOSÉ LUIS.— Usted también está en contra mía. (*Sale. Al salir, Oshún corre hacia él y le pone una cabeza enorme de chivo. José Luis grita y berrea y corre como medio loco; Oshún detrás de él. José Luis sale con su cabeza de chivo y los Orishas y el tambor entran en escena. Gritan, brincan y se revuelcan por el piso del escenario.*)

EN EL APARTAMENTO DE MARQUITO

(*José Luis está durmiendo. Se despierta gritando, sobresaltado. Marquito aparece apresurado.*)

JOSÉ LUIS.— ¡Qué pesadilla!

MARQUITO.— Esa fue la postura en que te dormiste...

JOSÉ LUIS.— Parecía de verdad. (*Otro tono. Con angustia.*) Soñé... era muy real, que tú y yo estábamos en un lugar... en una playa o en una selva... y llegó Marina, desnuda, estaba embarazada, con una barriga (*Señala.*) grande, enorme; venía con un cuchillo y venía con la cara furibunda, como loca... riéndose. No nos había visto pero, de pronto, nos vio y te fue para arriba... y te metió el cuchillo mil veces, te cosió a puñaladas y yo no me moví. Lo miré todo con mucha calma; hasta encendí un tabaco y aspiré el humo, como si estuviese disfrutando todo aquello... (*Otro tono.*) Después ella se puso a besarme y a singar allí mismo. (*Otro tono. Con angustia.*) Me parece que fue de verdad. (*Pausa. Agarrándose la cabeza.*) Que dolor de cabeza tengo. Parece que se va a reventar (*Pausa. Otro tono. Confundido.*) Era bien confuso... porque había mucha tiniebla... no se veía nada y ella gritando... la cara furibunda, seguía como loca... entonces me dijo que ya estaba tranquila porque había matado a Teresa, y también te mató a ti... Nos acostamos arriba de ti. Ella decía que era como tener sexo dos veces... (*Con cierto horror.*) Tenía la cabeza de Teresa agarrada por los pelos... y se reía... Decía que su venganza se había cumplido. (*Otro tono. Sorprendido.*)... que ya no podías estar en medio; que yo era de ella sola, contigo o sin ti. Entonces, tú te levantaste y te fuiste riéndote porque no te había matado. Le dijiste: "tú conmigo no puedes" y desapareciste en la neblina, berreando como si tú fueras un chivo... y ella furiosa, comenzó a gritar, como loca, y le enterró el cuchillo a la cabeza de Teresa una y mil veces,(*Con horror y miedo.*) y se viró hacia mi y me metió el cuchillo... en el corazón... y se reía...

MARQUITO.— No le hagas caso a eso.
JOSÉ LUIS.— Todavía me parece que fue de verdad...
MARQUITO.— Eso fue un sueño.
JOSÉ LUIS.— La cabeza se me quiere partir. (*Marquito le trae una aspirina.*)
MARQUITO.— Debías contárselo a tu Padrino.
JOSÉ LUIS.— Me va a volver más loco.
MARQUITO.— Esa fue una pesadilla porque estabas muerto de cansancio. Viniste del trabajo... y puf, no aguantabas más.
JOSÉ LUIS.— (*Se toma la aspirina. Pensativo.*) Voy a ir al monte para que el Padrino se tranquilice. Vamos a comprar el chivo y todo lo que haga falta y nos vamos este fin de semana para New Jersey.
MARQUITO.— Debes ir solo.
JOSÉ LUIS.— Necesito ayuda para hacer todo lo que Changó quiere que haga. ¿No?
MARQUITO.— Pero te dijeron que...
JOSÉ LUIS.— El Padrino no se da cuenta que es muy difícil hacer todo eso solo.
MARQUITO.— No sé.
JOSÉ LUIS.— (*Con tono convincente.*) Anda, vamos, anda... no te niegues.
MARQUITO.— No sé.
JOSÉ LUIS.— Dijo que solo él se refería a Marina. (*Casi suplicante.*) Tengo muchos problemas, ayúdame.
MARQUITO.— (*Transición.*) ¿Te acuerdas cuando nos conocimos?
JOSÉ LUIS.— Sí. (*Se ríe.*) Nunca se me olvidará aquella cara de pendejo. La guagua iba llena y tú ibas parado al lado de donde yo estaba sentado y la guagua cayó en un bache y tú me caíste encima... (*Señala riéndose.*) y casi sin darme cuenta te abracé para que no te cayeras...
MARQUITO.— ... Y yo sentí unos músculos enormes que me apretaban y pensé que estaba en el cielo.
JOSÉ LUIS.— ¿Tú crees que la gente se dio cuenta?
MARQUITO.— (*Riéndose.*) ¡Si no me quería levantar de encima de ti!
JOSÉ LUIS.— (*Riéndose.*) Se me puso como un trabuco.
MARQUITO.— ¡Y eso que no te gusta!
JOSÉ LUIS.— ¡Tenía tremenda pena!
MARQUITO.— ... y te pusiste rojo como un tomate...
JOSÉ LUIS.— ¡Me asuste! ¡Pensé que todo el mundo se estaba dando cuenta!
MARQUITO.— (*Se ríe.*) Yo me di cuenta. (*José Luis está un poco tímido con estos recuerdos. Silencio largo.*)
MARQUITO.— Yo quería que me acompañaras pero no me atrevía a pedírtelo.
JOSÉ LUIS.— Yo lo noté.
MARQUITO.— !¿José Luis!?

JOSÉ LUIS.— ¿Qué?
MARQUITO.— Tengo miedo.
JOSÉ LUIS.— Nuestro destino ya está trazado...
MARQUITO.— No sé si deba ir...
JOSÉ LUIS.— ¡Vamos!
MARQUITO.— Tengo miedo porque no sé que va a pasar...
JOSÉ LUIS.— ¡Vamos los dos!
MARQUITO.— (*Lo mira por un rato. Hay un entendimiento implícito.*) Okey.

EN EL APARTAMENTO DE MARINA

Marina.— (*En el teléfono.*) Sí, está bien... $450 ¿ahora? ¿de anticipo?... Pero el resto se lo daré cuando me diga donde está... Sí, quiero fotografías pero lo que más deseo es que lo siga a todas partes y me diga si va a casa de alguna mujer... o de quien sea. ¡Me llama inmediatamente!... Sí, sí... No se preocupe más por el dinero que no le voy a hacer trampas... ¡Bueno! (*Cuelga.*)

EN LA CASA DEL PADRINO

(*El Padrino está sentado, solo, triste. En silencio. El Padrino se para para recibir al que llega. Es Marquito.*)

PADRINO.— Entra. Llegaste tarde...
MARQUITO.— Yo soy...
PADRINO.— Pero yo sé quien tú eres.
MARQUITO.— (*Incrédulo.*) Yo nunca había venido.
PADRINO.— Entra. Tú vienes a hablar de José Luis. (*Ahora entiende que el Padrino si sabe. Marquito entra.*)
MARQUITO.— No sabía si debía...
PADRINO.— (*Realmente no desea esta conversación. Desea ir al grano.*) Yo no estoy de acuerdo. José Luis me ha decepcionado, pero yo no soy quien...
MARQUITO.— (*No le gustan estos comentarios.*) Yo no vine a hablar de la conducta de José Luis.
PADRINO.— (*El comentario de Marquito lo sorprende, lo corta.*) Oshún, te está protegiendo, ella cuida de sus hijos y sabe como envolver a Papá y a Eleggúá...
MARQUITO.— Yo no soy creyente.

PADRINO.— A Oshún no le importa lo que a otros orishas les importa, pero Yeyé sabe que Changó es muy varonil y mujeriego... ¡Que no le gustan los Addodis! ¡Pero, tú eres hijo de Oshún! y Oshún Yeyé siempre se sale con las suyas... Buscó a Changó; lo volvió a seducir porque ella siempre lo ha conquistado. ¡Babami es muy enamorado!... y siempre cae con Oshún que le hace muchas trampas... A esos dos santos les gusta mucho el sexo... (*Transición.*) ¡tenía muchas ganas de verte!

MARQUITO.— !¿A Mí!?

PADRINO.— Nunca hubiera podido creer lo que está pasando... no a mi ahijado; ¡tan mujeriego! A mí tampoco me importa la vida de la gente, pero cuando tocan a uno de los míos... (*Pausa larga. Recriminativo.*) Estoy muy bravo con mi ahijado que se dejó envolver con tus pajarerías...

MARQUITO.— (*Sin faltarle el respeto.*) Yo creo que usted está un poco equivocado...

PADRINO.— Yo lo sé todo... porque los cocos... los santos me lo han revelado... ¡No soy...!

MARQUITO.— (*Igual. Digno y respetuoso, pero enérgico. Él no le tiene miedo al Padrino ni a su religión mágica.*) Yo no sé quien le ha dicho que... yo sé lo que está insinuando porque ha sido muy directo. Eso es algo que tiene que preguntarle a José Luis... yo vine para ayudarlo a él, pero no porque crea en su religión... Usted está insinuando... no, diciendo cosas que no entiende... La gente tiene conceptos equivocados de lo que alguien que no es... que la gente cree que es normal... puede ser. Los anormales son los morones o los que tienen dos cabezas; y no los que hacen sexualmente lo que usted no entiende... Desde que llegué me está diciendo que no acepta, que está enojado y que si desaprueba... Muy bien, señor, Padrino; pero averigüe primero porque es que su ahijado ha buscado otro modo de vida; averigüe porque es feliz así con ese nuevo modo de vida que usted y sus santos desaprueban, y dígame: ¿Ha cambiado en algo? ¿Físicamente, le ha notado algo raro? ¿Le ha salido una verruga en la nariz quizás? ¡No hable de lo que no sabe! ¡y no me acuse a mí de seducir a nadie para nada!... Ya le dije, no soy creyente. Lo respeto, pero no soy creyente y vine aquí por José Luis... si le molesto me voy.

PADRINO.— (*Indudablemente nunca esperó nada de esto. Cambia su actitud hacia Marquito, pero sin embargo continúa en su mundo de santería.*) ¡Mejor dejamos esto a un lado!

MARQUITO.— No nos vamos a entender.

PADRINO.— Vas a creer porque ella te va a dar pruebas. Ella te protege.

MARQUITO.— ¿Quién es ella?

PADRINO.— Oshún, la diosa del río, una de las mujeres preferidas de Changó. Ella es muy coqueta y sandunguera... Ella es la amiga de los amantes... Ella puede proteger a quien quiera... y te quiere proteger a ti. (*Sacando un collar que vemos claramente.*) Oshún quiere que uses esta protección. (*Le pone el collar al cuello.*) Pa'ti... y este es pa' José Luis. (*Le entrega otro collar.*) Vas a ponérselo... cuando tú lo consideres necesario... pero ahora te voy a limpiar con una calabaza... Te voy a decir lo que tienes que decir al entrar al monte con José Luis.

MARQUITO.— ¿Cómo sabe usted que yo voy al monte?

PADRINO.— (*Directamente para que sepa que lo sabe todo.*) Yo lo sé todo y tú... (*Otro tono. Tratando de impresionar a Marquito con lo desconocido.*) No te preocupes como lo sé... En el monte se va cumplir lo que se ha venido diciendo... Los celos de Marina van a encontrar la forma de castigar la traición y de esa forma Elegguá la va castigar por su soberbia. Tú y José Luis tienen que cuidarse para que la sangre no sea la de ustedes. Oshún está cuidándolos, pero no sabemos lo que debe darse a cambio de sus vidas... (*Pausa. Otro tono. Imperativo.*) Vas a hacer lo que yo te diga o no me responsabilizo. (*Pausa.*) Yo no estoy feliz con nada de lo que está pasando, pero yo hago lo que los santos me dicen... (*Le da un papel.*) Todo lo que tienes que decir está escrito en este papel... antes de entrar al monte... Bajito, que ni José Luis lo oiga...

MARQUITO.— Ya le dije que no soy creyente. (*El Padrino, sin prestarle atención, comienza a despojar a Marquito con una calabaza que después pone en el altar, a los pies de Oshún. Marquito sale...*)

PADRINO.— Ya se me pasará el coraje que tengo con mi ahijado... Babami yo a usted lo obedezco.

EN LA CASA DE MARINA

(*Entra Teresa.*)

TERESA.— Vine enseguida que oí el mensaje en el *answering machine.*

MARINA.— (*Seca. Ya conoce la deslealtad de Teresa.*) Gracias... Estoy muy nerviosa... Vamos para el monte.

TERESA.— Ay, mi amor, cálmate, si sigues tan nerviosa no vas a poder contarme.

MARINA.— Necesito que me acompañes... Vamos a dejar clara la traición... (*Sale.*)

EN EL MONTE

(Debe tenerse en cuenta que cada Orisha es dueño de un árbol. Por eso, los Orishas-que hemos visto durante la obra-son los árboles en esta escena. Se moverán alrededor de José Luis y Marquito de acuerdo a la acción. José Luis y Marquito llegan a pie. Traen todo lo que le dijeron que debían traer. Están llenos de respeto por lo desconocido y por lo que les han dicho. Colocan en el suelo todo lo que traen en las manos. Nota: Si la dirección va a usar el chivo debe conservarlo para la escena final.)

JOSÉ LUIS.— Hay que pedirle permiso a... Eggó, el Monte... Aquí estoy, estamos... con su permiso... He venido a pedirle lo que me hace falta... que me oiga, tal como yo soy... Eggó, vengo con todo mi respeto... con mi amigo... para que nos defienda de cualquier fuerza adversa... Mis saludos al Viento del Monte... (*Echa los centavos y riega aguardiente por la tierra.*) Dame acá un tabaco... (*Marquito se lo da.*) Enciende uno tú también... (*Ambos encienden un tabaco. José Luis echa humo por todo el espacio a su alrededor, hacia el monte. También lo hace con la candela metida en la boca, hacia la tierra. Marquito, que no sabe, solamente fuma y echa humo.*) Mira que te doy para que me permitas recoger lo que necesito, para que me quites lo malo que tengo encima. (*Pausa. Creyente y piadoso se va quitando la ropa como se le había dicho, mientras Marquito, con respeto, lo mira todo sin intervenir, leyendo el papel que el Padrino le dió, sin que José Luis lo note.*) Elegguá, Changó, Yemayá, Oshún... todos los santos y los muertos, todos los *egguns,* vengo... venimos a cumplir lo que se me ha mandado para que pueda ver claro mis problemas. (*Otro tono.*) Para que la felicidad me alcance y podamos vivir nuestras vidas... Elegguá, ¡ábrame los caminos! (*Los árboles-los Orishas-se acercan a José Luis, lo envuelven y se lo llevan. Han dejado a Marquito afuera, pero Oshún se desprende del grupo de los Orishas. Atrae a Marquito hacia ella, lo va desnudando para, inmediatamente, vestirlo como un chivo. Una vez vestido como chivo se lo lleva hacia el interior del monte. Toda esta escena está llena de simbolismo, abierta a la interpretación de quien la ve. La dirección no debe ser determinante como-a propósito-no lo ha sido el autor. Debe montarse muy cuidadosamente. La escena debe ser creíble,* sin palabras. *Es-casi-una coreografía, con movimientos que deben interpretar la situación del momento, pero en ningún momento debe ser una danza. El chivo simboliza el sacrificio, el placer. El carnero es el animal preferido de Changó y el chivo de Oshún. Changó y los otros Orishas están complaciendo a Oshún, pero también han exigido algo en reciprocidad al favor; los dos hombres serán el sacrificio y los Orishas los preparan. Se hace la noche. Al llegar la madrugada, llena de niebla, apenas se divisan siluetas. José Luis, desnudo, está durmiendo en el suelo. Marquito el chivo, está sobre él. Elegguá, Oshún y Changó se pasean alrededor o sobre ambos hombres, como bendiciéndolos o protegiéndolos. Marquito el chivo se levanta de encima de José Luis y se tira a su lado. En ese mismo momento se ve una sombra; es el Padrino con un chivo; lo pone sobre Marquito al lado de José Luis que se sube sobre el chivo y comienza a restregarse sobre el chivo como si hiciera sexo y como le habían dicho a José Luis que se revolcara. Inmediatamente el Padrino que está contemplándolo todo, agarra el chivo y limpia a Marquito con el chivo. En ese momento Marquito le pone el collar de protección a José Luis. Aparece Teresa cuando el Padrino comienza a limpiar a José Luis. Trae la cabeza de chivo que usó José Luis anteriormente. Teresa deja la cabeza de chivo en el piso y se queda inmóvil, como bajo un hechizo momentáneo. El Padrino sale y Teresa detrás de él; se cruzan con Marina, se detienen para mirarse fijamente, pero nos damos cuenta que no se vieron. El Padrino sale. Marina y Teresa se quedan frente a frente. A continuación, lo primero que debe venir a la mente del público, es el sueño de José Luis. ¿Se irá a cumplir?... Nunca lo sabremos a ciencia cierta. Esa incógnita debe quedar en el espectador cuando abandone el teatro. Marina se acerca a los dos hombres. Marquito la ve. Lanza un grito —seco, bajo— de reto. ¿Es un hombre o un chivo? ¿O ambas cosas? José Luis se despierta. Agarra la cabeza de chivo y se la pone. Marina se ríe, tiene un puñal, grita con furia, odio y espanto al verlos juntos. Se oyen voces confusas de Marquito y José Luis. Berridos de chivos. La voz del Padrino fuera de escena, rezando en lengua. Teresa grita. No se entiende nada. Las figuras y los movimientos se distinguen confusamente, debido a la neblina.*)

JOSÉ LUIS.— ¡Estás loca!
MARQUITO.— No..., no..., beee.
MARINA.— ¡Mal nacido!
JOSÉ LUIS.— Espérate, Marina...
MARQUITO.— (*Como un chivo.*) ¡Beee! ¡Beee!
TERESA.— Es mío, coño.
MARINA.— Yo lo sabía.
JOSÉ LUIS/MARQUITO.— ¡Changó! No... ¡Aay!
TERESA.— (*Se ríe con miedo.*) Ja, ja, ja..., beee.

MARINA.— (*Se ríe a carcajadas.*) Ja, ja, ja...
JOSÉ LUIS.— (*No se ve pero se oye un grito lleno de dolor y miedo.*) ¡Aaaaayy!

(*¡Dos chivos berrean entre la neblina que no permite ver la visibilidad!*)

OSCURO

ANTOLOGÍA DE CARICIAS

Como dulce melodía esa noche
tu nombre penetró en mis sentidos
y se metió tan adentro
que por eso salir no ha podido
me coloqué como si fuera acto de magia
en un espacio colorido e imaginario
situado entre el deseo de mil ansias
y el propósito de ver tus tibios labios
esa noche descubrí mil emociones bajo tu hechizo
y tus gemidos excitantes
que deslumbrados por aquellas sensaciones
de tanto amor casi te veo en cada frase.

CORO.
Vamos a hacer en lo adelante

SOLO.
Una antología de caricias

CORO.
De lo mejor de la primera noche
cuando allí me diste la primicia

SOLO.
CORO.
Retransmisión de los primeros años del amor
que endulza nuestras vidas

Solo.
Aún yo guardo en mi pudor
el dolor de tu primera vez
un dolor que supo a miel
y una piel que grita ven, ven,
endúlzame otra vez.

(Repite desde el primer Coro.)

East Elmhurst, NY
12 de febrero de 1993
5 de septiembre de 1996

African Masks (1980). © Pouble.

REFLEXIONES DE JOSÉ CORRALES

A los pocos años de mi llegada a Nueva York (1965), los que luchaban por los derechos de los negros en los Estados Unidos acuñaron un slogan, más tarde apropiado por la industria y el comercio, que decía: "Black is beautiful". Yo no salía de mí asombro. Aquello era extremadamente absurdo y enajenante. ¿Es que para entonces, a pesar de los tantos poemas de Langston Hughes, había necesidad de hacer ver que existía la belleza en lo negro? Yo acababa casi de llegar de un país (Cuba) donde se seguía (y se sigue, a pesar de lo que digan) discriminando al negro, pero el grado de discriminación, al menos durante el siglo XX, nunca ha llegado al grado de crueldad que ha llegado en los Estados Unidos. Los bebederos de agua para los negros separados de los de los blancos, la imagen de Rosa Parks sentada "donde le dio la gana" en una guagua, y la foto de una niña protegida por docenas de soldados para poder entrar en su escuela me parecieron siempre testimonios representativos del horror estadounidense de no reconocerles su humanidad al hombre y la mujer negros. Esto, en un país eminentemente religioso (cristiano), me pareció un insulto doble.

A mí nadie tiene que decirme "Black is beautiful". Desde hace mucho tiempo los cubanos lo damos por descontado y hay cientos de pruebas para corroborar que dentro de la negritud hay tanta belleza como la que se puede encontrar en otras razas. Ahí están Rita Montaner, Olga Guillot, La Lupe, Kid Chocolate, Kid Gavilán, Eusebia Cosme, Wilfredo Lam, representando una variedad extrema de belleza. Belleza negra que se ha captado en las narraciones de Lydia Cabrera, los poemas de Emilio Ballagas y Alina Galliano, las pinturas del propio Lam.

En Cuba había personas de color —así las llamábamos "en sociedad"—que gustaban crearse sus propios niveles: negros con títulos universitarios y buena posición económica, por ejemplo. Pero a la altura de lo que se llama pueblo, lo blanco (hasta donde podamos usar ese adjetivo en Cuba) y lo negro llevan muchos años mezclándose, hasta completar la imagen de lo que llamo "la mulatez" (término que debía registrar).

Y claro está, si Manuel Pereiras García y yo queríamos colocar *Las hetairas habaneras* a la altura del pueblo, teníamos que, consciente e inconscientemente, situarnos dentro de una estética y manera de pensar y de ser que cupiera suave y cómodamente dentro de la mulatez. Felizmente, Pereiras no es sólo un excelente dramaturgo, sino también un escritor cuya estética va más allá de las divisiones que se han creado (falsas divisiones) entre los hombres con distintos colores de piel. Así nuestra colaboración fue ardua en muchas cuestiones, pero nunca en cuanto a la mulatez del proyecto.

Los profesores José A. Escarpanter y Armando González-Pérez, autor de este libro, fueron los primeros que notaron que en varias obras del teatro cubano del exilio los negros aparecían en toda su humanidad. Ya no eran el "negrito" y la "mulata" del teatro vernáculo, ni el calesero, chofer o criado/a de la burguesía, sino eran hombre y mujer como los demás, cuya raza a veces resulta motivo de conflicto, pero que, las más de las veces, es simplemente una característica del personaje.

Como yo no necesito declarar "Black is beautiful", a mí me resulta muy fácil poner en escena personajes negros, no tengo nada que probar al respecto. Además, los negros son parte integral de la vida cubana. Y aunque a mí se me consideraba blanco en Cuba (si nunca mostré mis abuelitas fue porque murieron muy pronto), los personajes negros, como los negros en la vida real, aparecen en mis obras naturalmente. Así: Orlando, el protagonista de la obra del mismo nombre; dos personajes de *Vida y mentira de Lila Ruiz*; el Oberón de *Nocturno de cañas bravas*; Luna, el protagonista de *Cuestión de santidad.*

REFLEXIONES DE MANUEL PEREIRAS GARCÍA

Para los datos generales sobre *Las hetairas habaneras*, refiérase a mis obras completas (Complete Plays. Volume 1: *An Overview* (Princeton, NJ: The Presbyter's Peartree, Inc. [15 Alta Vista Drive, Princeton, NJ 08540], 1998). En cuanto a la cuestión negra sólo tengo que decir, como decían en mi pueblo, que "en Cuba, el que no tiene de congo tiene de carabalí". Y también tenemos de chino. Y de indio americano, aunque siempre nos enorgullecemos (sí) en decir que los españoles los mataron a todos. Es una mentira. Como es una mentira el que seamos blancos. Yo siempre decía: "Mi abuelo era español". ¿Y los otros tres? Cubanos por generaciones. Pero la población de Cuba era como 85% negra a fines del siglo XVIII, ¿cómo se hizo tan blanca en sólo un siglo? Como España perdió el resto de las Américas, vinieron más españoles a Cuba, pero también trajeron más congos y carabalíes, En todo caso, los iberos primitivos eran la extracción africana y los "moros" estuvieron en España 8 siglos, no en toda España todo el tiempo pero... Además la mitología yoruba es mucho más interesante que la cristiana. Como es mucho más interesante tener todas las razas que una sola. ¿Y qué constituye una raza? ¿El color de la piel? ¿Por qué no la altura? La raza alta y la raza baja. Y ya he dicho demasiado. Después de todo, ya no escribo.

Cachita (1980). © Poublé.

LAS HETAIRAS HABANERAS

UNA MELOTRAGEDIA CUBANA
BASADA EN *LAS TROYANAS* DE EURÍPIDES

de

JOSÉ CORRALES
Y MANUEL PEREIRAS GARCÍA

Manuel Pereiras le dedica esta obra a
Larry Leive "PUPO".

PERSONAJES

CORALIA
CORO DE HETAIRAS
DIOSDADA
ILUMINADA
ESTRELLA
YEMAYÁ
SAN ROQUE
ALEJO
CARLOTA
NICOMEDES
MENELAO GARRIGÓ

La acción se desarrolla en La Habana, Cuba, comenzando en 1959.
La escena será primero la de un salón de un prostíbulo y después un parque público.
El único elemento imprescindible es una silla grande a manera de trono.

(Esta obra fue escrita en 1976-77).

PRIMER ACTO

CORALIA.— Felices tiempos se auguran en casa de Diosdada y Primo. Felices tiempos se auguran con lo que pasa en esta casa. Esta casa que se llama la casa de La Gloria. Esta casa que es la gloria de artistas, de poetas y de hombres sabios.
CORO.— Lo que pasa es tan grato a mis oídos que me asusto.
CORALIA.— Te asustas porque la felicidad no es residente en esta casa.
CORO.— Me asusto porque uno de los dos recién llegados puede ser nefasto y nosotras sin saberlo.
CORALIA.— Cualquiera de los dos puede ser nefasto y puede simplemente no serlo. No vamos a dejarnos por el pesimismo y por las penas. Celebremos.
CORO.— Sí, celebremos los dos acontecimientos.
CORALIA.— Que a Diosdada y a Primo les nació un nieto.
CORO.— Nicomedes.
CORALIA.— Y que una nueva hija le ha entrado a Diosdada por la puerta. Una nueva hetaira. El nuevo amor del chulo Juan Alberto.
CORO.— Ni a mencionar su nombre me atrevo.
CORALIA.— Celebremos, celebremos. Déjate de aspavientos. Estrella es su nombre y lo digo a voz en cuello.
DIOSDADA.— (*Entrando.*) Estrella, la que va a iluminar nuestros senderos. Una estrella rutilante y fresca. Estrella, la mujer de Juan Alberto, y otra estrella recién nacida que sonríe desde su cunita saludando a sus abuelos.
CORO.— Nicomedes, Nicomedes.
DIOSDADA.— Que empiece la fiesta de bienvenida. Que corran la cerveza y el guarapo, el melao de caña y el aguardiente. Los dos nuevos habitantes de esta casa bienvenidos son y con ellos nuestro destino se hace cierto.
CORO.— Cierto no hay nada en este mundo, mi querida matrona y compañera.
CORALIA.— No las oigas. Esta es aguafiestas de nacimiento.
DIOSDADA.— Sí, son mujeres alarmistas y pájaros de mal agüero. Vamos, corran, arréglense los pelos, píntense los labios. Queremos

celebrar la fiesta de la casa de Primo y de Diosdada. Vamos, vamos que Diosdada va a botar la casa por la ventana. (*El Coro se va.*) Qué alegría. Mis dos hijos machos son felices. Uno acaba de ser padre y el otro acaba de traer a nuestra casa el amor de su vida y la belleza hechos figura en un par de senos y unas nalgas que ay, ay, ay, nos aseguran tiempos buenos.

CORALIA.— Yo no quiero hacer sombra en esta fiesta, pero todavía no estoy muy satisfecha con esa mujer tan pendenciera.

DIOSDADA.— No estás en tus cabales. Esa Estrella no es sólo el ideal de belleza, sino que es el amor de mi hijo, el pequeño, mi príncipe Juan Alberto.

CORALIA.— Sí, pero en la forma en que ha llegado. ¿Cómo crees tú que se siente el marido tan tarrúo y tan pendejo?

DIOSDADA.— Menelao Garrigó no tiene penas. El caso fue muy claro y sin peleas. Su mujer lo dejó porque encontró un amor más grande y duradero. Y dime tú, quien no va a dejar a Menelao, al mundo entero, por mi hijo Juan Alberto. Quien puede resistirse a los encantos de mi hijo.

CORALIA.— Es que todo es un misterio.

DIOSDADA.— Nada de misterio, todo es mucho más claro que el agua.

CORO.— (*Entra bailando. Lleva guirnaldas para adornar el salón y procede a hacerlo.*) Más claro que el agua del Almendares y del Cuyaguateje. Más claro que el agua de la fuente de la India y de los manantiales de Guanabacoa. Más claro que el agua de lluvia almacenada. Más claro que el rocío allá en Ceiba del Agua. Más claro que la claridad del sol a las diez de la mañana.

DIOSDADA.— (*Bailando.*) Arranca pa'llá, la claridad ha entrado en esta casa. (*Entra una mujer del Coro llevando en los brazos a Nicomedes.*)

Mi nieto
mi nieto macho,
yo te bautizo,
yo te preparo,
yo te alimento,
yo te resguardo.
(*Tomando a Nicomedes en sus brazos y mostrándolo en alto.*)
Este querube
vino del cielo
de lo más alto
del firmamento.
Yayo es su padre,
Primo, su abuelo;
de ellos tendrá
él el aliento.

Pero algún día
—verán que acierto—
más que sus padres
será más bello
este querube:
mi nieto regio.

CORO.— Mi muchachito,
mi muchachuelo.

CORALIA.— Cuánta alegría
porque has nacido.
Entre estas putas
serás bendito,
para nosotras
serás el Cristo:
te haremos fiestas,
te haremos ritos,
y porque siempre
luzcas tan lindo;
y porque nunca
te angustie el frío;
que seas más mío
ante tu abuela
yo te bendigo,
yo te amamanto,
yo te bautizo.

DIOSDADA.— Tú, Nicomedes,
el nuevo macho
para nosotras
eres: ¡el gallo!
En nuestra casa
sólo tu canto
se oirá potente
se oirá alto.
Por todas partes,
por todos lados
siempre se oirá.
Y como sabio
quiero que sea,
y como claro
que sea quiero
de nuestros santos
con los collares
yo te resguardo,

yo te protejo,
yo te preparo.

CORO.— Nicomedes, Nicomedes. Que nos enseñen al nuevo macho.

CORALIA.— El nuevo macho. El macho de la alegría y de la salsa. Que me enseñen al nuevo macho, al nuevo macho de la casa...

CORO.— Sí, que nos lo muestren.

DIOSDADA.— Aquí lo tienen. Nicomedes, mi nuevo macho, la suma de mi alegría, el verbo que se hizo río, que se hizo árbol, el mar de mis aventuras, mi sueño ya realizado.

CORALIA.— Levántale la sabanita, quiero ver lo que nos tiene guardado. (*El Coro hace un círculo alrededor de Diosdada. Diosdada levanta la sabanita que cubre a Nicomedes para contemplarle los genitales.*) Ah, este niño tiene un futuro asegurado.

CORO.— Ah, ah. Mi alegría la trae en su cerebro, en sus dos ojos.

DIOSDADA.— Ah, mi alegría la trae en sus labios y en su pecho.

CORO.— Ah, y mi alegría la trae un poco más abajo. (*Coralia da un gemido de alegría.*)

DIOSDADA.— Coralia, respeta al niño.

CORALIA.— Ay, Diosdada, que estoy jugando.

DIOSDADA.— Este niño será de oro. Será como el premio gordo.

CORO.— Guárdame un número, que ese premio lo quiero yo para mí sola.

DIOSDADA.— Aguarda un poco. Deja que el niño, al menos cumpla sus trece años o sus catorce.

CORO.— Ay, que no aguanto. Ay, que me muero.

DIOSDADA.— Putas de mierda. Hetairas de pacotilla. (*Entregándole Nicomedes a la mujer del Coro que lo trajo.*) Mira, siempre vigila que estas fieras no me lo vean todos los días. (*Al resto.*) Esperen un poco. Tengan paciencia.

CORO.— Cuando ese niño tenga catorce —ay, cuando ese niño tenga catorce y yo me asome por su ventana...

CORALIA.— Estarás muy vieja.

CORO.— Estaré muy santa y ese niño me hará el amor, te lo aseguro.

CORALIA.— Ese niño me hará el amor, te lo aseguro, ese niño me hará el amor como que yo...

CORO.— Como que tú te llamas Coralia.

DIOSDADA.— Putas de mierda, serían capaces de ahora mismo, en este instante.

CORALIA.— Por Dios, Diosdada, qué cosas dices.

DIOSDADA.— Hetairas descabelladas, cuando se dan unos cuantos tragos son muy capaces.

CORALIA.— Por Dios, Diosdada, ni que fuéramos fieras salvajes.

DIOSDADA.— Casi lo son, casi lo son.

CORO.— Ay, no me hagas caso. Dinos ahora por qué tu nieto se llama Nicomedes.

DIOSDADA.— Tendrás que preguntárselo a la madre, pero ahora no. La pobrecita está cansada, durmiendo un rato. El paritorio, las malas noches.

CORO.— Cuéntalo tú.

DIOSDADA.— Es una historia muy larga.

CORO.— Ay, vamos, no seas pesada.

DIOSDADA.— Muy bien, muy bien. Vamos, Coralia, tú te conoces la historia al dedo. Cuéntala tú que tienes gracia.

CORALIA.— Es que como dijiste, la historia es larga.

DIOSDADA.— Vamos, cretina y tonta sí que no eres, la historia es larga, pero no tanto y trata de hacerla breve.

CORALIA.— El caso es... caso este caso tan cansado, que durante mucho tiempo Yayo estuvo detrás de Carlota buscando, buscando, buscando lo que ustedes saben y yo no quiero.

CORO.— ¿Que ya Carlota no quiere a Yayo?

CORALIA.— Lo quiere sí, no seas estúpida. Es que te estoy hablando del pasado. Resulta que... resulta que durante mucho tiempo Yayo iba y le pedía esto y le pedía aquello.

DIOSDADA.— Y Carlota todos los días le respondía con una frase. Una frase apenas. (*Imitando a Yayo, su hijo mayor.*) Niña linda, me podrías tú...

CORALIA.— (*Imitando a Carlota, como una niña.*) No, yo, ni cojones.

DIOSDADA.— (*Imitando a Yayo.*) Preciosa, no seas tan mala. Mira que yo...

CORALIA.— (*Coralia imitando a Carlota.*) No, yo, ni cojones.

DIOSDADA.— (*Imitando a Yayo.*) Mira, que yo quisiera... Bueno... tú sabes... anda, dame la mano.

CORALIA.— (*Imitando a Carlota.*) No, yo, ni cojones.

DIOSDADA.— (*Imitando a Yayo.*) Vamos, no seas así. Si tú me dieras...

CORALIA.— (*Imitando a Carlota.*) No, yo, ni cojones.

DIOSDADA.— (*Imitando a Yayo.*) Me desesperas. Me vuelves loco. Si tú quisieras.

CORALIA.— (*Imitando a Carlota.*) No, yo, ni cojones. (*Pausa. En su tono.*) Tantos cojones le dijo Carlota al pobre Yayo, que el día que al fin cedió su brazo, ese mismo día quedó preñada. (*Imitando a Carlota.*) Ni Cojones, le pondremos, me dijo Yayo enternecido.

DIOSDADA.— Ni Cojones no es un nombre, le dije yo. Qué dirán el cura y el señor alcalde. Ponle Nicomedes, le dije yo un tanto feliz del nombre tan sonoro y eficiente. Qué sencillo —Nicomedes se llama mi nieto porque la moral lo exige.

Coralia.— Llamarlo Ni Cojones hubiera sido un desacierto.

Diosdada.— Por eso Nicomedes es el nombre perfecto para el hijo de Yayo, para mi nieto. (*Camina ceremoniosamente hasta donde tienen a Nicomedes y lo toma de nuevo en sus brazos.*)
Para mi nieto quiero
todos los bienes.
Para mi nieto santo,
bienes con creces.

Coralia.— El nieto de Diosdada
será La Gloria
como príncipe único,
hostia y custodia.

Coro.— Lo bendiga Eleguá
y lo bendigan
los orishas del monte,
to's los orishas.

Diosdada.— Para mi nieto quiero
un ramillete
de salud y de fama,
dinero y suerte.

Coralia.— Para el hijo de Yayo
y de Carlota
traigo yo mi perfume
para su boca.

Diosdada.— Para mi nieto lindo,
mi nieto macho,
mariposas, jazmines,
rosas y nardos.

Coro.— Para este macho santo
traigo en mi seno
una fuente de vida
para su pecho.
Y le traigo del campo
el dulce acento
de la miel y el azúcar
para su sexo.
De la ceiba y la palma
traigo la fuerza,
la altivez, el encanto
y la fiereza.
Y también del tabaco
y del café
traigo para este niño
todo su ashé.

DIOSDADA.— A mi nieto lo quiero
yo con la gracia
de América y Europa,
de África y Asia.
CORALIA.— De las frutas sagradas
en mi regazo
traigo varias docenas
para este macho.
CORO.— Manzanas, canisteles,
uvas, ciruelas,
caimitillos, limones,
nísperos, peras.
CORALIA.— Que la manzana deje
en sus mejillas
su fulgor y dulzura
de eterna vida.
Que la manzana deje
en su remanso
su fulgor y su dulzura
que gustan tanto.
CORO.— Plátanos, tamarindos
y cundiamores.
Naranjas y papayas,
limas, anones.
CORALIA.— Que del plátano tenga
el tacto grato
y de los tamarindos
su dulzor agrio.
CORO.— Que del plátano copie
las sensaciones
y de los tamarindos
las libaciones.
DIOSDADA.— Para mi nieto el fuego
de las naranjas
y el ansia y la pasión
de las papayas.
CORO.— Caimitos, mangos, cocos
guindas, guayabas,
mameyes, mamoncillos,
piñas, guanábanas.
Marañones, zapotes
y pomarrosas,
granadas, aguacates,
y chirimoyas.

CORALIA.— De Primo el nieto tenga
la gracia toda
de la isla paraíso,
de la isla gloria.

DIOSDADA.— Para mi nieto todo,
todo lo quiero.
Para mi nieto macho,
el mundo entero.
(*Entra Iluminada caminando muy despaciosamente.*) Iluminada, hija mía, ¿ya viste a tu sobrino? ¿Le diste un beso? Ya sabes que en medio de esta fiesta le hemos dedicado cierto tiempo a que leas el futuro de mi nieto. ¿Ya estás lista?

ILUMINADA.— Madre, no quisiera hoy leer los caracoles, ni las cartas.

DIOSDADA.— Cómo, ¿no habías prometido que el día de la fiesta, como regalo...?

ILUMINADA.— Mima, déjame tranquila. Yo como tú estoy contenta.

CORALIA.— Pero no quieres complacer a tu madre, ni a nosotras que queremos saber del niño el futuro tan brillante que le espera.

ILUMINADA.— Déjame tranquila.

CORALIA.— Muchacha majadera. No vayas a aguarnos la fiesta con tus pesadeces y tus descargas. Echale las cartas, o mejor los caracoles, a Nicomedes.

DIOSDADA.— Es tu sobrino. Ay, dale un beso.

ILUMINADA.— Aguándoles la fiesta estoy yo hace un rato.

DIOSDADA.— Que Orula te proteja.

ILUMINADA.— Que así sea.

DIOSDADA.— Mira tu sobrino que te sonríe. Ay, dale un beso. Míralo bien. Se te parece. Ay, no seas mala.

ILUMINADA.— (*Se inclina y besa a Nicomedes.*) Yo no debía, es que no debo. (*Pausa.*) Bueno, si tanto insisten... Es que no puedo.

DIOSDADA.— Sí, hijita linda, lee tus cartas. (*Se hace un silencio reverente. Iluminada muy lentamente y con desgano esparce las cartas sobre el suelo. Las mira.*)

ILUMINADA.— Mejor no digo nada.

DIOSDADA.— Lee, lee, dime el futuro de este niño hermoso y no me digas de su pasado que me lo sé de memoria porque lo he vivido.

CORALIA.— Sí, dinos qué ventura le espera a Nicomedes.

ILUMINADA.— Su estrella me anuncia, me da un aviso.

CORO.— Sí, eso es. Háblanos también de Estrella, que ha llegado a esta casa sin anunciarse. (*Iluminada abruptamente recoge las cartas y se aparta del lugar.*)

CORALIA.— (*Al Coro.*) Qué bruta eres. Qué Estrella ni qué ocho cuarto. Estaba hablando de la estrella de Nicomedes. Vamos, Iluminada, no seas así.

DIOSDADA.— Hijita, pero qué te pasa. ¿Cómo pesada te pones en esta fiesta? Vamos, lee las cartas.

ILUMINADA.— Mamá, por Dios, dejemos eso.

DIOSDADA.— Vamos, tú prometiste como regalo leer las cartas en esta garatusa, en estas pascuas, este guateque, y tu sobrino, este niño tan lido y sano, está esperando tu promesa.

ILUMINADA.— Mima, por Dios, por qué te impones, quizás no es hoy...

CORALIA.— Vamos, vamos, chiquilla linda, no digas eso. Métele mano.

CORO.— Tu mano santa.

CORALIA.— Métele el diente que queremos regocijarnos con tus palabras.

CORO.— Tu diente sano, tu sana lengua. Vamos, tírale a Nicomedes las cartas. (*Luego que se hace un silencio reverente Iluminada muy lentamente esparce las cartas sobre el suelo.*)

ILUMINADA.— (*Leyendo las cartas, en trance.*) Estoy hablando de la estrella. De la estrella de Nicomedes que no es una estrella exactamente. Es un cometa que cruza el firmamento de uno al otro extremo y se detiene y se da vuelta y se detiene y se lanza y corre precipitado entre las nubes, ya tan de cerca, ya tan de lejos, ya que viene, ya que se aleja y que regresa. Ya está tan cerca, se nos acerca, allá ya viene... No, pero se aleja, se va muy lejos, es que no puede detenerse en su carrera. Es un cometa tan reluciente. Ya se abalanza. Ahora regresa, sí, viene de nuevo, ya está tan cerca, ya está tan... (*Se oye un ruido aterrador, Iluminada da gritos también aterradores.*) ¡AY, AY, AY! (*Se oye entonces un silencio más aterrador aún. Es un silencio cargado de un gran horror.*)

DIOSDADA.— (*Dándole Nicomedes a la misma mujer del Coro y tratando de calmar a Iluminada.*) Changó bendito. Qué pasó. Ay, dinos pronto, no nos tengas así en vela.

ILUMINADA.— (*Aún en trance.*) Algo ha sucedido. El cometa es ahora simple estrella. Una estrella brillante, apaciguada, que se aleja suavemente, ya va pasando entre las Osas, se detiene. Brilla más que antes y se aleja. Ya se aleja, ya el cometa que ahora es simple estrella se pierde de vista, ya es sólo un punto rutilante que se aleja, que se aleja.

CORALIA.— Un cometa que ahora es simple estrella. Bah, mujeres tontas abundan, pero las visionarias apestan.

DIOSDADA.— Cómo te atreves.

CORALIA.— Ay, perdóname, Diosdada, pero este jueguito de tu hija la vidente me ha trastornado toda.

DIOSDADA.— Iluminada, hija, tómate un poco de cerveza.

Coro.— Sí, para que se te refresque el güiro.

Diosdada.— (*A la mujer del Coro que tiene a Nicomedes.*) Cuida al niño que se ha dormido y es muy chiquito para esta juerga. (*La mujer del Coro se lleva a Nicomedes a una esquina apartada.*)

Coro.— Y nosotras ahora a la fiesta. Sigamos con esta fiesta que nos ofrecen Primo y Diosdada.

Iluminada.— (*Recogiendo las cartas muy lentamente.*) Un cometa. (*Se aparta.*)

Diosdada.— Niña, quiero decir de Estrella, nuestra hija nueva y compañera. Y que por cierto, ¿dónde está la estrella de esta casa? ¿Dónde se ha metido esa mujer, delirio de mi hijo Juan Alberto? ¿Por qué no está con nosotras celebrando el magno evento?

Coralia.— Todavía se está vistiendo. Esa putanga se acicala hasta los huesos.

Diosdada.— Pero ella no necesita ni una pizca de maquillaje. Su mejor atavío es un espejo.

Coralia.— Un espejo nunca le falta. Esa vive parada frente al espejo veintisiete horas al día y no le alcanza,

Diosdada.— Es que tú no la soportas, pero ya es hora, al cabo de una semana, que aprendas a quererla. Las mujeres de mis hijos son de esta casa las princesas.

Coralia.— Sí, pero la forma en que ella vino. Una mujer casada y con hijos. ¿Tú crees que es buena señal que una mujer abandone a su marido, a su hogar y se venga a este bayú sólo por el amor de Juan Alberto?

Diosdada.— Si miraras a Juan Alberto con detenimiento, te darías cuenta cómo se puede dejar un hogar y hasta un convento por un hombre como él.

Coralia.— Que si lo miro. Tienes razón, por Juan Alberto dejaría yo a mi madre y hasta a Dios mismo si me pusiera impedimento.

Coro.— Ay, Juan Alberto. Yayo y Juan Alberto. Tus dos hijos, Diosdada, son dos alhajas.

Coralia.— Yayo y Juan Alberto. Dos hombres como esos y no hace falta nada.

Coro.— Un día los vi a los dos cuando se bañaban. Ah, ah, ah. Cómo me hubiera tomado el agua que les rodaba por los cuerpos.

Coralia.— Toda esa agua hasta que me ahogara. Ah, cómo yo hubiera querido ser espuma, ser jabón, el estropajo o la toalla.

Coro.— Ah, cómo hubiera yo querido ser la pluma, la llave, el grifo, la regadera. La jícara, la batea.

Coralia.— Ah, cómo yo hubiera querido ser la tina grande donde esos dos se regodeaban, se daban gusto, se daban lustre, se perfumaban.

Coro.— Ah, ah, ah, cómo hubiera querido ser el agua.

DIOSDADA.— Mira que ustedes son atrevidísimas. Hoy sí que se están pasando de la raya. Mis dos hijos dos joyas son, pero qué me dices de mis dos hijas, ¿o es que ellas no son tan bellas y ameritadas?

CORALIA.— Bueno, tus hijas, tus hijas son y no digo nada.

DIOSDADA.— Mis hijas son un primor. Aquí tienes a Iluminada, mayores dotes no le puede haber dado Dios. Y mi hija Alba, ¿qué me dices de mi pequeña?

CORALIA.— Nunca la vemos. La vimos recién nacida y nada más.

DIOSDADA.— Y no la verán en un largo tiempo. Todavía es muy niña para traerla a este lugar. Mis dos hijos serán los chulos más grandes de La Habana, pero mis dos hijas no serán putas, estáte tranquila.

CORALIA.— No es tan mala esta profesión, mi vieja, Diosdada. Es una profesión como otra cualquiera.

DIOSDADA.— Sí, pero es demasiado el sufrimiento y muchas las penas.

CORALIA.— Tanto tú, como Carlota, como Estrella, como las otras, como yo misma, somos felices, un día más o un día menos.

CORO.— La vida alegre le llaman.

DIOSDADA.— Estrella es feliz, es claro.

CORALIA.— A pesar de que abandonó a sus hijas y a su marido.

DIOSDADA.— Sí, pero dejó tan gran fortuna por algo mejor, por Juan Alberto, y además otros secretos.

CORO.— Sí, ya lo sé. Secretos que espero que un día conoceremos.

DIOSDADA.— Para chismosas, búsquenlas a ustedes. El secreto de Estrella es de ella sola, ni yo misma lo sabré, yo misma que le he dado buena acogida como si fuera mi hija y también mi compañera.

CORO.— Su secreto tiene que estar ligado a su ex-marido.

CORALIA.— Sí, eso es. El secreto no es de Estrella, el secreto, si es un secreto, es el secreto de Menelao.

DIOSDADA.— Bueno, dejen ese asunto a un lado. No quiero volver a oírlo. ¿Comprendido? Es cosa muerta, digo, ese es un caso muerto y enterrado.

CORALIA.— Pero Menelao Garrigó es tu amigo.

DIOSDADA.— Es nuestro amigo y lo sigue siendo. Es un cliente y además, es un hombre sensible e inteligente.

CORALIA.— Hace días que no viene a vernos.

DIOSDADA.— Está esperando a que se le pase el agravio y las ofensas si las hubiese, pero no hay tal. El comprende la situación y me han dicho de buena tinta que nuestra amistad y nuestros negocios continuarán.

CORALIA.— Ay, Diosdada, Diosdada. Dada de Dios, siempre tan optimista y tan contenta.

DIOSDADA.— Optimista, no. Es que conozco al hombre. Al macho de la montaña. Menelao Garrigó, ese Menelao no es hombre que se va reñir con nosotras por una sola hembra.

CORO.— Sí, él es de muchas, de muchas hembras.

CORALIA.— Una más que menos a él no le importa. Aunque claro está, ésta era su esposa. Su esposa es todavía la famosa Estrella.

DIOSDADA.— Ni le hace, ni le cuenta. A él no le importa. El tiene muchas, muchas mujeres y además, él necesita de nuestro apoyo, nuestra presencia.

CORO.— Eso es muy cierto. Con nuestro apoyo, Menelao podrá un día sentarse en el gobierno.

CORALIA.— ¿Que podrá un día? ¿Estás en Babia? ¿O es que no te das cuenta? Quién lo iba a decir: Menelao es ahora nuestro gobierno, el gobierno entero.

CORO.— Cuántas cosas pasan en estas tierras, casi increíble. Menelao es ahora nuestro gobierno.

DIOSDADA.— Cierto, muy cierto. Menelao es ahora el gobierno y nosotras, como le prometimos cuando estaba peleando en las montañas, le cantaremos loas y lo apoyaremos.

CORO.— En lo que diga, en lo que haga. Para que su gobierno sea bien fuerte, para que su gobierno sea uno solo, para que su gobierno sea el más grande y sea eterno.

CORALIA.— ¡Viva Menelao Garrigó!

CORO.— ¡Viva!

DIOSDADA.— Sí, que viva el jefe. El jefe supremo y también que vivamos todas y que viva nuestro nieto y que viva Estrella que nos trajo la belleza a mares, una alegría que parece también eterna.

CORALIA.— Que Menelao perdone a Estrella, eso es lo que queremos.

CORO.— Y que se eche esposa de nuevo. Quizás una de nosotras, ¿qué te parece? No somos feas.

CORALIA.— Sí, nosotras no seremos como la Estrella, pero...

CORO.— Pero a nosotras nos sobran muchas cosas que le faltan a ella.

CORALIA.— Por ejemplo, nalgas.

CORO.— Por ejemplo, tetas.

DIOSDADA.— A ella no le faltan nalgas, no le faltan tetas. A ella nada le sobra, nada le falta.

CORALIA.— Sí, Estrella es perfecta.

DIOSDADA.— Las tetas de mi Estrella son un primor, una belleza. Pero quién viene, quién se acerca. Sí, la sala resplandece, por allí viene, por allí viene Estrella.

CORALIA.— La Estrella de esta casa, la Estrella de esta isla ya se acerca ¡y cómo viene!

CORO.— Que bien vestida viene para esta fiesta.

CORALIA.— Cuánto cachet. Cuánto donaire.

CORO.— Cómo se acerca. Es una reina, no una princesa. (*Entra Estrella. Es una mujer hermosísima, hermosamente vestida. Diosdada, Coralia y el Coro corren hacia ella y la empiezan a acariciar. Estrella se deja tocar placenteramente emitiendo suspiros de gozo y griticos de alegría.*)
CORALIA.— ¿Qué palabra pinta a Estrella?
CORO.— Bella.
CORALIA.— ¿A su deliciosa risa?
CORO.— Brisa.
CORALIA.— ¿A su rutilante pelo?
CORO.— Cielo.
CORALIA.— ¿A sus manos de diosa?
CORO.— Rosa.
CORALIA.— ¿A su blanca piel de rubia?
CORO.— Lluvia.
CORALIA.— ¿A su despacioso andar?
CORO.— Mar.
CORALIA.— ¿A su finísimo talle?
CORO.— Valle.
CORALIA.— ¿A ese su pecho empinado?
CORO.— Hado.
DIOSDADA.— Bella, brisa, cielo, rosa,
lluvia, mar y valle y hado,
mirada por cualquier lado
es Estrella digna de cosa
de saborear en el lecho
hora tras hora en exceso,
y terminar con un beso
de muerte en su hermoso pecho.
ILUMINADA.— (*Dando un salto que paraliza a las demás.*)
Bien habéis dicho de muerte
porque esta mujer que veis
es mejor que desechéis:
su estrella es de mala suerte:
rosa como para muerto,
brisa ¡ay! de cementerio.
Oh, escuchad mi criterio.
Por ser de Orula es muy cierto.
Bien mencionáis lluvia y mar
pues tendremos que partir
y los hemos de sufrir
pues nos ha de traicionar.
Y mencionasteis el valle:
será un valle de tormento

donde no exista alimento
y nuestro dolor estalle.
Ese es el hado en su pecho,
esa su estrella traidora
que trae amenazadora
atada a su bajo lecho.

ESTRELLA.— Espérate, qué dice ésta.

CORALIA.— (*Trayendo un frasco de agua de colonia y mientras la aplica sobre la frente de Iluminada.*) Ay, es una aguafiestas, no le hagas caso. Se la da de pitonisa y a veces es muy buena, pero otras veces mi hermana...

DIOSDADA.— Coralia, cállate ¿No ves cómo está la pobre Iluminada? Estrella, perdónala. Algunas veces ella no sabe lo que hace. Mi hija, ven con tu madre a tu cuarto a que descanses un rato. (*Le toma la mano.*) Vamos, ven. Medita un poco. Tal vez te has equivocado y además, me parta un rayo si entiendo tu predicción.

CORALIA.— Sí, Iluminada, preciosa. Acuérdate que tus profecías hay veces que han sido en vano. (*Iluminada se va acompañada de Diosdada.*)

CORO.— Una cosa es decir qué trae el futuro en mano y otras veces es poner el dedo sobre la llaga.

CORALIA.— Ahora tú también te pones con boberías, Queridas mías, ¿qué cosa es esto? ¿Acaso tu boca santa también de Orula es el eco?

CORO.— No sé qué dices, mi hermana. Lo que dije es bien sencillo.

CORALIA.— Repítelo, pues.

CORO.— (*Dudando.*) No puedo.

CORALIA.— Unas veces son profecías, pero otras veces es la mierda que nos llena la garganta y nos ponemos a darle y darle que darle a la lengua y no tenemos descanso. (*Estrella hace como que va a desmayarse para llamar la atención.*) Pero a Estrella ¿qué le pasa? Estrella, Estrella, ¿te sientes mal?

ESTRELLA.— (*Como recuperándose de golpe.*) No, no es nada. Nada.

CORALIA.— (*Pasándole a Estrella un poco de colonia sobre la frente.*) Pobrecita, si tiene la frente helada.

ESTRELLA.— Ay, no es nada. Nada. Pero basta, déjenme ver al niño.

CORALIA.— Dormido está. Está durmiendo la siesta.

ESTRELLA.— Ay, por favor, déjenme tener al niño en mis brazos en esta fiesta.

CORALIA.— Es que duerme — y si se despierta...

ESTRELLA.— Nada, le canto un canto, lo acaricio como yo sé y así se duerme de vuelta. Déjame tener al niño. Nicomedes — anda tráelo. (*La mujer del Coro encargada de Nicomedes se lo entrega.*) Qué lindo nombre. A mí me recuerda cuando era niña que yo me acostaba, perdón, me sentaba en el bosque con un niñito que se llamaba o que se llama Nicolás Urquiaga y yo le decía Mi Lindo Nico. (*Entra Diosdada.*) Ay, mi querida suegra, dime una cosa, ¿podré llamar a mi sobrino Mi Lindo Nico?

DIOSDADA.— Puedes llamarle como quieras. Mi Lindo Nico. ¡Qué parejera!

CORALIA.— Diosdada, ¿cómo se encuentra la Iluminada?

DIOSDADA.— Pobre hija mía. Está mejor. La dejé tranquila, un rato acostada. Tiene fiebre o qué sé yo. Me aguó la fiesta.

ESTRELLA.— Ay, mamá, no digas eso. Mira, ponte contenta. Aquí tienes a mi Lindo Nico. Qué niño que se parece a su papá y a su tío tan sabrosón, mi Juan Alberto. Ay, toma. (*Le devuelve Nicomedes a la mujer del Coro que lo atiende.*) Que me emociono, que me atropello. Tan lindo macho me pone llena de nervios. (*Se ríe.*) Bueno, me voy adentro, necesito estar descansada. Ustedes sigan la fiesta, yo les deseo que se diviertan.

DIOSDADA.— Adiós, hija mía. Luego te hablo, quiero contigo resolver aún ciertos problemas.

ESTRELLA.— (*Bostezando.*) Ay, sí, Diosdada. Luego me hablas. Yo estoy dispuesta. Soy tu sirvienta, tu hija adorada. Adiós a todas. Que se diviertan. (*Se va.*)

CORALIA.— (*A Diosdada.*) No irás a preguntarle cuál es el misterio, ni los secretos que nadie sabe.

DIOSDADA.— Por Dios, Coralia, cuándo me has visto tú en esos líos. No son problemas, yo sólo quiero ajustar con ella los horarios, las tarifas y a saber lo que ella piensa de nuestro trabajo y de nuestras penas.

CORALIA.— ¿Y es que ella piensa? Perdón, Diosdada, pero hace un rato quedamos que esta es la vida alegre. Cómo es que hablas de penas.

DIOSDADA.— No seas tonta. Es un decir. Además, siempre hay alguna, más una que menos, más menos que una.

CORALIA.— Ahora has hablado con tu hija Iluminada.

DIOSDADA.— Algo se me pega. Por cierto, qué caprichosa esa hija mía y qué molesta. Pero bebamos, celebremos esta fiesta.

CORALIA.— Ven cómo el niño no ha despertado y yo pensaba...

DIOSDADA.— Ahora te toca a ti despertarlo con tanto que hablas. Voy a llevarlo al cuarto y ahorita vengo a preparar ese ponche que tú y yo sabemos. (*Diosdada se va llevándose a Nicomedes.*)

CORALIA.— Diosdada, regresa pronto. Esa vieja está enculillada.

CORO.— No le cabe un alpiste en el agujero.

CORALIA.— Desde que llegó Estrella, desde que Carlota le parió un hijo a su hijo Yayo.

CORO.— ¿Y Menelao? ¿Y Juan Alberto?

CORALIA.— ¿Por qué hablas de ellos?

CORO.— No sé. Presentimientos. No estoy segura si el asunto ya está aclarado.

CORALIA.— Las paces hicieron.

CORO.— Sí, pero el secreto... El secreto del que tanto hablan. Nadie lo sabe. ¿Y tú crees que a pesar de todo Menelao querrá seguir viniendo, seguir siendo nuestro amigo y ahora nuestro compañero?

CORALIA.— Ay, ese cabrón, con tal de no soltar el plato, lo olvida todo. No por algo tan personal, por tan simple suceso, va a dejar él de contar con nosotras. Él casi que nos necesita más a nosotras que nosotras a él.

CORO.— Menelao Garrigó es un hombre traicionero.

CORALIA.— Silencio. ¿Cómo te atreves? Niña, que las paredes pueden oírnos. ¿Ya no te acuerdas? Menelao, el más cojonudo, tiene a los dioses cogidos por las melenas. El que más manda.

CORO.— El más pingúo.

CORALIA.— El más sapiente.

CORO.— El más tarrúo.

CORALIA.— ¡Shhhh! Silencio. (*En un grito.*) El más valiente. El más pingúo.

CORO.— El más valiente. Gracias, mi Menelao, gracias. Esta es tu casa.

CORALIA.— (*En un grito.*) Esta es tu casa, gracias, Menelao, gracias. Esta es tu casa y nosotras, tus muy felices y bellas esclavas.

CORO.— Menelao, gracias. Menelao, gracias. Gracias, mi Menelao. Esta es tu casa. (*Se postran en el suelo de frente al público. Por detrás ha entrado Yemayá que se coloca en el centro del escenario como en un trono, mira a las hetairas con desprecio y se cubre la cara con un velo inmenso. Las luces disminuyen y salen de escena LAS HETAIRAS HABANERAS.*)

SEGUNDO ACTO

(*Yemayá, que ha quedado sola sobre el trono en el centro del escenario, llora desconsoladamente. Comienza a oírse una música deliciosa de acentos africanos bien definidos. Yemayá se va quitando velos sobre velos. Cuando se ha quitado ya algunos, baja del trono y se pasea por el escenario mirando a todas partes. Al rato la música se convierte en una marcha militar. Al oír la música militar, Yemayá se molesta y corre por el escenario tratando de averiguar de dónde proviene tal música, ahora brotando de todas partes. La marcha militar se oye a todo volumen. Yemayá vuelve al trono y se vuelve a cubrir el rostro con un velo. Por el escenario desfilan Diosdada, Coralia, Carlota, Estrella y el Coro, vestidas de militares. Después que ejecutan ciertos pasos militares, se marchan. Yemayá se descubre el rostro, va al extremo del escenario por donde se han marchado las hetairas y hace gestos de despojo, Vuelve al trono y se quita algunos velos más. Al momento entra San Roque, un viejo con bastón y en harapos.*)

SAN ROQUE.— En esta ciudad luego nadie se ocupó de religión, de la verdadera y ahora pagarán con ganas. Si que les llegó la peste de las montañas y aquí tienen estas hetairas que sufren el peor castigo. El castigo doble de ser humilladas y al mismo tiempo traicionadas. Sí, porque ellas se entregaron a colaborar con el rebelde y se olvidaron de sus deberes para con los santos y para consigo mismas y aquí las tienen ahora que se las llevan al campo para que se rehabiliten o que perezcan y entre ellas está Diosdada, la matrona que más sufre porque le han matado a su marido Primo, a sus dos hijos varones y a su hija menor llamada Alba. A su hija mayor, la visionaria, esa que le llaman la Iluminada, pues a esa se la llevan muy lejos, ella que es virgen y que no estuvo envuelta ni con políticos ni con rebeldes, ni que es hetaira. Ella, la víctima inocente de esta resaca.

YEMAYÁ.— San Roque, ¿me permites una palabra?

SAN ROQUE.— ¿Quién eres tú así ataviada?

YEMAYÁ.— Soy Yemayá, la del mar y del cielo claros.
SAN ROQUE.— Oh, maldita seas. Así que es cierto que los orishas...
YEMAYÁ.— Tan cierto como tú...
SAN ROQUE.—No me hables, mala ralea. Embaucadora. ¿Desde cuándo un verdadero santo hace conversación con deidad falsa?
YEMAYÁ.— Ajá, déjate de boberías y escúchame.
SAN ROQUE.— No, no quiero, no.
YEMAYÁ.— Sí, sí quieres, sí.
SAN ROQUE.— No, no quiero, no.
YEMAYÁ.— Sí, sí, quieres, sí.
SAN ROQUE.— Yo, como que no soy de etiqueta...
YEMAYÁ.— No, no quiero, no.
SAN ROQUE.— Sí, sí quieres, sí.
YEMAYÁ.— Sí, sí quieres, sí.
SAN ROQUE.— Yo, como que no soy de etiqueta...
YEMAYÁ.— No, como no soy de etiqueta. No. Déjame que te diga. Déjame que te cuente. Atiéndeme por un instante. Tanto tú como yo tenemos las mismas quejas.
SAN ROQUE.— Pero es que tú, una deidad africana...
YEMAYÁ.— Aguántate ya la bemba. Atiéndeme. Yo como tú pienso que esta gente abandonó la iglesia y el culto de los santos. Para estas mujeres en particular yo quiero un castigo inmenso.
SAN ROQUE.— Ya se las llevan a un campo de concentración por un largo tiempo.
YEMAYÁ.— Eso ya lo sé y sé también que a Diosdada le han matado tres hijos y el marido, pero yo quiero algo peor. Yo quiero un castigo mayor aún y para eso pido tu ayuda.
SAN ROQUE.— ¿Yo cooperar contigo?
YEMAYÁ.— ¿Y por qué no?
SAN ROQUE.— ¿Estaré borracho o perdí el sentido?
YEMAYÁ.— Ay, que viejo tan cascarrabias. Ven acá, ponme atención. ¿No te das cuenta?
SAN ROQUE.— Pero es que yo... Bueno, tú sabes. ¿Qué dirá la gente? Si siempre han dicho que los orishas...
YEMAYÁ.— Ay, por Dios, San Roque, ¿qué estás hablando? No es el momento de titubeos. Vamos al grano.
SAN ROQUE.— Has dicho Dios, ¿a cuál te refieres? Esto es confuso. Hay uno solo, quizás me enredo, pero ese Dios que has mencionado tan simplemente, ¿es el Dios único, el que más sabe?
YEMAYÁ.— Ay, San Roque, San Roque. El gran teólogo. ¿Qué es esto ahora? Como divagas. Tú crees que es el momento de ponerse a hablar de tu Dios o el mío o si existen cientos o si uno solo o si son tres o si viene el viento o si de las montañas o si el mesías y las cucarachas o si el humo de los tabacos y las fuentes

que están sin agua, mira, viejo San Roque, el tiempo es corto y vas a ayudarme.

SAN ROQUE.— Tienes razón, muy bien mirado y mirado a secas yo me doy cuenta que tú eres de un mismo palo.

YEMAYÁ.— (*Interrumpiéndolo abruptamente.*) Ya, ya basta. Vamos al punto.

SAN ROQUE.— Muy bien pensado. Al punto voy. Cuenta conmigo.

YEMAYÁ.— Entre los dos les haremos a estas mujeres males muy grandes.

SAN ROQUE.— Pero, ¿males más grandes del que ya tienen?

YEMAYÁ.— Sí, ya sé por donde vienes. Todo lo sé, que Menelao las ha castigado cuando todas creían que él las necesitaba.

SAN ROQUE.— Menelao no olvida. ¿Tú crees que Menelao puede olvidarse?

YEMAYÁ.— (*Interrumpiéndolo abruptamente.*) Ay, no lo digas. No digas nada. El secreto de Menelao no voy a ser yo, ni vas a ser tú quienes lo digan a los cuatro vientos. Es cuestión de Oshún y yo con esa negra, con esa fiera, no quiero cuentos.

SAN ROQUE.— ¿Oshún? ¿Qué es eso? Ay, perdóname, mi vieja. Sí, ya lo sé. Virgen del Cobre.

YEMAYÁ.— Mulata Oshún, virgen apenas.

SAN ROQUE.— Diosa de la libido y de la juerga.

YEMAYÁ.— Diosa preciada. Oshún bendita, también humillada por estas mujeres que por congraciarse con el que manda se han olvidado de los santos y de los paleros.

SAN ROQUE.— Mujeres tontas. Ya pagan cuentas.

YEMAYÁ.— Pero eso no es nada. Para Diosdada, para todas ellas, quiero un peor castigo. Quiero que al nieto, a Nicomedes, lo dejen cojo, lo dejen tuerto, lo dejen ciego.

SAN ROQUE.— Pobre infeliz, si apenas tiene nueve o diez años.

YEMAYÁ.— El no es culpable. Bien yo lo sé, pero el más grande castigo que podemos darles a estas mujeres es dejarles a Nicomedes sin una pata o sin un brazo o sin un ojo o sin un llanto.

SAN ROQUE.— El pobre niño, llora que llora y no sabe lo que le espera. ¿O lo presiente?

YEMAYÁ.— El niño sabe, el niño siente. Oshún, Changó, yo misma, así lo hemos decidido. El niño será la víctima.

SAN ROQUE.— Ay, santos de sangre.

YEMAYÁ.— Ay, santo de mierda. Qué pesado eres. Tú me ayudarás te digo, Tan filosófico. De Nicomedes no quedarán testigos. Es el único modo de que estas mujeres tengan un gran castigo. San Roque, golpea duro. El niño es también... inocentemente... nuestro enemigo.

SAN ROQUE.— Sí, para que aprendan.

YEMAYÁ.— Ay, santo de sangre.
SAN ROQUE.— Ajá, santa de mierda. Les daremos duro, para que aprendan.
YEMAYÁ.— Para que sepan que se pusieron a cantarle versos al más sanguinario.
SAN ROQUE.— Al más tirano de los tiranos, que ahora tranquilamente les da la espalda, las abandona y las condena después que se hizo pasar por amigo de ellas.
YEMAYÁ.— Ese no es amigo de su propia perra. Vamos, San Roque, acompáñame. Diosdada pagará en su nieto todas sus faltas.
SAN ROQUE.— Y a Estrella, ¿qué vas a hacerle?
YEMAYÁ.— De esa también nos ocuparemos, pero es astuta la muy... frutera. Viejo, amigo mío, acompáñame.
SAN ROQUE.— Un poco más de respeto, deidad africana.
YEMAYÁ.— Ay, perdona, viejo. Olvida eso.
SAN ROQUE.— Pero y Estrella, ¿qué harás con ella?
YEMAYÁ.— Es muy difícil, no me confundas. Vámonos ya.
SAN ROQUE.— A ésa, a esa perra vamos a darle su merecido.
YEMAYÁ.— Es cuestión de Oshún personalmente. Ay, ya te lo dije, esa es astuta. Es muy difícil. Más adelante y ya veremos. Oshún ya se ocupará de ella a su debido tiempo.
SAN ROQUE.— Muy bien, muy bien, pero no se olviden.
YEMAYÁ.— No olvidamos nada. Nada yo olvido. Ahora, vámonos ya. Vámonos pronto y desde allá arriba vamos a darles duro a estas hetairas. (*Yemayá y San Roque se van del escenario. Diosdada, Coralia y el Coro entran vestidas en harapos. Diosdada cae al suelo delante del trono que ahora vacío sólo está cubierto con los velos. Cae postrado el resto de LAS HETAIRAS HABANERAS.*)

TERCER ACTO

DIOSDADA.— Qué se han hecho de mi casa y de mis joyas. Cuántas lágrimas de sangre. Y el bienestar que disfrutaba rodeada de las niñas. Yo que era la matrona, la que manejaba los negocios y los negocios eran buenos. Que mi casa era la más alegre de La Habana. Mi casa llamada de La Gloria. Era una casa para todos. Para el turista francés y para el sudamericano mi casa era el lugar al llegar y al despedirse. Cuánta alegría y francachuela. Mis niñas que sabían los secretos y las alegrías de Francia y de Norteamérica. Madre Yemayá, que mal te hice. ¿Qué promesa dejé yo de cumplirte? Que si el siete de septiembre cerraba yo la casa y me pasaba con mis niñas —algunas de ellas— tres y cuatro días allá en Regla —bailando el tambor y metiéndome en el agua, que no faltaban las yerbas ni el perfume, ni las salutaciones, ni los cantos. Pero Yemayá nos tiene abandonadas. Cuánto traje azul y blanco que bordé para mis niñas y los collares que ensarté para Primo mi marido. Primo que era el rey. Qué Yarini ni Rayuela ni ocho cuartos. Como Primo no había otro. La camisa de hilo, el pañuelo de seda de filipina, el cadenón de plata y oro y su collar. Ay, y los zapatos de brillo y el pantalón y el calzoncillo a todo trapo. Pero Primo ha muerto a mano de esos perros y ni siquiera se le pudo velar como es debido. Y mis hijas verdaderas, las que yo crié como niñas ricas y educadas lejos del bayú pa' que nadie las apuntara con el dedo. Mi hija Alba, la más pequeña, muerta por culpa del propio Primo, mi marido, que creyó que entregándole la niña a ese perro habría de salvar el bayú y la ciudad. Primo, que se quiso congraciar con el rebelde, con el macho comandante, con el tal Menelao de todas las estepas y sudarios, Primo se la regaló a ese perro que lo único que hizo fue abusar de ella y entregársela a los otros. Múltiples ultrajes que le hicieron y la dejaron medio muerta allá en el Callejón de los Suspiros y allí murió sin asistencia, sin que una vela le alumbrara su viaje con Ollá, ni un gladiolo que le perfumara los caminos. Y mis dos hijos, Yayo y Juan Alberto, asesinados y que no quiero hablar de ellos porque se me rompe el corazón hecho a pedazos. A mi otra hija, Iluminada, la que ve, la que recibe los efluvios del viejo y grande Orula, la que sabe lo que va a pasar en esta tierra nuestra maldita y liquidada. Qué será de ella, porque se la llevan presa sin motivos, sin una explicación. Y qué será de mi nieto Nicomedes sin su madre y sin su abuela. Ay, de mi nieto Nicomedes, ay, de mi destino y mis cadenas. Ay, de mis hijos ya muertos y mis hijas, una muerta y la otra enloquecida. Ay, de mi nieto, tan pequeño, el hijo de Yayo y de Carlota, ay, de mi nieto Nicomedes. Ay, de mí y de mi casa. Quién me va a quitar esta salación que me ha caído. Coño, sobre esta tierra mis lágrimas de sangre no darán más frutos. Estoy perdida, coño. (*En un grito que alarga hasta el infinito.*) Ay, de Nicomedes, ay, ay de mí, ay, ay, ay, ay, ay, ay, ay.

CORALIA.— Diosdada, levántate. ¿Por qué tanta alaraca? ¿No tienes ya bastante con la falta de pan y frijoles?

DIOSDADA.— Eso es casi nada, verán lo que nos falta.

CORO.— Lo que falta lo sabemos.

DIOSDADA.— Poco sabemos, mis hijas. A partir de este momento...

CORO.— Diosdada, ¿es que has perdido la esperanza? Dinos, ¿qué será de nosotras en el campo?

DIOSDADA.— Trabajo del más duro, del que no tiene que ver con nuestro oficio y nuestra gracia.

CORO.— Nos romperán el cuero y no dejarán de nosotras ni los huesos.

CORALIA.— Pero tú sabes algo más. Lo inminente, lo que va a pasar en pocas horas.

CORO.— No, quizás ella no sabe, pero su hija Iluminada...

CORALIA.— La visionaria, Iluminada.

CORO.— Su hija, sí, la que sabe cuántos males se abalanzan contra mi cabeza.

CORALIA.— ¡Y tú le haces caso!

CORO.— Claro que le hago. Iluminada sabe, está despierta y clara.

DIOSDADA.— Dices bien, mi hija, la virgen favorita de Orula, nacida de un caracol y una patraña, esa sí que podrá decirnos cuanto sabe y ella sabe del futuro tanto igual que del pasado.

CORALIA.— ¿Y dónde está ahora tu hija Iluminada? Ahora más que nunca la necesitamos.

DIOSDADA.— Y ahora tú si crees, ahora que te ves en harapos y estropeada. Mi hija está allá adentro. Alejo la ha llevado para someterla a preguntas y respuestas preparadas. Ay de mí, ay de estas penas que no acaban.

CORALIA.— Ay este tormento de vivir con las dudas sumándose al pesar.

DIOSDADA.— Ay, ay de mí. Si lo malo ha de llegar que llegue pronto, que ya son demasiados, que pa' luego es tarde y nosotras que no queríamos el caldo nos van a dar tres tazas.

CORO.— Diosdada, mira allá. Es tu hija que viene corriendo, despatada.

CORALIA.— ¿Quién la sigue? ¿Quién se abalanza sobre ella sin respeto?

CORO.— Es Alejo, el esbirro del acento francés y del rosario en el sobaco. El secretario de Menelao. Diosdada, tu hija ya se acerca. Huyamos. Yo no quiero saber, yo no quiero saber el futuro ni el pasado y no quiero además, ver a la Virgen de Orula fusilada.

DIOSDADA.— (*En un grito.*) ¡Iluminada! (*Diosdada, Coralia y el Coro se apartan despavoridas. Entra Iluminada en una carrera, con velas encendidas en las manos; la sigue Alejo con odio. Toda esta carrera es al ritmo frenético de tambores africanos. Iluminada grita enloquecida. Corre por el escenario como en una danza salvaje, una danza de gestos grandes y hacia arriba. En medio de la danza tira al suelo un puñado de caracoles y la música cesa repentinamente. Iluminada, ahora con mucha calma y parsimonia, se agacha y contempla los caracoles. Todos, incluyendo Iluminada, quedan como paralizados por unos instantes. Se escucha un silencio profundo y reverente. Iluminada se levanta, va hacia Diosdada y se arrodilla delante de ella.*)

ILUMINADA.— Mima, perdóname por lo que pude hacer y no hice. Perdóname por lo que hice que no debí hacer. Perdóname por lo que no hice cuando era el momento para hacer. Perdóname, Mima, por lo que hice cuando el hacer no era necesario.

DIOSDADA.— Hija mía, levántate, no pongas a tu madre en una situación embarazosa por no comprenderte, pero por supuesto dispuesta a perdonarte por pecados que tú no has cometido.

ILUMINADA.— (*Aún de rodillas.*) Mima, perdóname, por hacer y no hacer nada.

CORALIA.— Iluminada, levántate. ¿Te burlas de tu madre o te haces la graciosa con trabalenguas y chanzas?

CORO.— Iluminada, no ofendas a tu madre con ese juego de palabras y atiéndela.

CORALIA.— Respeta a tus mayores. Levántate y hazle a tu madre el favor de decirle lo que pasa.

DIOSDADA.— Hija, Iluminada, sí, levántate y pon tu cabeza para que puedas decirme lo que están gritando esos caracoles y estas piedras.

ILUMINADA.— (*Aún de rodillas.*) Mima, el hacer y deshacer sólo conducen a la miseria. Madre, perdóname.

CORALIA.— Muchacha malcriada.

CORO.— Levántate del suelo. Ten respeto.

ILUMINADA.— (*Aún de rodillas.*) Mima, yo quiero expresarte mi desgracia.

CORALIA.— Carajo de vejiga, levántate, coño y préstale a tu madre un último servicio.

DIOSDADA.— Tú te callas. A la Virgen de Orula hay que tratarla con caricias. Hija, levántate. Toma mis manos y agárrate. Ve a los caracoles para ver lo que nos trae el destino entre las manos y las piernas.

ALEJO.— (*Empujando a Iluminada hasta ponerla de pie mientras Iluminada lo rechaza peleando como una fiera.*) Que muchachita desgraciada.

ILUMINADA.— (*Empieza a danzar. Se oyen los tambores africanos. Su danza llega al frenesí. Es un arrebato, como si estuviera apoderada por un santo o espíritu del más allá, Iluminada se tira al suelo con violencia junto a los caracoles. De repente cesan de oírse los tambores y se escucha de nuevo un silencio profundo y reverente.*) Al pasar junto a la ceiba y enterrado. Orula vive. Orula en mano de Olofí. Orula, ese negro colorado y enterrado —medio enterrado en la guardarraya al pie de la ceiba y debajo de cien palmas. Orula no más en manos de Olofí. Orula vive. (*Señalando a Diosdada, a Coralia, y al Coro.*) Ustedes se pusieron a aplaudir al macho cuando bajó de la montaña y el macho feliz por el canto y las ofrendas. Ustedes se entregaron a certámenes para ver quién cantaba más alto del macho los honores y el macho sonreía bajo la lluvia de palomas y movimientos de cabezas. Cuando el macho comandante en jefe les preguntó, ¿voy bien, mi amiga? Todas ustedes, putas de a peseta y putas en harapos, se inclinaron gritando vas más que bien y aprieta duro que queremos no ser libres sino esclavas.(*Haciendo como payaso, se pone de pie y se dirige a Coralia y al Coro. Estas, entusiasmadas, le contestan prestándose al juego que le hace Iluminada.*) ¿Voy bien, mi amiga?

CORO.— Vas bien, muy bien.

ILUMINADA.— ¿Hasta la victoria siempre?

CORO.— Hasta la victoria, siempre y aún más.

ILUMINADA.— Esto y aquello, ¿para qué?

CORO.— Sí, para qué esto, aquello y lo demás.

ILUMINADA.— ¿Vamos por el buen camino?

CORO.— Sí que vas, sí que vas.

ILUMINADA.— Dentro de la cosa todo, fuera de la cosa nada.

CORO.— Dentro de la cosa todo.

CORALIA.— Fuera de la cosa nada.

ILUMINADA.— Nada de nada y luego nada.

CORO.— Nada, nada, nada.
ILUMINADA.— Nada, ¿para qué?
CORO.— Para qué nada.
ILUMINADA.— Nada, ¿para qué?
CORO.— Nada para nada.
ILUMINADA.— ¿Y luego de la nada?
CORALIA.— Luego de la nada, de la nalga y de la nada, pues...
CORO.— (*En un grito histérico.*) ¡Nada y nada!
ILUMINADA.— Nada, Nada de nada o... algo. (*Cambia de actitud; cesa el juego. A Diosdada.*) Madre, no has conseguido nada. ¿O has conseguido algo? Sí, has conseguido algo; te mataron al marido, a mi padre Primo.
DIOSDADA.— Ya lo sé.
ILUMINADA.— Te mataron a tu hijo Juan Alberto, el que le robó la mujer al comandante en jefe Menelao.
DIOSDADA.— Ya lo sé.
ILUMINADA.— A todas ustedes, prostitutas del burdel barato y del burdel más caro, a todas ustedes se las llevan al campo.
DIOSDADA.— A pasar trabajos. (*En un grito aterrador.*) Ya lo sé. Ya todo eso yo lo sé.
ILUMINADA.— No sabes nada. (*Silencio.*) No sabes, por ejemplo, que Estrella, la mujer que tu hijo, mi hermano Juan Alberto, le quitó al comandante en jefe Menelao, te ha estado haciendo la guerra y no sabes nada. Que a tu nieto, a mi sobrino Nicomedes, al hijo de mi hermano Yayo y su mujer Carlota, lo van a dejar como sierpe sin ponzoña. Que tu nieto, Nicomedes, el hijo de Yayo y de Carlota, mi sobrino, se va a quedar semilla hueca para el árbol del mamey y el aguacate. (*Silencio.*) Madre, tú no sabes nada.
DIOSDADA.— Sí, hija mía, eso ya lo sé que no sé nada y como tus palabras aún son más oscuras cada vez, más oscuras que la noche en la manigua, aún menos sé después que pareces dar la luz, Iluminada.
ILUMINADA.— Que se queda sin voz, que se queda sin tronco. Que se queda en silencio, que se queda manco, que se queda trunco, que se queda hueco, que se queda en silencio. Sin el árbol grande sin la semilla, ya todo en silencio, verdad y mentira, que se queda exánime, que se queda flojo, se lo lleva el viento. (*Señalando a Diosdada, a Coralia, al Coro.*) Tú padeces, tú padeces, tú padeces. Yo padezco. Ahora soy yo, es mi sobrino, es su abuela, pero luego ellos... pero luego ellos... pero luego él... (*En un grito.*) Un día el cáncer acabará con él.
ALEJO.— (*Tirando a Iluminada del pelo.*) Puerca, ¿de quién hablas? ¿A quién le auguras cáncer?
ILUMINADA.— (*Muy suavemente.*) Tú lo sabes.

ALEJO.— ¡Tú lo sabes! Yo lo único que sé es que ni el paredón será suficiente para ti. Puerca hija de puta que te atreves a mencionar un cáncer y ¿para quién?

ILUMINADA.— Tú lo sabes: para ese, para ese cuyo nombre tienes en la punta de la lengua.

ALEJO.— (*Empujándola, arrastrándola.*) Puerca, puerca, puerca.

CORALIA.— ¿A la hija de Orula te atreves a ofender, Alejo, compañero?

ALEJO.— (*Tratando de llevarse a Iluminada.*) A la hija de Orula y a la hija de Sansón Melenas. Y ustedes todas prepárense y le dicen a Carlota que muy pronto vengo por su hijo Nicomedes. (*Alejo se lleva a Iluminada a rastras mientras ella recita lo siguiente en crescendo.*)

ILUMINADA.— Que el cáncer primero atacará su lengua. Que el cáncer primero atacará su lengua.

CORALIA.— Es que...

CORO.— Es que...

CORALIA.— Es que el tiempo no ha llegado.

CORO.— El momento oportuno.

CORALIA.— El momento propicio y apropiado.

DIOSDADA.— Es que... Es que... Es que... Es que tanto tú como yo somos también unas pendejos. (*Se golpea la cabeza contra el suelo.*) Mi marido, mis hijos y mi nieto. Al carajo se han ido todos o se irán, que no sé lo que harán con mi nieto, el hijo único de Yayo, el que va a perpetuar el apellido de su abuelo.

CORALIA.— Quizás él llegue a comprender. Quizás harán de él el hombre nuevo.

CORO.— Diosdada, el futuro quizás está en las manos de tu nieto.

DIOSDADA.— Infelices, ¿es que no recuerdan que Iluminada habló de semilla hueca y sierpe sin ponzoña?

CORALIA.— Bah, con tu hija Iluminada y sus dicharachos que no sirven para nada. Pero mira allá quién viene.

CORO.— Tu nieto, tu nieto Nicomedes.

CORALIA.— Que trae su madre Carlota de la mano.

CORO.— Carlota, la otrora hetaira más bella
del prostíbulo La Gloria, es ahora
la sombra de un espíritu en que mora
la terrible verdad que el alma mella.
Es cierto que el espíritu deplora
la suerte que a la casa trajo Estrella,
deplora más aún —su boca sella—
lo que el alma reniega mas no ignora.
Gloriosa hetaira fue y fue señora
pues tiene la virtud que a estas adorna:

a su hijo Nicomedes más que adora.
Como su aliento es el aliento della,
miente a su mente, a su entender soborna,
rechaza la verdad que ya destella.

DIOSDADA.— Aquí la tienen. Carlotica, hija mía.

CARLOTA.— (*Entra Carlota con Nicomedes, ahora un niño de 9 o 10 años, de la mano.*) Diosdada, ¿a qué hemos llegado?

DIOSDADA.— ¡A lo que hemos llegado!

CARLOTA.— De hetairas, de putas de lujo hemos pasado al encarcelamiento público en un parque cercado de alambre púa con los ojos ávidos de un pueblo envidioso que pide paredón. Cuando les llegue la hora, como nos ha llegado a nosotras, no sé si tendrán tiempo de arrepentirse. ¿Tú crees que podrán salvarse, Diosdada?

DIOSDADA.— Qué buen corazón tienes, Carlotica. Con todos tus problemas y pensando en los demás,

CARLOTA.— No es por buena que lo hago, es por gozarme en un futuro que quizás no vea.

DIOSDADA.— No digas eso. Siempre fuiste muy buena. A todo el que venía a nuestras puertas buscando amparo, le brindabas tu ayuda y tu consuelo. A cuántos dejaste de atender por no destruir un hogar ya establecido. A cuántos les cobrabas sólo la mitad porque carecían de recursos y eso porque Yayo como buen chulo te exigía su parte y no podías ir a él con las manos vacías. Cuántos de los que ahora se mofan de ti, se volvían agradecidos a contemplarte cuando les brindabas una sonrisa. Cuando lucías por la calle esa cintura, ese talle, ese cuerpo maravilloso, las miradas ávidas eran entonces de lujuria.

CARLOTA.— Y hoy son de asco y odio. No me recuerdes esos tiempos que hace mucho que pasaron. Y no es de ahora que me dan la espalda. Desque que llegó la pelandruja esa... poco a poco todos me fueron abandonando, todos le hicieron la corte a ella y nada más que a ella. Hasta ustedes mismas.

DIOSDADA.— ¿Yo?

CARLOTA.— Sí, usted misma. Como la había traído su niño lindo, el Juan Alberto de su alma, el rubio de la familia, el nuevo chulo...

DIOSDADA.— No digas eso, hija.

CARLOTA.— ¿Y qué quiere que diga si es la verdad?

DIOSDADA.— Eso fue sólo al principio. Escobita nueva barre bien, tú sabes. Después, después sabes muy bien que yo misma quise sacarla de la casa y llevarla de vuelta a su marido. Hasta lo fui a ver y le inventé una partí'a de patrañas: que si lo que Estrella decía era sólo por despecho porque él no protestó mucho cuando ella se fue con Juan Alberto. Que si ella estaba loca y quería volver a su hogar y a su marido. Y todo parecía que iba a suceder, pero ella, la muy desgraciada, a la hora de cuajo, se echó pa'tras. Que no, que no era cierto, que ella no quería volver con su marido, que quería disfrutar...

CARLOTA.— Y ustedes le siguieron el jueguito y ahora se han hundido. Ella y nosotras nos hundimos. Pero es que no es justo con nosotras. Nosotras siempre fuimos tan comedidas para nunca levantar las iras de Menelao. ¿Y de qué nos valió? De nada. De nada nos valió. Razón tenía Iluminada, sus caracoles se lo decían: esa no es buena, esa no es de buena calaña. Iluminada le cogió odio antes que yo. Claro que nunca Iluminada se quiso hacer amiga mía porque yo era harina del mismo costal; yo tampoco era buena, Las dos éramos astillas de un mismo palo y calaña de las calañeras.

DIOSDADA.— Tú sabes que Iluminada, criada lejos de nosotras, siempre ha sido una virgen inmaculada.

CORALIA.— Y ahora según he oído, también se la llevan presa.

DIOSDADA.— También se la llevan. Yo traté de esconderla, pero no pude. Mi pobre hija, la Iluminada. Quise hablar con Menelao, pedir por ella, pero el muy desgracia'o no me recibió. Y no me recibe.

CARLOTA.— ¿Todavía quiere hablar con él?

DIOSDADA.— Sí, son muchos los asuntos — si él me escuchara.

CARLOTA.— ¿Muchos asuntos? Tiene que hablarle de Iluminada y de nosotras, pero ¿qué más? ¿Es que tiene algo entre manos que yo no sé?

DIOSDADA.— Bueno, es que...

CARLOTA.— Dígamelo pronto que me hago trizas.

DIOSDADA.— Mira, Carlota...

CARLOTA.— Continúe, hable, ¿Por qué se calla?

DIOSDADA.— ¡Hija!

CARLOTA.— Hable que yo la escucho.

DIOSDADA.— (*Al Coro.*) ¿Debo decirle?

CORO.— ¿A qué callar si ya pronto viene ese Alejo y viene por él?

CARLOTA.— ¿Por él? ¿Por quién?

DIOSDADA.— Será cruel.

CORO.— Muy pronto ella sabrá.

CARLOTA.— Sabré —¿de qué? Sabré —¿qué cosa?

CORO.— Será más duro que se entere por bocas extrañas.

DIOSDADA.— Pero es que a mí... a mí también... se me desgarra el corazón. Nuestra esperanza. Oh, cómo decirle que sus minutos es muy posible que estén contados.

CORO.— Pa' luego es tarde. Ahí viene Alejo. El se lo dirá.

DIOSDADA.— Carlotica, hija mía, ven a mis brazos.

CARLOTA.— Pero, ¿qué pasa?
DIOSDADA.— Mira, es Alejo el que se acerca.
CORO.— (*Haciendo gestos y despojos.*) Aléjate San Alejo.
DIOSDADA.— (*Haciendo gestos de despojos.*) Echate para 'llá.
CARLOTA.— El secretario de Menelao, su esbirro, ¿por cuál de nosotras vendrá ahora?
DIOSDADA.— Hija mía, tienes que ser valiente.
CARLOTA.— ¿Es que siguen los interrogatorios? ¿Es que como se rumora han decidido librarnos del trabajo forzado y obligarnos a ser esclavas-amantes de esos desgraciados? ¿No es preferible la muerte?
CORALIA.— Sí, la muerte es preferible y mucho más la desearás cuando sepas lo que sospechamos.
CARLOTA.— (*Arrodillándose delante de Alejo que entra.*) ¿Qué quieres ahora? Tú que alguna vez viste mis galas, mírame ahora.
ALEJO.— ¿Dónde está tu hijo?
CARLOTA.— ¿Quieres mofarte? ¿Es que acaso quieres frente a mi hijo...?
ALEJO.— Cállate ya. A ti no quiero, lo quiero a él.
CORO.— Él quiere a Nicomedes.
CARLOTA.— ¿A Nicomedes? Nicomedes está conmigo y conmigo irá para el campo. ¿Quieres quitármelo? No se le puede a una madre arrebatar el hijo de tan tierna edad. Nosotras los parimos y de nosotras son. A una madre no pueden robarle el hijo. ¿Es eso lo que quieren? ¿Es que quieren criarlo bajo ese manto infernal que a ustedes los protege? Jamás.
ALEJO.— Recuerda que nada puedes contra nosotros. Somos la fuerza.
CARLOTA.— Y yo el amor.
ALEJO.— El amor nada puede contra la fuerza.
CARLOTA.— Pues a la fuerza me tendrán que quitar. Primero lo mato.
CORO.— ¡Oh, Carlota!
DIOSDADA.— ¡Carlotica!
ALEJO.— (*Entre dientes, para que Carlota no lo oiga.*) Le ahorraremos el trabajo.
CARLOTA.— ¿Cómo? ¿Qué dice? (*Enloquecida.*) ¿Por qué se calla ahora? Amigas, ¿qué dice este hombre? ¿Por qué no me aclaran lo que dijo entre dientes, lo que ha dicho siempre, lo que dice ahora y lo que no se atreve a decirme a mí de frente?
CORO.— Ellos — ellos le quitarán la vida.
CARLOTA.— (*En un grito.*) No. No, No. (*Pausa.*) Pero no es posible — a mi niño lindo, a mi Nicomedes.
CORO.— Ellos no respetan, ellos no saben ni de amor ni de leyes.
CARLOTA.— Ay, mi niño lindo. Hijo, dónde estás? (*Se abraza a Nicomedes.*)

CORO.— Ay, ay, ay, ay.
CARLOTA.— Niño de mi vida.
Niño de mi amor.
¿Dónde está mi niño?
¿Donde está la flor?
CORO.— Nicomedes niño,
tan dulce, tan tierno.
Nicomedes macho
calor de mi invierno.
CORALIA.— El hijo de Yayo
morirá temprano.
CARLOTA.— ¿No verá mi niño
más ningún verano?
¿No verá la fruta
que cae en octubre?
¿No verá la lluvia
que todo lo cubre?
Ay de mi niño niño,
ay de mi niño fiel.
CORO.— Niño de mi vida.
Niño de mi amor.
¿Dónde está mi niño?
¿Dónde está la flor?
CARLOTA.— ¿Morirá mi niño?
¿Morirá la vida?
¿Morirá mi fruto
sin dejar herida
la tierra que Yayo
dejó florecida?
CORO.— Ay de mi niño niño.
Ay de mi niño fiel.
CORALIA.— ¿Dónde irá mi niño?
CARLOTA.— Irá al camposanto.
Llorarán las nubes,
tenderá su manto
el cielo cruel
y se oirá el llanto
de miles de aves
y se oirá el canto
del jilguero aquél
que llenó los aires
cuando el chulo Yayo
en los matorrales
desgarró mi sayo

y nació él
este último fruto
este fruto hermoso
que ahora Menelao
se quiere comer.

CORALIA.— ¿Dónde está mi niño?
¿Dónde está la flor?

CARLOTA.— Niño de mi vida.
Niño de mi amor.

ALEJO.— Bueno, basta ya. Déjense de tanta mierda y tanta jodedera. (*A Carlota, arrancándole a Nicomedes de los brazos.*) Dámelo acá. Me canso de oír tus lamentos. Este niño es nuestro, al pueblo le pertenece.

CARLOTA.— ¿Y eres tú el pueblo? Eres ruinas y escombros, miseria y necesidad. Poder y muerte. Nosotras somos el amor y la vida. Y estos que aquí se reúnen a contemplar nuestra desdicha son nada más y nada menos que perros hambrientos.

ALEJO.— Hacemos bien en acabar con tu estirpe.

CARLOTA.— (*Forcejeando con Alejo, tratando de quitarle a Nicomedes de su mano.*) Pues empieza conmigo. A mi hijo de aquí tú no lo sacas. El último de los frutos de Yayo vivirá y será el vengador. (*Alejo la golpea hasta dejarla semi-inconsciente y se lleva a Nicomedes a rastras de una mano. Carlota, desmadejada, se le prende a Alejo de una pierna y él la arrastra así fuera de escena también.*)

CORALIA.— Changó, Yemayá y Oshún, Virgen de Monserrate, Santa Bárbara bendita con tus rayos y centellas, Virgencita del Cobre, San Cosme y San Damián, San Roque, Virgen Santísima de las Mercedes, San Juan Bosco, rueguen por nosotras, pero cuándo, si ya no queda altar ni piedra viva que recuerde el tiempo aquel en que éramos felices. Que una vela a San Roque.

CORO.— Ruega por nosotras.

CORALIA.— Que una vela San Lázaro.

CORO.— Ruega por nosotras.

CORALIA.— Que la ofrenda y las flores amarillas, Virgen del Cobre.

CORO.— Ruega por nosotras.

DIOSDADA.— Que la tierra va a temblar y el sol va a dejar de alumbrarte, Virgen de Regla.

CORALIA.— Compadécete de mí.

CORO.— De mí, de mí, Virgen de Regla.

DIOSDADA.— Compadécete de mí, de ti, de mí, de ti, Virgen de Regla.

CORALIA.— Que nos abandonas y si vas al Cobre.

CORO.— Y si no vas.

DIOSDADA.— Y si vas al Cobre y si no vas.

CORALIA.— Que ya no vas al Cobre ni al Rincón de las playas de Guanabo a rendirle tributo a Yemayá.
CORO.— Todos se olvidaron.
DIOSDADA.— San Roque.
CORO.— San Damián.
CORALIA.— San Cosme.
CORO.— San Hilarión.
DIOSDADA.— San Hilarión, tus hijos te llaman, San Hilarión.
CORALIA.— Todos sordos al clamor de estas mujeres que no saben ya qué hacer: si encender más velas, si matar al gallo, si romper la piedra, si rayar el guayo, si bailar la conga, si llorar a mares, si romper el lazo, si lanzar las cuerdas, si encender más velas, si pasar el charco, si correr al monte, si tirarse al agua. Si tirarse al agua o romper el cerco, o romper el cerco o romper el cerco.
CORO.— Si te vas al Cobre quiero que me traigas...
DIOSDADA.— Una cuerda larga y un puñal filoso y la piedra ámbar pa' romper al Santo, pa' precipitarlo.
CORALIA.— Pa' dejarlo tieso. Pa' dejarlo muerto; porque no nos oye. Porque no nos oyen., ni nos dan el cuerpo.
CORO.— Que los Santos huyen.
CORALIA.— No los dejen ir.
CORO.— Que los Santos huyen.
CORALIA.— Atájalo, atájalo.
CORO.— No lo dejes ir.
DIOSDADA.— San Roque, regresa.
CORALIA Y CORO.— (*Al unísono.*) Ten piedad de mí.
MENELAO.— (*Entrando.*) Ya es de día. Sol de mil demonios que sale cuando no lo necesitamos y luego se oculta por días y días para que las lluvias destruyan nuestro trabajo. No, si yo te digo. Algún día manejaré a mi gusto este sol cretino. Así como tengo a estas putas aquí encerradas, así te encerraré. Y habrá lluvias cuando yo quiera, y sol cuando yo lo diga, y frío cuando lo mande yo, y cuando lo ordene yo, calor. Yo te encerraré, sol comemierda, y trabajarás para mí solo. Y ahora que digo comemierda, Alejo busca a Estrella y tráela.
DIOSDADA.— Menelao Garrigó.
MENELAO.— No te acerques, anciana.
DIOSDADA.— Anciana, sí, ¿por qué entonces no me respetas?
MENELAO.— ¿Cuándo se ha visto que se respetan a las... matronas?
DIOSDADA.— Antes no hablabas así.
MENELAO.— Antes que te quería era por el... Antes era antes; antes dije muchas cosas.
DIOSDADA.— Muchas cosas que no has cumplido. Nos prometiste...

MENELAO.— Olvida.
DIOSDADA.— Nos prometiste esto y aquello y por tus promesas nos pusimos a cantar tus glorias.
MENELAO.— Sí, pero después, creyendo que me tenían cogido por las barbas, se pusieron a difamarme y a decir cosas que no deben. Ahora están pagando por haberse salido del tiesto. Bien que se los advertí. Todo, todo lo podían hacer menos hablar mal de mí. Se creyeron fuertes, ¿eh? Pues mira, la palabra no es más fuerte que el cañón y cañones son los que sobran.
DIOSDADA.— Fue por culpa de Estrella.
MENELAO.— Echenme a mí la culpa de lo que... Sí, ya sé que ella es la culpable, pero ustedes le siguieron el jueguito y también lo pagarán muy caro.
DIOSDADA.— Pero no te olvides que ella es la peor, que sufre, que pague un precio más alto que nosotras.
MENELAO.— A eso vengo. Y ahora quítate de mi vista, puta inmunda.
DIOSDADA.— Cómo cambian los tiempos. Antes era yo...
MENELAO.— Y dale con la misma matraca. Antes, antes. Bájate de esa nube. Ahora es lo que cuenta. Y ahora tú eres una rata mierdera que hará trabajos forzados por el tiempo que a mí me dé la gana y después prestarás tus servicios, a los únicos que saben hacer bien, a quien yo ordene y como yo lo dicte. Ya está bueno de andarse sin control. Ustedes tienen que estar todo el tiempo contraladas, bien controladas, no se vaya a creer el pueblo que puede hacer lo mismo. Ustedes van a ser el ejemplo. El pueblo sabe que si se comporta como ustedes, como ustedes pagará. Y ahora, déjame en paz. Apártate. (*Entra Estrella.*)
CORO.— Ahí está la culpable. Ya la van a juzgar.
MENELAO.— (*A Estrella.*) Pero que poca vergüenza eres, puta de mierda. Te apareces así delante de mí de esta manera. Cómo te atreves a mostrarte ante mis barbas, ante mis armas, como si fueras una mujer sin mancha. ¿Por qué no bajas la cabeza? ¿Por qué no pides permiso para presentarte? ¿Por qué no has llegado ante mí arrastrándote, mesándote los cabellos, embadurnada en cenizas, pidiéndome perdón?
ESTRELLA.— Perdón, perdón, cariño santo. Perdón... Tú eres el culpable.
MENELAO.— ¿Qué dices desgraciada?
ESTRELLA.— Lo que oyes.
MENELAO.— Es que no puedo creerlo. Tú que abandonaste tu casa, tu marido.
ESTRELLA.— Eso es cierto hasta cierto punto, pero si acierto en mis memorias...
MENELAO.— Memorias dices cuando debías tratar de olvidar.

ESTRELLA.— ¿Verdad que sí, Menelao? ¿Verdad que debemos olvidar?

MENELAO.— Cómo.

ESTRELLA.— He sido mala; pero fuiste tú quien dejó entrar a Juan Alberto.

MENELAO.— Y lo mencionas así como así y así no más.

ESTRELLA.— Y por qué no. Debemos olvidar. Pero también debemos recordar. Es necesario recordar y conocer al enemigo para cuando otro asome la cabeza. Mira, déjate de cuentos. Tú lo dejaste entrar en casa y ese hombre con su belleza, ofreciéndome buen oro, prometiéndome lo que tú ya...

MENELAO.—¡Coño, cállate!

ESTRELLA.— No, debes oírlo. Debes saberlo. Mis senos blancos, mis senos fuertes, mis senos como dos cocos, mis senos en punta que eran sólo tuyos, necesitaban tu atención y tu respeto. Ellos necesitaban el amor.

MENELAO.— ¿Y es así como le llamas?

ESTRELLA.— Sí, ¿y por qué no? El amor. Ponerse en la cama uno encima del otro para hacer lo que... bueno, dime, eso no cuesta mucho trabajo, pero el amor... eso sí que es difícil, complicado. Me casé contigo a ciegas y me empezaste a dictar deberes y obligaciones sin ningún derecho.

MENELAO.— Derechos eran los que te sobraban. Tenías el derecho a tu casa, a tu tierra, a tu familia.

ESTRELLA.— Que también eran deberes. Yo quería ser ancha, y, quería gozar y ser amada y con él... Ay, con Juan Alberto, el hijo de Diosdada y Primo, pude ser ancha y gozar y entregarme al festín de otras palabras. Entonces fue que te escribí esas cartas que levantaron tu ira y tu impaciencia.

MENELAO.— Tus cartas pinchándome, diciendo mil mentiras.

ESTRELLA.— Y cuando tú leías esas cartas y sabías lo que estas putas estaban divulgando — porque fueron ellas las que me instigaron a decir...

MENELAO.— Te callas o te mato.

ESTRELLA.— Mátame, pero te lo grito.

MENELAO.— Te callas o te parto la boca en mil pedazos.

ESTRELLA.— Tú me matas, pero primero yo lo grito.

MENELAO.— Si lo gritas te dejo tiesa en este instante.

ESTRELLA.— Lo tengo que gritar porque esa es mi razón y...

MENELAO.— Te callas o te...

ESTRELLA.— Nada, tú no me haces nada. Sí, yo te abandoné porque a ti no se te para. (*Menelao le da un golpe fuerte y Estrella cae al suelo.*)

CORO.— ¡El secreto de Menelao.!

MENELAO.— (*Dándole patadas a Estrella.*) Calla, coño, calla...
ESTRELLA.— (*En un grito.*) Yo me cansaba de tratar, pero a ti nada de nada.
MENELAO.— (*Todavía golpeando a Estrella.*) Degenerada y ahora qué. Arrepiéntete, te digo.
ESTRELLA.— No.
MENELAO.— Arrepiéntete, te digo.
ESTRELLA.— No.
CORO.— Estrella no se arrepiente de lo que ha dicho.
MENELAO.— Ella se arrepentirá y pronto. (*A Estrella.*) Vamos, mentirosa, di que eso es mentira.
ESTRELLA.— ¡Menelao!
MENELAO.— Vamos, carajo, o te parto el alma.
ESTRELLA.— ¡Menelao! (*Tocándose los senos.*) Serías capaz...
MENELAO.— Soy capaz de eso y de mucho más. (*Golpea a Estrella.*) Tú sabes que soy el que más mea.
ESTRELLA.— ¡Menelao! Si tú pudieras.
MENELAO.— Sí, que puedo, cojones, sí que puedo. (*Golpeándola aún más.*) Arrepiéntete primero.
CORO.— Estrella no puede arrepentirse. Estrella quiere...
MENELAO.— Lo que tú quieres está listo. Tú sabes que soy tremendo cabrón, el que se traga los machetes y echa fuego por las bembas.
ESTRELLA.— Menelao, me vas a...
MENELAO.— Te voy a seguir dando patadas si no te arrepientes de lo que has dicho y dices que es mentira. (*La golpea.*)
ESTRELLA.— Es que necesito.
MENELAO.— Lo que necesitas son estas patadas. (*La sigue golpeando.*) Vamos, cabrona, dilo. (*Pausa. La golpea dos o tres veces más.*)
ESTRELLA.— Sí, Menelao, me arrepiento. (*Se pone de pie.*) Me arrepiento de lo que dije y digo que es mentira. Me arrepiento de haberle faltado a mi marido, el verdadero.
CORO.— Estrella se arrepiente. (*En un grito.*) Estrella está gritando que es mentira.
ESTRELLA.— Sí, mentira es y me arrepiento. Me arrepiento de haberle faltado a mi marido que es fuerte, porque mi marido es grande, porque mi marido me ofrecía cada noche la salsa de la vida, porque mi marido tiene el miembro más grande, más robusto y más erecto que se ha visto. Yo que he conocido a otros hombres puedo decirlo a voz en el cuello. Mis tetas son de él, porque nadie como él ha tocado mis senos enseñándome los secretos de la vida. (*Señalando a Diosdada y a Coralia.*) Estas son las que querían y quisieron todo el tiempo denigrarte. Estas fueron las que se pusieron a decir que si esto y que aquello y que lo de más allá. Yo sólo quería que tú me perdonaras.

MENELAO.— Entrégame tus tetas.

ESTRELLA.— Ven allá adentro, Menelao, soy tuya otra vez y para siempre. Sin condición ni tiempo. (*Estrella y Menelao se retiran.*)

CORO.— Yo no sé por qué dudabas,
Estrella, de tus truquitos
si sabías que al cabrito
se le caía la baba
por ti y que te aguantaba
el tremendo paquetón
que todo fue una traición
y es sólo que tus dos tetas
halan más que una carreta
y también más que un camión.
Menelao, no te aflijas,
Estrella no es mala gente
y aunque ya no es muy decente
es la madre de tus hijas,
llena de oro tus botijas,
te tratará con amor
para aliviar tu rencor
y además tiene dos tetas
que halan más que una carreta
con un motor propulsor.
Tú, Diosdada, no te asombres
de ver a Estrella mimada
en vez de verla aplastada
pues Menelao no es hombre
ni así defienda su honor
pues a él le falta valor
y Estrella tiene dos tetas
que halan más que una carreta
y también más que un tractor.
Siempre ha pasado lo mismo:
la que tenga movimiento
no tenga remordimiento
y ambos trabajen a "rismo"
no llega nunca al abismo
pues hasta el más cabezón
le rinde su corazón
y más si tiene dos tetas
que halan más que una carreta
y también más que un avión.

DIOSDADA.— (*Al ver a Menelao venir.*) Menelao, Menelao. (*Menelao entra acompañado de Estrella que se viene arreglando los ropajes y tiene el pelo en desorden. Menelao y Estrella se besan apasionadamente y Estrella parte radiante.*) Menelao, ¿me escuchas? Nosotras también lo decimos: Menelao es el hombre de todos los hombres.

CORO.— Menelao es el hombre más hombre del mundo.

DIOSDADA.— Sí que lo eres Menelao. Tú sabes que nosotras siempre lo decíamos. Que tú eres capaz de darle gusto a ocho de nosotras en una sola noche y sin cansarte. Lo decíamos. Que eres un pingúo, que eres un caballo.

CORO.— Menelao el caballo, el más pingúo. Menelao el más grande, el más huevón.

DIOSDADA.— Si alguna vez dijimos lo contrario fue por culpa de ella. Ella nos daba cuerda contándonos cosas de ti, cosas que son falsa.

MENELAO.— ¿Qué dices?

DIOSDADA.— Nos arrepentimos, Menelao. Lo juramos por... iba a decir por los Santos, perdona mi deliz. Lo juramos, Menelao, por ti mismo. Tú eres el hombre más hombre de todos los hombres.

CORO.— Menelao, tú eres el macho más macho de todos los machos.

DIOSDADA.— Menelao, tú eres valiente y generoso. Devuélvenos a Nicomedes, devuélvenoslo vivo.

CORO.— Sí, Menelao, por tus huevos, devuélvenos al niño, lo queremos.

MENELAO.— ¿Firmarán ustedes todo lo que han dicho? ¿Están dispuestas a reconocerlo públicamente?

DIOSDADA.— Y lo han oído todos. Todo ese pueblo ahí congregado para burlarse de nosotras. Ya lo sabe. Menelao, tú eres el más grande entre los grandes.

MENELAO.— No es suficiente. Dime, díganme, ¿están dispuestas a firmar un documento?

DIOSDADA.— Sí que lo estamos.

MENELAO.— Firmarán un documento al que llamaremos la Declaración de La Habana.

DIOSDADA.— Lo firmaremos. Firmaremos la declaración y nos entregarás vivo a Nicomedes.

MENELAO.— ¿Vivo dices? Claro, por supuesto. Pero también tendrán que renegar de todos sus santos y sus dioses.

DIOSDADA.— Renegaremos, renegaremos.

MENELAO.— Y de la vida pública.

DIOSDADA.— Renegaremos, renegaremos.

MENELAO.— De tu conducta, de tus modales, de tu alegría, de tus libertades.

CORO.— Yo reniego. De las noches hermosas, reniego.

CORALIA.— Del amor de los hombres.

CORO.— Reniego.

CORALIA.— De los goces de la vida.
CORO.— Reniego.
CORALIA.— De la verdad de los Santos y los Dioses.
CORO.— Reniego.
CORALIA.— De mi religión.
CORO.— Reniego.
MENELAO.— Y aceptan mis condiciones, mi palabra, mi ley, mi presencia.
CORO.— Aceptamos. Tu arbitrariedad canalla, acepto.
CORALIA.— Tu asquerosa verborrea.
CORO.— Acepto.
CORALIA.— Tu peste a muerto.
CORO.— Acepto.
CORALIA.— Tu putrefacción.
CORO.— Acepto.
CORALIA.— Tu pinga que no se para.
CORO.— Acepto.
CORALIA.— Tu tanto comer mierda.
CORO.— Acepto.
CORALIA.— Tus tejes y manejes.
CORO.— Acepto.
CORALIA.— Tus intrigas, mentiras y atropellos.
CORO.— Acepto, acepto, acepto.
MENELAO.— Tendrán a Nicomedes vivo.
DIOSDADA.— (*Se arrodilla.*) Gracias, Menelao, gracias.
CORO.— Nicomedes, la esperanza.
DIOSDADA.— (*Se arrodilla.*) Gracias, Menelao, gracias.
CORALIA.— Iluminada se equivocó. Allá va eso. Nicomedes va a regresar y regresará vivo. Esta vez sí que fallaron los caracoles.
DIOSDADA.— Pero los caracoles son las voces de los Santos y los Santos no mienten.
MENELAO.— ¿Pero qué es esto? ¿Ya se olvidó lo que dijiste hace un instante?
DIOSDADA.— Sí, perdóname, Menelao. Perdóname. Yo reniego. Yo acepto.
MENELAO.— (*Mostrando un papel.*) Aquí tienen el documento. A firmar se ha dicho.
CORO.— (*Mientras firman.*) Yo puta inmunda me entrego
a la verdad de Menelao,
a la justicia que imparte,
a la inteligencia de sus palabras
y a su obra.
Fue mi culpa, sólo mi culpa,
mi grandísima culpa

el haber hecho lo que hice.
Por lo tanto le pido misericordia
a la verdad de Menelao,
a la justicia que imparte,
a la inteligencia de sus palabras,
a su obra
y a su lengua. (*Menelao recoge el papel y se retira.*).

CORALIA.— Y ahora qué y cómo.

CORO.— Nicomedes.

CORALIA.— Nuestra esperanza y nuestro consuelo. Nicomedes vivo será nuestra esperanza.

CORO.— Nicomedes vivo, el hijo de Yayo y de Carlota, el nieto de Diosdada y Primo. Nicomedes vivo.

CORALIA.— Nicomedes la esperanza.

CORO.— El futuro, el sol en la distancia.

CORALIA.— Nicomedes, el nieto de Primo y de Diosdada.

CORO.— Nicomedes vi... Diosdada, mira allí traen a tu nieto.

DIOSDADA.— Mi nieto vivo.

CORO.— No, tu nieto como muerto.

CORALIA.— Como muerto.

DIOSDADA.— Mi nieto. ¿Qué han hecho del hijo de mi hijo? (*Alejo entra con Nicomedes en brazos de Carlota que llora en silencio. Diosdada se echa sobre el pecho del niño y después de unos instantes.*) Sí, vive. Mi nieto vive. Gracias, Changó, gracias. Gracias, Yemayá, gracias. Pero ¿qué es esto? ¿Por qué no abre los ojitos? ¿Por qué parece que está durmiendo el sueño eterno si su corazón palpita?

CORO.— Tu nieto Nicomedes — Algo le habrán hecho.

DIOSDADA.— Carlota, ¿qué le hicieron? (*Carlota da un grito agudo y se echa al suelo desesperada.*)

CORALIA.— Pregúntale al esbirro qué le han hecho a tu nieto Nicomedes.

DIOSDADA.— Tú, Alejo, dime qué le has hecho al hijo de mi hijo, al sueño de mis sueños.

ALEJO.— Menelao siempre cumple su palabra.

DIOSDADA.— ¿Qué le has hecho?

ALEJO.— Tu nieto vive.

CORO.— Pero sus ojos, ¿por qué no abre los ojos y luce como muerto?

ALEJO.— (*Entregándole Nicomedes a Diosdada.*) Tu nieto vive. Tómale el pulso, siéntele la sangre caliente correr por sus venas infames. No hay problemas. Menelao nunca miente, tu nieto vive. (*Se va.*)

CORALIA.— Vive, Nicomedes vive. Pero cómo vive. Como en un sueño — Pero, mira, un momento. Abre los ojitos.

Diosdada.— Mi nieto — los mismo ojos de su padre y del padre de su padre, mi marido Primo. Dime, qué le han hecho, dime qué te hicieron. (*Deposita a Nicomedes en el regazo de Carlota y empieza a tocarlo, primero la cabeza, distintas partes del cuerpo. Cuando le pone la mano delicadamente en el bajo vientre, Nicomedes emite un gemido desconsolador.*) ¿Cómo?

Coro.— ¿Cómo?

Diosdada.— ¿Cómo? ¡Cómo! (*Arranca la sabanita que cubre a Nicomedes y contempla horrorizada lo que le han hecho a su nieto.*) ¿Cómo? Como un río sin agua, como una fuente seca, como un tomeguín que ha muerto. ¿Qué te han hecho? ¿Qué te han hecho?

Coro.— (*Horrorizadas también han rodeado a Nicomedes.*) Se perdió el nieto de Diosdada y Primo — para siempre.

Diosdada.— No, mi nieto vive.

Coro.— Sí, pero en las sombras de ser nada. De ser nadie.

Diosdada.— No, mi nieto vive... vive para nunca, para no dejar ni un fruto y perderse al margen de la vida. Mi nieto vive como muerto. A mi nieto le cortaron los sueños.

Coro.— (*Baila enloquecido, mientras Diosdada se echa al suelo a gemir junto a Carlota.*) El pico de la Paloma, tronco de árbol, Castillo del Morro, Fortaleza de la Punta. A tu nieto le cortaron sus encantos. A tu nieto le cortaron lo que me iba ser feliz. A tu nieto le cortaron el alimento del amor y el faro de mis sueños. Se perdió. Se perdió la semilla de mamey y el aguacate. No dará frutos el árbol seco. No dará frutos: árbol sin raíces y sin tronco.

Cómo es de grato el árbol cuando crece,
cuando se yergue grato.
Cómo es de grato el árbol cuando se alza
hacia ti y te contempla
y tú lo miras con ganas de abrazarlo.
Cómo es de grato el tronco cuando se alza
buscándote los labios,
buscándote los agujeros
por donde la vida espera para hacerse carne
y por donde el placer se agacha
para hacerse cielo.
Cómo es de grato el árbol si se mueve erguido y fuerte.
Cómo es de grato el árbol si lo sientes bien adentro.
Cómo es de grato el árbol si lo sientes bien.
Cómo es de grato el árbol, ¡sí!
Cómo es de grato el árbol.
Cómo es de grato.
¡Ay, cómo es!

DIOSDADA.— (*Se arrodilla delante de Nicomedes.*) Changó, Changó. Yemayá santísima. El hijo de Yayo, el hijo de Yayo pereció aunque su cuerpecito trémulo vuelva a moverse por las calles. (*El Coro se lleva a Nicomedes hacia adentro en procesión.*) Cómo le arrancaron al hijo de Yayo su palmera. Ahí lo tienen. Ahí lo llevan. Al fin Menelao lo logró: ahí lo llevan, al hombre nuevo.

CORALIA.— Al hombre nuevo.

CORO.— (*Saliendo de escena.*) Al hombre nuevo. (*Hay un largo silencio.*)

CORALIA.— Diosdada, quién lo iba decir años atrás. Hemos perdido todo, lo que más hemos querido.

DIOSDADA.— Hemos perdido hasta los Santos. Hemos perdido de todo, todo menos la vida, pero la muerte es ahora compañera.

CORALIA.— Para lo que importa ya. Que de mi voz no quedan palabras para el grito.

DIOSDADA.— El grito lo están dando hasta las piedras, pero tanto clamor, tanta bandera, no permiten que oigamos.

CORALIA.— Quién va a cantar ahora y cómo de la ciudad el fulgor y la belleza.

DIOSDADA.— La ciudad está en ruinas, como muerta.

CORALIA.— Esta ciudad que lo fue todo.

DIOSDADA.— Y que ahora es nada menos nada.

CORO.— (*Entrando despaciosamente y como en un rezo.*) La ciudad que era y no es. La ciudad maldita de los dioses. La ciudad ahora frenética y grosera. La ciudad ahora perdida en el hastío, en las tinieblas. La ciudad sin el baile y sin el canto. La ciudad sin el brillo de años ha. La ciudad sin la risa y el alegre taconeo. La ciudad que es ahora un agujero.

CORALIA.— De la ciudad nos vamos, hacia el campo.

DIOSDADA.— Pero no a disfrutar del sol, de las palmas, de la brisa, sino al trabajo duro y ofuscado. Allá nos vamos.

CORALIA.— Allá nos llevan, allá, a sufrir no sólo en el cuerpo y en el alma, sino a tratar de ocultar el sufrimiento. Porque no podremos entrar desnudas ni vestidas. Porque no podremos tan siquiera oír el canto de los pájaros.

CORO.— Quién va querer oír el canto de los pájaros ya presos.

DIOSDADA.— Porque no podremos ver las flores ni saborear el mamey y la papaya. Porque como a la ciudad, a ti y a mí, a todas, nos han condenado a una pena más terrible que la muerte, porque nos han condenado al vacío, al no poder tan siquiera exclamar o decir cuánto sufrimos, porque nos han condenado a ser gusanos sin consuelo, sin mariposas mañaneras ni jardines donde volar y posar el pensamiento, porque nos han condenado a pasar la vida en el infierno, a escondernos en nosotras y a olvidar, porque nos han condenado al...

ALEJO.— (*Entra y grita a voz de cuello, interrumpiendo a Diosdada.*) ¡*SILENCIO*! (*Se hace un silencio sobrecogedor. Alejo comienza a empujar con el cabo de su fusil a las mujeres que hacen gestos de protesta, pero en completo silencio: una escena violenta y de atropello que sucede en el más absoluto de los silencios. Alejo se lleva, una a una, a todas LAS HETAIRAS HABANERAS.*)

FIN DE LA OBRA

REFLEXIONES DE RAÚL DE CÁRDENAS

Mi salida de Cuba, después del estreno de mi obra en un acto *La Palangana* en 1961, vino a paralizar mi producción dramática por más de 10 años. Estoy seguro que en algunos momentos pensé que nunca volvería a escribir una pieza de teatro y mucho menos verla en escena. Sin embargo, en 1970, Manolo Martín, director y dramaturgo cubano, se interesó en *La Palangana* y la presentó en el Duo Theatre de Nueva York. Esta obra también fue puesta en escena en Los Angeles, Chicago y Miami. Ver nuevamente a mis personajes tomar vida en aquel pequeño escenario me hizo reflexionar que todo no estaba perdido... había historias que contar y ya era hora de sacudir las telarañas de la máquina de escribir así como las del corazón.

Sin tener en mente una dirección predeterminada, mi teatro comenzó a renacer en la nostalgia que sentía. Los recuerdos que por tanto tiempo permanecieron embotellados se convirtieron en la fuente de mi inspiración dando paso, en la mayoría de mis obras, a un teatro netamente costumbrista donde intento preservar la forma de ser del cubano, de conservar lo cubano, convencidos y seguros de nosotros mismos.

De esta segunda y más larga etapa de mi vida como dramaturgo cubano surgen, entre otras, obras como *La muerte de Rosendo*, estrenada en Los Angeles en 1986; *Al ayer no se le dice adiós*, puesta en escena en Miami en 1986; *Las Carbonell de la Calle Obispo*, representada en Miami en 1986 y en Nueva York en 1987; *Aquí no se baila el danzón, Dile a Fragancia que yo la quiero* y *El Barbero de Mantilla*. Sin embargo, por otra parte no podía olvidarme de otros temas, quizás más serios e importantes que las comedias de corte costumbrista. En este grupo de obras vale mencionar *Un hombre al amanecer*(Premio Letras de Oro 1989) que evoca la figura de nuestro Apóstol José Martí; el docudrama *Las sombras no se olvidan* que versa sobre la vida del Dr. Alberto Fibla, quien sufrió 26 años de prisión política en Cuba; *Recuerdos de familia*, lectura dramática en el Coconut Playhouse de Miami en 1986 y en el Teatro El Portón de Nueva York en 1987, que trata sobre un período decisivo de la historia de Cuba,

1944-1960; y, por supuesto, *Los hijos de Ochún*. Mi salida de Cuba se produce meses después del impactante y triste conflicto de Playa de Girón (Bahía de Cochinos). Aquel abril de 1961 quedó permanentemente conmigo, quizás esperando el momento de transformarlo en una pieza teatral que plasmo en la obra *Los hijos de Ochún* dentro de un contexto afrocubano.

Se dice que después que los griegos escribieron sus tragedias y comedias no hubo nada nuevo en el teatro universal. No soy el primer dramaturgo cubano que se siente atraído por el teatro griego. Baste mencionar tres piezas cubanas que considero tres obras maestras para corroborar lo que digo: *Electra Garrigó* de Virgilio Piñera, *Medea en el espejo* de José Triana y *Los Siete contra Tebas* de Antón Arrufat.

Mi obra *Los hijos de Ochún,* como las tres obras mencionadas, se inspira en el teatro griego, en particular, en la obra *Los Persas* de Esquilo, la única tragedia griega contada desde el punto de vista del opositor. Mi obra narra la triste historia de Playa de Girón, en prosa y en rima. No digo en verso porque no soy poeta. Para mí *Los hijos de Ochún* es un libreto en busca de un compositor que esté interesado en colaborar en una ópera. Aunque mis conocimientos de la religión yoruba son muy escasos, se me ocurrió que contar esta historia en el contexto de los elementos afrocubanos sería muy interesante y durante un viaje a Miami compré todos los libros que pude sobre la mitología yoruba. Mi propósito no era solamente de llevar a la escena un capítulo de nuestra lucha por el renacimiento de la democracia en Cuba, sino a la vez hacerla visualmente rica y espectacular. La incorporación de los elementos yorubas, parte esencial de nuestra cultura, con sus orishas y leyendas, eran exactamente lo que esta pieza necesitaba. Recuerdo que hace mucho tiempo el recién fallecido crítico de teatro Rine Leal dijo que una pieza teatral siempre era un obra incompleta esperando por un director que le diera forma. Creo que en este sentido *Los hijos de Ochún* esperan...

LOS HIJOS DE OCHÚN

UNA TRAGEDIA CUBANA

de

RAÚL DE CÁRDENAS

PERSONAJES:

OCHÚN, Patrona de la Isla de Cuba
CHANGÓ, dios del trueno y de la tempestad
TAEBO, hijo de Ochún y Changó
KAINDE, hijo de Ochún y Changó
OGÚN, dios del hierro y de la guerra
ELEGGUÁ, mensajero entre el hombre y los dioses
CORO DE MIAMI
CORO DE LA HABANA
CORTE DE OCHÚN
REPORTERO
ÁNGEL

La acción se desarrolla en Miami y en Cuba. Abril de 1961.

PRIMER ACTO

(Se escucha el martilleo de un tambor militar que va en crescendo. En el centro de la escena, frente a frente, los miembros de los Coros de La Habana y Miami en actitud beligerante. Todos los miembros de los Coros usan máscaras.)

CORO DE LA HABANA.— ¡Ogún! Dios de nuestra revolución, a tu lado luchamos o perecemos.

CORO DE MIAMI.— ¡Ogún! Dios de la destrucción, por tu mando lloramos y morimos.

MIEMBRO DEL CORO DE LA HABANA # 1.— Nuestra lucha finalmente se corona de victoria.

MIEMBRO DEL CORO DE MIAMI # 1.— En nuestras vidas ha comenzado un calvario y en cientos de cruces los Cristos se multiplican.

MIEMBRO DEL CORO DE LA HABANA # 2.— No importa el costo, queremos ahora que se nos den nuestros derechos.

MIEMBRO DEL CORO DE MIAMI # 2.— Los derechos y deberes que falsas promesas han sido robados del pueblo.

MIEMBRO DEL CORO DE LA HABANA # 3.— Nosotros somos el pueblo

MIEMBRO DEL CORO DE MIAMI # 3.— Nosotros, también.

CORO DE LA HABANA.— Por años luchamos y fue nuestra sangre la dádiva sagrada.

CORO DE MIAMI.— Durante esos años se forjó la esperanza de un sueño de paz.

CORO DE LA HABANA.— ¡Ogún! No nos hagas esperar. Concédenos, ahora y para siempre, nuestra revolución.

CORO DE MIAMI.— ¡Ogún! Tu revolución, que un tiempo cercano también apoyamos, nos ha traicionado. Los nuevos líderes promulgan edictos, levantan murallas, y la leve sonrisa que no hace mucho pintaba nuestros rostros es ahora amargor.

CORO DE LA HABANA.— Ahora es el turno del pueblo.

CORO DE MIAMI.— Ahora es el turno del descontento.

CORO DE LA HABANA.— Todos somos iguales.

CORO DE MIAMI.— Todos somos iguales para morir como perros hambrientos. Todos somos prisioneros del mismo dios. Todos somos esclavos y queremos nuestra libertad.

CORO DE LA HABANA.— Al que no le guste el orden ya sabe lo que debe hacer. ¡Fuera! ¡Fuera!

CORO DE MIAMI.— ¡Libertad! ¡Libertad! ¡Libertad! (*Se escucha una descarga de fusilería. El martilleo del tambor cesa. Los miembros de los Coros se separan y se colocan en sus respectivas posiciones a cada lado de la escena. Un Reportero aparece enfrente del Coro de La Habana y se dirige al público.*)

REPORTERO (*La Habana.*).— Muy buenas noches. Les habla Manolo Ortega. Como hemos venido reportando desde unas horas, un voraz incendio ha destruido la tienda "El Encanto". Al parecer, el fuego comenzó, a las siete de la noche, por el segundo piso. Varios cuerpos de bomberos de la ciudad de La Habana, Marianao y Guanabacoa, lucharon valientemente contra el siniestro pero todo fue inútil. El edificio se desplomó completamente y hasta el momento hay una persona desaparecida, la miliciana Fe del Valle. Las pérdidas se calculan en más de seis millones de pesos. (*Lentamente se encamina en dirección opuesta, hacia el Coro de Miami, donde se convertirá en un segundo Reportero. Durante esta transición, dos miembros del Coro de La Habana, sin máscaras, dialogan como si fueran dos residentes de La Habana.*)

HOMBRE # 1.— ¿Y tú lo viste todo?

HOMBRE # 2.— Compadre, si venía caminando por Galiano y las llamas se veían, yo creo que, desde el Malecón. Pero cuando llegué a Neptuno, a la esquina de "La Época", no me dejaron pasar.

HOMBRE # 1.— ¿Tú crees que haya sido sabotaje?

HOMBRE # 2.— Hombre... eso se cae de la mata. Dicen que fue la miliciana que murió en el incendio la misma que echó el fósforo vivo. Si llega a ser un fuego corriente, los bomberos lo hubieran controlado en quince minutos. (*Irónico.*) Qué casualidad que en Santiago de Cuba también se quemaron dos tiendas y hace como una semana otro incendio arrasó con el Central "Hershey".

HOMBRE # 1.— La Habana no podrá ser la misma sin "El Encanto".

HOMBRE # 2.— Hace rato que La Habana no es La Habana. El cambio ha sido muy radical en los últimos dos años. Cada día que pasa más confiscaciones, más intervenciones y, ahora, con los Comités de Vigilancia, más represión.

HOMBRE # 1.— Esto no dura. Ya lo verás. Los Estados Unidos no va a permitir un gobierno comunista a noventa millas de sus costas.

HOMBRE # 2.— Los Estados Unidos no hará nada.

HOMBRE # 1.— ¿Y la suspensión de exportaciones a Cuba? Los americanos dicen que solamente permitirán embarques de medicinas y alimentos. En cuanto les apriete el zapato, la revolución cambiará de rumbo.

HOMBRE # 2.— No tan fácil, mi amigo, que ya aquí el gobierno firmó un pacto comercial con la Unión Soviética. Los rusos le van a regalar a Fidel hasta las nalgas con tal de tenerlo en su bando. Así que prepárate a bailar al ritmo de la babalaica y olvídate de la tumbadora. Este es sólo el comienzo. (*Los dos hombres regresan al Coro de La Habana y nuevamente se ponen sus máscaras. Al mismo tiempo, el Reportero de La Habana llega frente al Coro de Miami, convirtiéndose en un Reportero norteamericano. Primero se escuchan los acordes de una música de introducción de un programa de noticias.*)

VOZ (*en inglés.*).— *This is the CBS News...*

REPORTERO.— (*Miami. Sus primeras palabras en inglés.*) *And I am Tom Evans. Good evening.* Según se rumora aquí en esta ciudad de Miami, continúan los preparativos, en un país de la América Central, de un grupo de exiliados cubanos que proyectan una posible invasión a Cuba. Varias personalidades del exilio cubano han hecho un llamado a las armas para unirse a los miles que, ellos dicen, ya luchan en Cuba. Mientras tanto, en La Habana, ha sido detenido el periodista norteamericano Henry Raymont, acusado de actividades contrarrevolucionarias. En otras noticias, el cosmonauta soviético Yuri Gargarin acaba de regresar de su viaje espacial alrededor de la Tierra, convirtiéndolo así en el primer ser humano que haya logrado esa hazaña. (*Dos miembros del Coro de Miami se quitan las máscaras y dialogan como dos exiliados cubanos.*)

HOMBRE # 1.— Te aseguro que fue así. Yo no hablo mucho inglés pero en esa conferencia de prensa el Presidente Kennedy dijo que no habrá una intervención en Cuba de las fuerzas armadas de los Estados Unidos.

HOMBRE # 2.— Eso lo dijo porque tenía que decirlo. Tú te figuras que le va a decir a Kruszchev, ¿que los Estados Unidos va a invadir a Cuba? Mira el hijo de Cristina, mi cuñada, hace como cuatro meses que se fue de la casa para Guatemala y le dijo a la madre que lo iban a entrenar.

HOMBRE # 1.— Pero... ¿que sabe ese muchacho? ¿Tú crees que un soldado se hace en doce semanas? Si lo mandan a Cuba se lo comen en un minuto.

HOMBRE # 2.— No te preocupes que no va ir solo. El Consejo Revolucionario ha hecho un llamado a todos los exiliados para que se unan a la campaña y ya tienen...

HOMBRE # 1.— (*Interrumpe.*) Bah... esos son cosas de políticos. Te aseguro que ninguno de ellos va. Esos son los mismos que dijeron que ya hay miles peleando en Cuba y hasta ahora, que yo sepa, allá no hay quien se mueva.

HOMBRE # 2.— Eres un pesimista.

HOMBRE # 1.— No, pesimista, no. Realista. (*Los dos hombres regresan al Coro de Miami y se ponen sus máscaras. Transición. Se escucha el rumor de las olas. El posterior de la escena se ilumina con el gris de un amanecer nebuloso. Vestidos con uniformes de batalla, Taebo y Kainde se hacen visibles. Taebo, de pie, escudriña el horizonte. Kainde parece dormitar.*)

TAEBO.— Hermano... hermano... Escucha.

KAINDE.— (*Adolorido.*) ¿Qué cosa?

TAEBO.— (*Mira hacia arriba.*) Percibí un rumor... quizás, un avión.

KAINDE.— Son las olas que susurran... Sólo las olas y el viento que nos hacen compañía. Hemos sido abandonados en nuestro abatimiento. Nos han dejado a nuestra suerte, sin importarles nada. (*Pausa.*) ¿Dónde están los otros pobres infelices, inertes, que aún quedan con vida?

TAEBO.— Del otro lado del pantanal donde resistieron el primer ataque.

KAINDE.— ¿Cuántos quedan?

TAEBO.— No muchos.

KAINDE.— Trata de comunicarte con ellos.

TAEBO.— Ya lo intenté, pero nadie contesta.

KAINDE.— Inténtalo nuevamente.

TAEBO.— (*Se agacha, toma el transmisor y trata de comunicarse.*) Uno, dos, tres, llamando a "Patria Libre"... Uno, dos, tres, llamando a "Patria Libre"... (*Pausa.*)... "Patria Libre" habla "El Criollo" desde "Playa Azul"... (*No hay respuesta.*) Es inútil. (*Kainde intenta incorporarse.*) No te muevas, quédate como estás. ¿Te duele la pierna?

KAINDE.— (*Para no preocuparlo.*) Un poco... (*Mira hacia la distancia.*) No debimos haber hecho un desembarco nocturno en estas costas. Este territorio debió haber sido explorado físicamente. Nunca debimos haber confiado en la interpretación de fotografías de reconocimiento aéreo.

TAEBO.— Nos prometieron refuerzos... Ya casi despunta el sol y a la luz del día será aún más peligroso nuestro intento. ¿Tendremos nosotros que llorar largamente nuestra soledad? ¿Tendremos nosotros que abdicar nuestra lucha por esta causa tan noble? ¿No somos acaso los hijos de Ochún?

KAINDE.— ¿No lo comprendes, hermano? No hay aún un poderoso país que nos quiera dar ayuda. Llegamos a esta despiadada playa a fuerza de remos para darle a la patria que desangra un nuevo amanecer, para alterar las nuevas leyes que ha impuesto el terror en una tierra plácida y serena. Y, ahora, nadie escucha nuestro clamor. Nos han dado la espalda y dejado a la deriva con un grupo de valientes.

TAEBO.— ¡Ay, hermano, que dolor exhala nuestros gemidos! (*Mira hacia todas partes.*) El ruido del viento nos engaña. No hay ni un ave en el cielo que nos proteja, ni una vela en la distancia. Sólo desconsuelo y los gemidos de un grupo resuelto pero casi moribundo.

KAINDE.— ¿Quiénes somos? Somos Taebo y Kainde, hijos del fruto del amor de Changó y Ochún, ahora reducidos a la suerte de su destino... Arrojados en esta playa con el nombre de Girón, consumidos por el hambre, por las fiebres y las heridas, que como serpientes malditas intentan aniquilarnos. Unos con los vientres abiertos y otros llorando la muerte de sus amigos, haciéndose mil preguntas que no se pueden contestar.

TAEBO.— (*Señala en una dirección.*) Caleta Verde, allá en la distancia, bautizada con el nombre invasor de "Playa Verde". (*Señala en dirección opuesta.*) Allá, Playa Larga, con su nombre clandestino, "Playa Roja"... Y ésta, "Playa Azul"... Girón... tierra solitaria, de mares circundada, que los hombres jamás huellan. (*Breve pausa.*) No vinimos a esta lucha obligados por la fuerza sino bajo un juramento de combate y encontrar justicia y paz. Y ahora el imperio nos priva de arco, flecha y puñal.

KAINDE.— Algún día tendrán que responderle a la historia este cruel abandono. (*Se escucha el motor de un avión que pasa. Los hermanos reaccionan con cierta aprehensión sin saber si se trata de un avión amigo o enemigo. El avión se aleja y el sonido del motor se pierde en la distancia mientras que en crescendo se escuchan voces, comentarios, rumores, agitación, todo incomprensible. Se ha creado una transición.*)

CORO DE MIAMI.— Somos un pueblo exiliado,
y el designio de los dioses
nos ha hecho delegados
de conservar, de la patria
de los próceres, la herencia.

MIEMBRO DEL CORO DE MIAMI # 1.— Sin entregar los ojos al sueño, ni rendir los ánimos a una peligrosa inercia, una fuerza de ideales intenta rescatar a Cuba para redimir el ultraje de unos malvados chacales.

MIEMBRO DEL CORO DE MIAMI # 2.— Vivimos un tiempo extraño, y en nuestro aliento sentimos vibrar un singular regocijo que se mezcla con el temor y la duda. Son nuestros hijos los que se han ido a la batalla y aunque la causa es noble, la sangre será vertida.

MIEMBRO DEL CORO DE MIAMI # 3.— Pero es menester esta lucha si no queremos que los que un día se llamaron hermanos hagan un pueblo esclavo para toda la eternidad. (*Nervioso, El Coro se agita.*)

MIEMBRO DEL CORO DE MIAMI # 1.— Busquen en los periódicos las noticias.

CORO DE MIAMI.— Anuncios. Sólo anuncios.

MIEMBRO DEL CORO DE MIAMI # 2.— Quizás en la televisión.

CORO DE MIAMI.— Comerciales de jabones y detergentes.

MIEMBRO DEL CORO DE MIAMI # 3.— La radio. ¿Qué dice la radio?

CORO DE MIAMI.— Canciones y el estado del tiempo.

MIEMBRO DEL CORO DE MIAMI # 1.— Oigo el estallar de la pólvora, el motor de los aviones. ¿Quién puede decirme algo? (*Muy suavemente se escuchan unos tambores.*)

CORO DE MIAMI.— Por las calles de Miami
dan vueltas cien mil rumores,
de esperanzas y oraciones,
mientras que el corazón late
subyugado de emociones.
Voces dicen, repiten que
nuestra furia se ha volcado,
nuestro poder desatado,
contra quien ahora domina
los campos de Cubanacán.
Voces dicen, repiten que
una fuerza invencible,
que nadie se ha imaginado,
ha descendido a bañar
las tierras a noventa millas
en la lucha por la razón
pero algo en el corazón
perturba nuestra esperanza.
Extraños tambores golpean
nuestras almas y conciencias,
duende que en su cadencia,
abanicando en presagios
birlan nuestros sentidos. (*Los tambores cesan. Los miembros del Coro se miran mutuamente como tratando de encontrar una respuesta.*)
Silencio, sólo silencio,
susurros y más silencio.
Acido en nuestra boca

quema un lenguaje que quiere
ser de esperanza y conquista
en la derrota deísta,
pero la incertidumbre invoca
silencio solo, silencio.

MIEMBRO DEL CORO DE MIAMI # 1.— ¡Basta! No dejemos que la duda y la incertidumbre repleten esta copa.

MIEMBRO DEL CORO DE MIAMI # 2.— ¿Qué podemos hacer? ¿Quién podrá escuchar nuestra súplica?

MIEMBRO DEL CORO DE MIAMI # 1.— Pensemos en la victoria de nuestra sed de justicia. Los dioses de la isla sabrán desatar su furia junto a nuestros bravos guerreros que se han lanzado en furiosa acometida y acabarán con los males que agobian a nuestra bella perla de los mares.

CORO DE MIAMI.— ¡Victoria! ¡Victoria! ¡Victoria! (*Durante la narración que sigue, el Coro realiza físicamente las imágenes que se expresan.*)

CORO DE MIAMI.— Salieron de todas partes,
del norte, del sur, del este,
aquellos que quieren darle
una nueva forma al sol,
diestros a rectificar
de la patria las heridas.
En lanchas, botes y barcos,
con los brazos siempre en alto,
la acrisolada frente erguida,
almas de impurezas limpias,
nuevos mambises criollos
con machetes de pólvora
apuntan sus mirillas
al corazón del tirano,
fiera que ha comenzado
a devorar lentamente
lo dulce de nuestra caña,
lo verde de nuestros pinos,
lo tierno de nuestra infancia,
lo amargo de nuestro vino.

MIEMBRO DEL CORO DE MIAMI # 1.— ¡Qué nuestras voces no decaigan. El momento es de guerra! Nuestras almas están protegidas bajo el manto sagrado de los orishas de nuestra nación: Olofín, Obatalá, Orúnmila, el bondadoso, Oyá, diosa de las tempestades, y Yemayá.

CORO DE MIAMI.— Un torrente de guerreros
bravos, ciegos en su valor,
nacidos y criados

en Oriente y Occidente;
de San Antonio a Maisí.
MIEMBRO DEL CORO DE MIAMI # 1.— De los Pinos, de los Baños,
de la Vega y Yumurí...
MIEMBRO DEL CORO DE MIAMI # 2.— de los campos de Manaca,
de Bayamo y Manatí...
MIEMBRO DEL CORO DE MIAMI # 3.— de Cueto, Cruces, Gibara,
de Artemisa y Mayarí,
MIEMBRO DEL CORO DE MIAMI # 1.— de las riberas del Cauto
y del plácido Almendares.
MIEMBRO DEL CORO DE MIAMI # 2.— Con el sueño de Dos Ríos,
padres, hermanos e hijos
en el velo de la noche
musitan la letanía
de fe, esperanza y valor:
CORO DE MIAMI.— ¡Olofín *ewa wo*!
¡Olofín *ewa wo*!
¡Olofín *ewa wo*!
MIEMBRO DEL CORO DE MIAMI # 1.—(*Con reverencia.*) Que Olofín nos ayude.
MIEMBRO DEL CORO DE MIAMI # 2.—Y en los rayos de la aurora se escucha otro clamor:
CORO DE MIAMI.— ¡Olodumare *egbeo*!
¡Olodumare *egbeo*!
¡Olodumare *egbeo*!
MIEMBRO DEL CORO DE MIAMI # 3.—Que Olodumare, en su poder, nos proteja durante el día.
MIEMBRO DEL CORO DE MIAMI # 1.— Ricos y pobres,
MIEMBRO DEL CORO DE MIAMI # 2.— Blancos y negros,
MIEMBRO DEL CORO DE MIAMI # 3.—cargando jabalinas, dardos y flechas,
MIEMBRO DEL CORO DE MIAMI # 1.—con los rostros pintorreteados de sol, fango, mar y sal,
MIEMBRO DEL CORO DE MIAMI # 2.— con camisas y uniformes que se confunden en el pantano,
MIEMBRO DEL CORO DE MIAMI # 3.— se han entregado al destino.
CORO DE MIAMI.— Al sacrificio entregados,
porque rapaces ladrones
la patria han ultrajado.
REPORTERO.—(*Miami. Comenzará en "Miami", y a la inversa de lo que hizo anteriormente, se moverá hacia "La Habana". Sus primeras palabras son en inglés.*) *Good morning, ladies and gentlemen*. El Departamento de Guardacostas de la Florida ha confirmado que un avión B-26 tuvo que hacer un aterrizaje forzoso en Key

West. Los nombres de sus tripulantes no se han dado a conocer pero fuentes de confianza han informado que son exiliados cubanos que participaron hoy en un ataque aéreo contra las instalaciones militares del gobierno de Fidel Castro. (*Dos miembros del Coro de Miami, sin máscaras, dialogan.*)

HOMBRE # 1.— Ya se le comenzó a llenar el bote de agua a ese degenerado.

HOMBRE # 2.— Es muy temprano para cantar victoria. En las Naciones Unidas ya el embajador soviético comenzó a vociferar en protesta por los ataques aéreos y dijo que Rusia no se cruzaría de brazos ante la agresión a Cuba.

HOMBRE # 1.— Perro que ladra no muerde.

HOMBRE # 2.— Esta vez, sí, porque el perro es rabioso. Fidel cuenta con muchos aliados y nosotros no somos nadie. Estamos en una ratonera donde no hay salida, a merced de los demás.

HOMBRE # 1.— Ni que fuéramos unos condenados a muerte.

HOMBRE # 2.— No... peor... A los condenados a muerte los matan. Nosotros estamos viviendo. (*Los dos hombres se regresan al Coro de Miami y se ponen sus máscaras. El Reportero de "Miami" al llegar al Coro de La Habana, da una vuelta completa para convertirse en el reportero cubano.*)

REPORTERO.— (*La Habana.*) Muy buenos días, señoras y señores. A las seis de la mañana del día de hoy, aviones imperialistas B-26, bombardearon simultáneamente puntos situados en la ciudad de La Habana. San Antonio de los Baños y Santiago de Cuba. Hasta este momento no se han reportado muertos, aunque si numerosos heridos. La delegación cubana ante las Naciones Unidas ha recibido instrucciones de acusar directamente al gobierno de los Estados Unidos como culpable de esta agresión a Cuba. (*Dos miembros del Coro de La Habana, se despojan de las máscaras y dialogan.*)

MUJER # 1.— Muchacha, yo pensé que era el fin del mundo. Bombas por aquí, explosiones por allá. Se me puso el corazón en la boca.

MUJER # 2.— Yo le estaba preparando el desayuno a los muchachos cuando sonó el primer bombazo. Gracias a Dios que fue cosa de minutos, que si no...

MUJER # 1.— Oí por la CMQ que hay siete muertos y uno de ellos, un muchachito, escribió con su sangre el nombre de Fidel en una tabla, con un dedo, antes de morir.

MUJER # 2.— Espérate un momentico. Lo de las bombas y las explosiones, sí, porque yo las oí. Pero ese "paquete" si que yo no me lo meto.

MUJER # 1.— Pero, niña, si el periódico REVOLUCIÓN va a publicar la foto del niño y de la tabla.

MUJER # 2.— Aunque lo publiquen en el Vaticano. (*Breve pausa.*) ¿Tú piensas ir al sepelio de los muertos en el Cementerio Colón?
MUJER # 1.— Que remedio nos queda... Si no voy, son capaces de botarme del banco. (*Regresan al Coro de La Habana y se ponen las máscaras.*)
VOZ.— Nuestro país ha sido víctima de una criminal agresión imperialista. Se ha dado la orden de movilización a todas las Unidades de combate del Ejército Rebelde. Todos los mandos han sido puestos en estado de alerta. La patria resistirá a pie firme y serenamente cualquier ataque enemigo segura de su victoria.
CORO DE LA HABANA.— (*Comenzando en voz baja, en crescendo, y dando patadas en el piso en la misma forma, hasta llegar al último "Paredón".*) Paredón... Paredón... Paredón... Paredón... Paredón...
MIEMBRO DEL CORO DE LA HABANA # 1.— Que no quede ni uno,
MIEMBRO DEL CORO DE LA HABANA # 2.— Que no quede jamás un traidor que haya vendido su alma.
MIEMBRO DEL CORO DE LA HABANA # 3.— Lacayos de los dioses del norte jamás nos podrán derrotar.
CORO DE LA HABANA.— ¡Vana pretensión! Querer destruir
el pueblo de un pueblo de héroes
cuando sólo el pueblo es el único rey.
(*En su lugar el Coro comienza a marchar ligeramente.*)
¿No habéis visto, quizás, que de aquí
arrojamos a un mísero déspota
que usurpó el reino de azúcar y sol?
No existen dioses, ni santos, ni arcángeles
que puedan troncar la marcha del proletariado.
(*Cesan de marchar.*)
Estamos vigilantes contra la agresión
porque si buscan y hurgan batallas
contra nuestra sagrada revolución
acabarán derrotados, viles gusanos.
(*El coro se mueve sigilosamente, como espías, realizando lo que dice el texto.*)
MIEMBRO DEL CORO DE LA HABANA # 1.— Rondamos y vamos y vemos,
MIEMBRO DEL CORO DE LA HABANA # 2.— venimos y escudriñamos,
MIEMBRO DEL CORO DE LA HABANA # 3.— oímos e investigamos,
MIEMBRO DEL CORO DE LA HABANA # 1.— procedemos y averiguamos,
MIEMBRO DEL CORO DE LA HABANA # 2.— descubrimos y reportamos
MIEMBRO DEL CORO DE LA HABANA # 3.— diligentes las huellas que dejan al pasar. (*Dejan de moverse.*)

Coro de La Habana.— Bañada en sudor la cabeza y la frente,
empapadas de sangre las manos,
diestros estamos en segar las vidas
de todos aquellos que intenten
frenar nuestro impulso.
No somos imberbes,
somos serpientes
que vigilan su presa,
siempre al acecho,
y será el botín
cuerpos deshechos,
sin pies, sin almas.
Vagabundos de la noche,
encubiertos, gusanos, traidores,
han planeado el ataque
y jamás pasarán.
(*En crescendo.*) Jamás pasarán... Jamás pasarán.

Coro de Miami.— La ciudad ha quedado callada,
y en el silencio
se ha remontado a un ayer,
a un tiempo imperfecto
que aún era nuestro.
Los niños quieren oír
la voz de un hombre,
de un padre quizás,
que regresa contento,
con las manos
repletas de paz.
Y aguardamos en la espera
impacientes el volverlos ver.

Miembro del Coro de Miami # 1.— Ya está el monumento esperando en la plaza,
ya están las imágenes de Taebo y Kainde,
cada uno con el brazo en alto,
la espada brillando a una altura
que mortal alguno jamás pudo alcanzar.

Miembro del Coro de Miami # 2.— Muy pronto veremos al victorioso soldado
que nos devuelve la luz de la aurora.

Miembro del Coro de Miami # 3.— Muy pronto marchará por las calles,
de la democracia, la fuerza restauradora.

Coro de Miami.— Todos hemos ido, en alma o en carne,
contra el mundo de dos herramientas

sobre el lienzo rojo que nos hace sangrar.
Es la voluntad de los dioses
y del espíritu de nuestro rey,
exulto, bendito, sacrosanto Changó.
Desde las nubes y cielos
sus ojos de fuego,
de luz y de mar,
acabarán con la bestia
que nos ha hecho llorar.
(*Sutilmente, en la lejanía, comienzan a escucharse los ruidos de una batalla.*)

MIEMBRO DEL CORO DE MIAMI # 1.— (*Señala hacia Taebo y Kainde.*) Ya se oye en la distancia el Grito de Abril.

MIEMBRO DEL CORO DE MIAMI # 2.— (*Señala hacia arriba.*) El sol hoy brilla con más fulgor que nunca.

MIEMBRO DEL CORO DE MIAMI # 3.— (*Señala hacia el Coro de La Habana.*) Aún están a tiempo de no verter la sangre de hermanos. (*En la distancia se escuchan voces que repiten hasta desaparecer "Jamás pasarán". Los ruidos de la batalla continúan.*)

CORO DE LA HABANA.— (*Todos señalan al Coro de Miami.*) Se han dejado engañar,
alucinado los ojos,
con visiones de triunfo.
La mano del tío
empujará los rebaños
a la derrota total.

MIEMBRO DEL CORO DE LA HABANA # 1.— Se han abalanzado, enloquecidos,
dando a diestra y siniestra
golpes al viento en la oscuridad.

MIEMBRO DEL CORO DE LA HABANA # 2.— La ilusión les hizo creer que acribillaban
nuestra revolución y nuestra verdad.

MIEMBRO DEL CORO DE LA HABANA # 3.— Y mientras más frenético se empeñaban en triunfar
más encendió en nuestras tropas
el rabioso afán.

CORO DE LA HABANA.— (*Gritan.*) ¡Comités de Vigilancia!
A la tarea de rescatar
los postulados de nuestro dios.

MIEMBRO DEL CORO DE LA HABANA # 1.— De cada cuarto, de cada casa, saquen a los traidores.

MIEMBRO DEL CORO DE LA HABANA # 2.— De cada oficina, de cada centro laboral, saquen a todos aquellos que no apoyen esta operación.

MIEMBRO DEL CORO DE LA HABANA # 3.— Abran las puertas de las prisiones, de los cuarteles, de las escuelas, centros deportivos, para darle cabida a los detenidos. El país está alerta. (*Silencio total. Una breve pausa mientras que un ayudante de escena sale y coloca varias cruces frente al Coro de La Habana. El área del Coro de Miami se oscurece.*)

CORO DE MIAMI.— Aguarden... ¿Qué sucede?
¿Por qué las nubes cubren las calles?
¿Por qué esta agonía que nubla el alma
con miedo voraz?
¿Por qué este presentimiento
de una destrucción total?

MIEMBRO DEL CORO DE MIAMI # 1.— (*Preguntándose mutuamente.*) ¿No siente tu ánima las punzadas de la incertidumbre?

MIEMBRO DEL CORO DE MIAMI # 2.— ¿No sienten en el corazón el latigazo de los recelos?

MIEMBRO DEL CORO DE MIAMI # 3.— ¿Qué es esto que se siente y se siente y se siente dentro, muy dentro del corazón?

CORO DE MIAMI.— ¿Qué es? ¿Qué es? ¿Cuál es su nombre?

MIEMBRO DEL CORO DE MIAMI # 1.— El temor.

MIEMBRO DEL CORO DE MIAMI # 2.— El terror.

MIEMBRO DEL CORO DE MIAMI # 3.— Malos consejeros que hacen temblar el corazón aunque los labios invoquen la lógica de la razón.

MIEMBRO DEL CORO DE MIAMI # 1.— El temor a perder, el terror de no ver.

MIEMBRO DEL CORO DE MIAMI # 2.— El temor de doler, el terror de perder.

MIEMBRO DEL CORO DE MIAMI # 3.— El temor del terror de ver a los hombres sangrientos morir en la vorágine de promesas que no se cumplieron.

CORO DE MIAMI.— ¡Ya! (*Se escuchan bombas, explosiones, disparos, ametralladoras. Aviones que atacan. Las luces parpadean. Toda la escena parece explotar. Los Coros permanecen estáticos. El área de Taebo y Kainde se llena de humo. Los jóvenes no saben que hacer. La pierna herida de Kainde impide que se mueva, Taebo intenta ayudar a su hermano. Rápida sucesión de luces rojas. Del humo, frente a los dos hermanos, surge Ogún. El humo se disipa.*)

VOCES.— Rujan los vientos sobre la playa,
juntemos las manos en lucha común,
cantemos victoria desde la atalaya,
que corra la sangre, ha llegado Ogún.

OGÚN.— Ogún, dios del hierro y la guerra
que ha venido a devorarlos

para que pague Changó
con la vida de sus hijos
todo lo que me adeuda.

Como dos estrellas,
como dos cometas
que no pueden transitar
en la misma esfera
he venido a reclamar
mi eterna trayectoria.
En la sangre de ustedes,
mi eterna enemistad con Changó,
quedará saldada la cuenta.
¿No lo han oído? ¿No lo saben?
Ya se corre la voz por toda La Habana,
ya se susurra por toda la Isla.
Han vuelto, malditos gusanos.
Han regresado, calladamente,
para violar las sagradas entrañas
de nuestra sagrada revolución.

¿Creen ustedes que del norte
llegarán las nubes
para cubrir las cabezas?
En salones y despachos,
ornados con patriotas
que no hablan nuestro idioma,
se discute el futuro de esta tierra.
Los escritorios se cubren
de planes, mapas, papeles,
sin que una mano segura
pueda dar la respuesta.
Hay timidez, divisiones,
discusiones, argumentos,
donde la vida de ustedes
cuelga de un frágil cabello
capaz de sostenerlos.

KAINDE.— Nos ofreciste sufragios y una patria sin fusiles.

TAEBO.— Nos hemos llevado a los labios el caldo de tus mentiras.

OGÚN.— Los hijos de mi enemigo quieren traer la noche.

KAINDE.— La noche la traes contigo y quieres culpar al norte.

TAEBO.— Tus excesos y derroches son tus vicios y tu aporte al nuevo orden un sistema donde el crimen y el abuso son las normas.

OGÚN.— En la redención del pueblo cada crimen cometido es moralmente correcto.

TAEBO.— Una redención sacrílega en la que buscas razones para enfrentar a los hijos contra sus padres.

KAINDE.— ¿Pretendes re-escribir la historia?

OGÚN.— La historia está trazada por los dioses y éstas son las páginas escritas por ellos. Es por eso que los he estado esperando desde el comienzo de mi victoria.

TAEBO.— Lo que tú llamas "tu victoria" fue la victoria de todos y tú te la echaste al hombro como si fuera propia.

OGÚN.— Convertidos en traidores regresan hoy a la patria, sostenidos y empujados por la más repugnante escoria.

KAINDE.— Ante tu poder, Ogún, presentamos nuestras armas, nuestra limpieza de alma. La tuya ha sido vendida a un poder extraño y la envuelves en palabras, en una leyenda que forjas para confundir al mundo.

OGÚN.— Hablas como tu padre, y sin dignidad alguna hablas. A la bajeza de tu linaje se añade la de tus acciones.

KAINDE.— En un momento como este un hombre sin acción no tiene razón de vivir.

TAEBO.— No nos asustan alardes de quien quiere aparentar que está vestido de héroe, ni nos inspiran respeto las barbas de profeta. Si tu crueldad no fuese tan grande serías digno de lástima.

OGÚN.— Yo derribé la corona de las torres cuando Changó dormía, descansando de sus excesos de cánticos y alegres fiestas sin ver que la muchedumbre a sus ejércitos acometía.

KAINDE.— Hoy esa muchedumbre que se embriagó en tus palabras y se dejó subyugar por tu retórica se rebela contra los muchos excesos cometidos. Hoy los dioses nos han llamado para cuidar las heridas que sangran y hemos regresado porque es nuestro deber curarlas.

TAEBO.— Quieres convencer al mundo que somos una generación nueva de asesinos.

KAINDE.— Pero tú eres el asesino. Ni en el tiempo de nuestro padre las cárceles estuvieron tan llenas, ni el paredón reclamó las vidas que hoy reclama.

TEABO.

Quieres que se nos pinte de ambiciosos y traidores, usureros y ladrones.

KAINDE.— Pero tú eres el que saqueó nuestra casa y repartiste nuestros bienes ganados en el trabajo de los años.

TAEBO.— Quieres darnos un pasado con un significado que no nos pertenece.

KAINDE.— ¿Quién te dio derecho a distribuir nuestra herencia?

OGÚN.— Mi sino.
TAEBO.— Tu injusticia.
KAINDE.— Asesino.
OGÚN.— La historia marca una senda que es nuestro deber seguir. Para mí, quizás bañada en algunas impurezas, es la gloria... Para ustedes, la muerte o el exilio. (*Breve pausa.*) Aún no han expiado el delito cometido y la justicia de Ogún, mi justicia, pronto hará que lo expíen. Lo que les espera no es nada comparado con lo que ya han visto. Será peor que caer en el mar por mi furia embravecido.
TAEBO.— Nada ya nos asombra. Profanaste un juramento que le hiciste a la patria y tu justicia también profana la decencia de los hombres.
OGÚN.— Mortal daño amenaza a quien ofende mi ira y con un sólo decreto les sabré arrancar la vida. ¡Soldados! (*Gran confusión de tambores, truenos, relámpagos, explosiones. Taebo intenta ayudar a Kainde. Las luces parpadean.*)
KAINDE.— Corre, hermano, corre. Cuéntale al mundo. ¡Escapa! (*Taebo duda por breves momentos. Sale. Kainde cae prisionero. Breve oscuridad. La playa ha quedado vacía. El Reportero está frente al Coro de La Habana mientras que nuevamente un ayudante de escena sale y coloca más cruces frente al Coro de la Habana. El Reportero se dirige al público.*)
REPORTERO.— Muy buenas noches, señoras y señores. En la madrugada de hoy, una flotilla expedicionaria de mercenarios, latifundistas e imperialistas desembarcó en la Bahía de Cochinos, Las milicias destacadas en esa región le ofrecieron la resistencia inicial a los gusanos invasores y ya han sido reforzadas con el batallón de Cienfuegos. La aviación revolucionaria ha podido hundir dos vapores invasores y ha obligado al resto de la flotilla huir mar afuera dejando abandonadas a las tropas que ya habían desembarcado. (*Se encamina al Coro de Miami. Dos miembros del Coro de La Habana, sin máscaras, reaccionan, indagando por seres queridos. En la lejanía se escuchan quejidos, protestas, confusión general.*)
MUJER # 1.— (*A una persona invisible.*) Pero, mire, señor, me dijeron que lo trajeron para acá, para el teatro "Blanquita".
HOMBRE # 1.— (*A una persona invisible.*) Lo único que sé es que cuando llegó a la oficina se la llevaron. En la estación de policía me mandaron al Instituto y de allá me dijeron que preguntara aquí en el Palacio de los Deportes.
MUJER # 1.— (*A la misma persona invisible.*) Su nombre es Gonzalo Navarro. Acaba de cumplir diez y nueve años y es mi único hijo.
HOMBRE # 1.— (*A la misma persona invisible,.*) Busque en la lista que usted tiene. A lo mejor está aquí. Mis hijos no hacen más que preguntar por su madre. Su nombre es Ana María Varona.

MUJER # 1.— (*A la misma persona invisible.*) Yo nada más quiero saber si está aquí, para quedarme tranquila. Yo sé que hay muchos detenidos pero si usted me averigua yo espero.

HOMBRE # 1.— (*A la misma persona invisible,.*) Por favor, compañero, tenga compasión de mis hijos, Me he pasado todo el día buscando a mi mujer y ya tengo que regresar a mi casa... Por favor... (*El hombre y la mujer permanecen estáticos. El ruido de gritos y protestas es ensordecedor. Silencio absoluto. Los dos regresan al Coro de La Habana y se ponen sus máscaras. El Reportero al llegar frente al Coro de Miami, gira y se transforma en el otro Reportero. Nuevamente las primeras palabras en inglés.*)

REPORTERO.— *Good evening. This special report is brought to you by Excedrin.* El Consejo Revolucionario Cubano en Miami ha informado que se ha llevado a cabo con gran éxito un desembarco de hombres, equipos y suministros en la zona de Bahía de Cochinos. Venciendo la poca resistencia de las milicias, sustanciales cantidades de municiones han sido llevadas a los grupos de resistencia interna que combaten activamente en tierra cubana. El portavoz de esta organización asegura que en breves semanas la fuerza invasora controlará todo el país. (*Dos miembros del Coro de Miami, sin máscaras, dialogan.*)

MUJER # 1.— ¿No te pudiste comunicar?

MUJER # 2.— No. No sé si todas las líneas estaban ocupadas o si desconectaron los teléfonos, pero me pasé toda la noche tratando de llamar y no pude.

MUJER # 1.— Quizás hoy tengas más suerte.

MUJER # 2.— No sé que hacer. Esta incertidumbre me está matando. No sé si está bien o si se lo llevaron preso... Yo debí haberme quedado allá.

MUJER # 1.— ¿Y dejar a tu padre y a tu madre que vinieran solos para este país? Tú hiciste bien en venir para acá.

MUJER # 2.— Pero él es el hombre a quien quiero. Mamá y papá ya tienen familia aquí y él allá se ha quedado solo... Solo... porque él con la suya no puede contar. Tú no sabes como lo mortificaron cuando nos hicimos novios... (*Imita una voz.*) "Alberto se quiere casar con una gusana"...

MUJER # 1.— Si su familia está con el gobierno, no le harán nada.

MUJER # 2.— Que te crees tú eso... Allá no están creyendo que tú eres pariente de nadie... Allá te matan si les da la gana.

MUJER # 1.— No le va a pasar nada, ya verás.

MUJER # 2.— (*Casi en un susurro.*) Dios lo quiera. (*Regresan al Coro de Miami y se ponen sus máscaras. El área del Coro de Miami se envuelve en penumbras.*)

CORO DE MIAMI.— ¿Qué es lo que sucede?
¿Por qué esta constante
duda que nos devora?
No nos persuaden las
voces que cantan victoria,
ni se quebrantan
nuestras tribulaciones.
Castillos de arena que el mar emborrona.
¿Por qué cantan muerte las olas?
¿Por qué se viste de rojo
el estandarte gallardo
que la bandera enarbola?
(*Explosiones. Silencio. La penumbra se hace más clara, casi brillante. Se escuchan ritmos de bongó y tambor. La corte de Ochún la precede con danzas y pantomimas. Ochún aparece sentada en un palanquín sostenido por cuatro hombres, vestidos con guayaberas. Cuatro mujeres, vestidas en blanco, sostienen un palo o dosel que cubre el palanquín. Los miembros de la corte anuncian su llegada.*)
MIEMBROS DE LA CORTE.— *Gua ko ma to ko*
Gua ko ma to ko
Gua ko ma to ko
Qué viene la reina madre. (*Continúa como un susurro.*)
CORO DE MIAMI.— Es la reina, es Ochún,
es la diosa de aguas dulces.
En su alma y en su amor
nuestra zozobra reposa.
Es su pureza inviolable
tan bella como las rosas.
Bendita diosa del cielo,
del sacrosanto Changó,
esposa, viuda sagrada,
madre de Taebo y Kainde,
trae con tu presencia
una eterna alborada.
Yeye Kari, mbamoro, ofi hereme
Ogwa kokuasi. Ago.
(*Ahora directamente a Ochún.*)
Bienvenida, Ochún,
madre criolla, Cacha de amor,
vientre divino y virginal,
vientre de luz, vientre de paz,
porque las sombras del llanto
nublan tu paz.

(*Ochún desciende de su palanquín.*)

OCHÚN.— (*Saluda al Coro.*) *Alafia Baba re...* La paz es el padre de la amistad.

CORO DE MIAMI.— (*Contesta el saludo.*) *Ochún chekeche, afigueremo.* Paz a la virgen de oro.

OCHÚN.— (*Después de un breve pausa.*) Desde muy temprano camino en tinieblas... Un temor vago y mal definido llena de crueles sospechas mi corazón.

CORO DE MIAMI.— ¿Qué sabes, diosa? ¿Qué sabes, Ochún?

OCHÚN.— Por más que he tratado
los caracoles no quieren hablar.
Biague a vuelto a morir
y su hijo adoptivo reclama
miseria, sangre y dolor.
El tablero de Ifá se resiste en contarme
la suerte que corren todos mis hijos,
dos de ellos son mi carne y sangre,
y la pena y la duda quieren matarme.
Las olas auguran un mar de tormentas
y aunque hay algunos que noticias nos cuentan
los malos presagios mi alma no ahuyenta.

CORO DE MIAMI.— La misma incertidumbre también
a nosotros nos tienta.

OCHÚN.— Pueblo querido, miedo de saber tengo y es quizás preferible quedarse sorda para no oír. En los brazos de Changó quisiera estar y pensar que nada ha sucedido. Pero él ya se fue a ver a los dioses en una visita eterna y jamás volverá. Sólo en su recámara encuentro el calor que necesito para calmar este miedo tan grande.

CORO DE MIAMI.— Tu miedo es el nuestro.

OCHÚN.— Cuando todo esto comenzó a suceder, algo sentí muy dentro de mí, mil navajas cortándome el corazón y abriéndome la carne sin misericordia, haciendo mi sangre brotar en torrentes, galerna sangrienta que empujaba mis labios en oración. Mis manos apretaron mi pecho, fuerte, muy fuerte, ante el espectro siniestro de un desconocido terror, en un vano intento de acallar la pena que mata.

CORO DE MIAMI.— Ordena a los ríos que corran de nuevo para que seas feliz.

OCHÚN.— Sería inútil porque esta mañana comprendí mi dolor. Dijo un hombre muy sabio “todo reino dividido en facciones será desolado, y cualquier casa dividida en dos bandos, no subsistirá”. Divididos estamos, en facciones violentas y azotados por la agonía de un pueblo que toma forma dentro de mí. ¿Es esto una locura o sólo temor?

CORO DE MIAMI.— Nosotros también, Ochún divina, hemos sentido el dolor.

OCHÚN.— ¿Y qué significa? ¿Están los orishas cantando victoria o es la desgracia que vuelve a nacer?

CORO DE MIAMI.— No lo sabemos. Tu presencia nos calma,
Ochún de los cielos.
Es muy difícil esta soledad
cuando en tiempo de guerra
el mundo responde con fatal mezquindad.
(*Comienza a escucharse el ritmo monótono de un tambor que acompaña a los condenados a muerte.*)

OCHÚN.— Hubo un entonces cuando la suerte solía sonreír por la gloria y la gracia de nuestro Changó. Aquel mundo que llenó nuestras vidas, todos nuestros sentidos, parecía que nunca se podría acabar. Fueron tiempos de esplendor. (*Un asistente de escena saca una pequeña carreta, de las que se usan para recoger caña, y la coloca al lado del Coro de La Habana. Esta carreta se usará como las que se usaban durante la Revolución Francesa para llevar a los condenados a la guillotina.*)

OCHÚN.— (*Continúa*) Quizás en nuestra ceguera nos fuimos en un desvarío más alla de la línea sagrada trazada en el cielo que no debimos cruzar. (*El martilleo del tambor continúa. Kainde aparece con las manos atadas y se sube en la carreta. Dos miembros del Coro de La habana harán como caballos que halan la carreta y lo pasean por su área escénica. El otro miembro del Coro, en pantomima, grita improperios "mudos".*).

OCHÚN.— (*Continúa*) En nuestra ignorancia creamos un ídolo, extraña criatura, poderoso becerro de oro con barbas al cual adoramos y que ahora corre y embiste, patea y golpea, y con sus cascos de hierro nos atropella y al galopar nos echa tierra y polvo en el rostro y no lo podemos amaestrar. (*Los miembros del Coro de La Habana sacan la carreta y regresan a tomar sus puestos. El tambor cesa.*)

OCHÚN.— (*Continúa*) Si Changó me escuchara... Soy una reina, hembra, mujer y no tengo la omnipotencia de poder cambiar los destinos. Ni siquiera tengo el consuelo de tener a mis hijos cerca de mí.

CORO DE MIAMI.— ¿Qué podemos hacer para aliviar tu dolor?

OCHÚN.— Queridos amigos, el solo estar con ustedes calma mi augusta ansiedad. Quizás no le deba temer a ese sueño que todas las noches parece volver.

CORO DE MIAMI.— ¿Qué sueño?

OCHÚN.— Un sueño, que al comenzar, me transportó a empíreo recinto. Como flotando en el viento, vestida de flores, rodeada de palmas, a mis oídos susurraba un danzón. (*Las cuatro parejas, bailando, la rodean.*) Bañado en los cálidos aromas de un sol tropical, mi corazón latía convertido, por magia, en un instrumento musical que dejaba escapar las más bellas notas. (*Por un momento se recrea en su sueño.*) Todo era fiesta, todo alegría. De los árboles colgaban las más dulces frutas y mi preferida, el canistel. Por todas partes se pavoneaban los pavos reales con bellos plumajes de un verde esmeralda, con visos de oro y azul. Era un lugar tan bello y hermoso que, hipnotizada, decidí, para siempre no dejarlo jamás. (*Un relámpago. Las parejas se separan y cesa la música del danzón. Hay un cambio de luces. La iluminación es ahora tenue, como la del anochecer.*)

OCHÚN.— (*Continúa.*) De repente, como siempre llega, la oscuridad, profunda, callada, pero no siniestra. Vestida de galas, de negro, de gris, pero no tenebrosa. (*Otro relámpago esta vez acompañado de un trueno.*) Era una oscuridad tranquila, de la que, inesperadamente, salieron dos criaturas odiándose a muerte. (*Un miembro del Coro de Miami se coloca una máscara con plumas y un afilado pico. Un miembro del Coro de La Habana es cubierto por una piel de oso.*)

OCHÚN.— (*Continúa.*) Un águila de ojos temibles que extendió sus alas queriendo al mundo cubrir. (*El actor con la máscara da un salto, separándose del Coro y extiende sus brazos como alas.*)

OCHÚN.— (*Continúa.*) Un oso, de garras y uñas de acero, tan grande como una montaña. (*El actor con la piel de oso da un salto, separándose del Coro. Ambas figuras se encuentran en el centro de la escena, frente a frente, para entablar un combate.*)

OCHÚN.— (*Continúa.*) El águila clavó su pico y el oso su garra, y la sangre corrió en arroyos de odio y furia. (*Los miembros de los Coros de Miami y La Habana gesticulan a favor de su contrincante. Las parejas que batallaban rodean a Ochún. Se escuchan ruidos de platillos sincronizados con la batalla del águila y el oso.*)

OCHÚN.— (*Continúa.*) No me pude mover. Inútilmente, traté de escapar de aquel terrible momento. Rodeada de gente, de un estruendo brutal, cada uno apostaba por su favorito, cuando gallardos, valientes, aparecieron mis hijos, Taebo y Kainde, con el alma de un pueblo en busca de justicia y paz. (*Taebo y Kainde aparecen, impecablemente vestidos como mambises cubanos con sombreros, polainas y machetes.*)

OCHÚN.— (*Continúa.*) El mundo guardó silencio y decidió esperar. (*Los miembros de los Coros cesan toda gesticulación. Las parejas que rodeaban a Ochún se separan, dando una sensación de amplitud. El aguila y el oso permanecen estáticos.*)

OCHÚN.— (*Continúa.*) Majestuosos, montan en sus carruajes y firmes las riendas sostienen. (*Taebo y Kainde realizan la pantomima de ponerle riendas al águila y al oso.*) Dóciles, oso y águila, águila y oso, parecen ceder. Hay una esperanza, un momento de paz. Mañana todo será diferente. (*De repente, pandemónium. Ruidos, gritos, alaridos, relámpagos. La escena toma intensos tonos rojos. El oso revira y ataca a los hijos de Ochún. El águila, indecisa, se retira hacia el Coro de Miami y se quita la máscara.*)

OCHÚN.— (*Continúa.*) Pero no. No. El oso se alza, se suelta y ataca y mis dos hijos son pisoteados como si fueran los desperdicios de una raza vil. El águila vuela y escapa... Escapa muy lejos dejándolos solos. (*Taebo y Kainde, derrotados, son hechos prisioneros por los miembros del Coro de La Habana, que los sacan de escena. El oso se quita la piel y recupera su posición en el Coro. Una vez que los miembros del Coro de La Habana han sacado de escena a los hijos de Ochún, regresan a tomar su posición original.*)

OCHÚN.— (*Continúa.*) Busco en periódicos, en la televisión, en palabras confusas que no saben decir lo que está sucediendo. Sólo en mi sueño quizás está la respuesta. (*Ochún se acerca al área donde originalmente estaban sus hijos al comienzo de la obra.*) En una playa desierta los veo sangrar. Comidos por jejenes y los mosquitos, a la suerte del viento, de las olas del mar, pidiendo la ayuda que nadie les da, con la sombra del padre, Changó, en los cielos, y los ojos tristes de tanto llorar. (*Ochún regresa frente al Coro de Miami. La escena queda como antes del sueño.*) Me despierto temblando. Tengo que hacer algo, es mi deber de madre, pero, ¿qué puedo hacer? Si supiera que es lo que tengo que hacer quizás sería posible volver a empezar... (*El ayudante de escena coloca más cruces frente al Coro de La Habana.*)

OCHÚN.— (*Continúa. Angustiada.*) Una ofrenda... una ofrenda a los dioses, pero primero debo lavar de mis manos el estigma maligno de mi sueño. Y corro al jardín, entre las palmas de penachos reales y flores de grana, y cañas muy verdes que bailan al viento su danza de miel. Pero... horror... no encuentro al arroyo de mi tierra adorada donde corría constante un manantial. Sí... ahí está su lecho, pero no hay agua, ni siquiera un murmullo. Y grito, gritos muy grandes. ¡Olodumare! ¡Olorún! ¿Dónde está mi arroyo? Y vuelvo a gritar, ¡Olodumare! pero no responde. ¿Por qué, por qué Olodumare no me contestas? ¿Por qué mis frutas se han convertido en sal? ¿Por qué mis flores no tienen aroma, no tienen color? ¿Qué pecado tan grande he cometido? ¡Olodumare! ¿Por qué me torturas? (*El Reportero, frente al Coro de Miami, se dirige al público.*)

REPORTERO.— El dirigente soviético, Nikita Kruschev, ha enviado una carta de protesta al Presidente Kennedy con referencia a la agresión armada contra Cuba, según un comunicado de la Embajada de la Unión Soviética en Washington. El mensaje acusa directamente a los Estados Unidos de haber adiestrado, equipado y armado a las fuerzas de los exiliados cubanos y agrega que su país hará lo que sea necesario para rechazar la agresión contra el gobierno revolucionario cubano. (*Se encamina hacia el Coro de La Habana.*)

CORO DE LA HABANA.— (*En ruso.*) *¡Ruki proch Kubi! ¡Ruki proch Kubi! ¡Ruki proch Kubi*! (*El Reportero ha llegado frente al Coro de La Habana y al dar una vuelta se convierte en un Reportero cubano.*)

REPORTERO.— Llegó a La Habana el ex-presidente de México Lázaro Cárdenas para expresar su solidaridad con nuestra revolución socialista en este momento en que es agredida por el imperialismo norteamericano. Nuestro Ejército Rebelde continúa aniquilando a los invasores de la Bahía de Cochinos. El Presidente Kennedy, en respuesta a un comunicado de la Unión Soviética, niega hipócritamente que los Estados Unidos está involucrado en la invasión.

CORO DE LA HABANA.— ¡Cuba, sí. Yankees, no! ¡Cuba, sí, Yankees, no! ¡Cuba, sí. Yankees, no!

CORO DE MIAMI.— No llores, señora. No llores, Ochún.

MIEMBRO DEL CORO DE MIAMI # 1.— Muy pronto habrá una noche para los soñadores que será más radiante que el día...

MIEMBRO DEL CORO DE MIAMI # 2.— Y allá en las costas, donde la arena es de oro, habrá un alba con un despertar más fulgente que en los rayos del sol.

OCHÚN.— Quizás mi vida no tenga sentido.

MIEMBRO DEL CORO DE MIAMI # 3.— Escrito está que los héroes hallarán su camino y sus nombres no serán olvidados y en un acto de gracia, sobre las piedras del tiempo, se levantará un milagro.

OCHÚN.— He oído los llantos en sueños y es necesario encontrar la verdad.

CORO DE MIAMI.— La encontraremos, Señora, y más nunca tus ojos tendrán que llorar.

OCHÚN.— El mundo parece que se ha convertido en la muerte misma, como si se quisiera vengar en la inocencia de mis hijos.

CORO DE MIAMI.— ¿Qué han hecho tus hijos que el mundo quiera vengar?

OCHÚN.— Nada. Son simplemente hijos nuestros y es suficiente. (*Breve pausa.*) Los que podían cuando tuvieron tiempo no reaccionaron... Vieron los rostros hambrientos y las manos vacías y no supieron actuar. En palacios de mármoles y salones de plata, bebiendo licores de sangre con los ojos cerrados, no supieron criar al futuro.

CORO DE MIAMI.— No hables de eso. ¿Por qué te has de imputar un pecado si no fue tuya la culpa?

OCHÚN.— Amigos del alma... me deben jurar, que pase lo que pase, aún frente a mi muerte, que a mis hijos, Taebo y Kainde, los Ibeyi, no los negaron... Que las puertas de esta ciudad que nos ha dado refugio siempre permanecerán abiertas para darle cabida a los que vengan después... Si ellos fallan, si ellos fracasan, no fue delito de ellos. Juren.

CORO DE MIAMI.— Juramos, divina Ochún. Juramos.

MIEMBRO DEL CORO DE MIAMI # 1.— Taebo y Kainde siempre serán nuestros reyes, nuestros hijos, aunque esta guerra no haga nuestro sueño una realidad.

MIEMBRO DEL CORO DE MIAMI # 2.— Y que desamparado que venga huyendo, tocando a la puerta, encontrará albergue y un pedazo de pan.

CORO DE MIAMI.— Juramos, divina Ochún. Juramos.

OCHÚN.— Oremos ahora. (*Los miembros del Coro de Miami bajan la cabeza y juntan las manos mientras que los miembros de la corte de Ochún se arrodillan a su alrededor. Transición.*)

CORO DE LA HABANA.— El país ha sido invadido por odiosos grupos armados que asesinan en nombre de la libertad...

MIEMBRO DEL CORO DE LA HABANA # 1.— la equidad...

MIEMBRO DEL CORO DE LA HABANA # 2.— la paz...

MIEMBRO DEL CORO DE LA HABANA # 3.— Y los derechos humanos.

REPORTERO.— (*En el área del Coro de La Habana, hacia el público.*) Detenido en Oriente el Obispo Eduardo Boza Masvidal.

MIEMBRO DEL CORO DE LA HABANA # 1.— Persiguen el control del poder...

MIEMBRO DEL CORO DE LA HABANA # 2.— sangrientas venganzas...

MIEMBRO DEL CORO DE LA HABANA # 3.— y el regreso a los vicios de ayer.

REPORTERO.— Un tribunal revolucionario de la Fortaleza de Cabaña sancionó a treinta años de prisión por delito contra los poderes del Estado al ex-capitán de la policía Prisciliano Martín Vidal.

MIEMBRO DEL CORO DE LA HABANA # 1.— El ejército le ha hecho frente a esos cobardes.

MIEMBRO DEL CORO DE LA HABANA # 2.— ¿Y qué es lo que dice el Máximo Líder?

MIEMBRO DEL CORO DE LA HABANA.— Aún no ha hablado, pero hablará.

REPORTERO.— En Santa Fe, momentos antes de ser arrestado por un contingente de milicianos, el doctor Alfredo Botet se suicidó. En Pinar del Río continúa el juicio de cuarenta y cinco acusados por delitos contra el Estado. El fiscal pide la pena de muerte por fusilamiento para todos los acusados. (*Transición.*)

OCHÚN.— ... y que la mano generosa de Changó nos guíe e interceda ante los dioses para que esta lobreguez se torne en fulgor infinito.

CORO DE MIAMI.— *Asona...* (*Hombres y mujeres se ponen de pie.*)

OCHÚN.— Es triste recordar aquel día en que perdimos la risa, cuando fuimos despojados de toda esperanza. Fui sola frente al trono de verde y olivo y pedí a Ogún que me escuchara, pero se negó a recibirme. Le pedí clemencia por todos mis hijos. Me dijo por boca de un ayudante que yo era el opio del pueblo.

CORO DE MIAMI.— Excusas para darle la espalda a la verdad.

OCHÚN.— Pero, ¿qué es lo que quiere?

CORO DE MIAMI.— Lo quiere todo.

MIEMBRO DEL CORO DE MIAMI # 1.— Lo que crece en los campos.

MIEMBRO DEL CORO DE MIAMI # 2.— Lo que brilla en ciudades.

MIEMBRO DEL CORO DE MIAMI # 3.— Los que duermen en cuna.

CORO DE MIAMI.— Los que trabajan a fuerza y sudor para triunfar en la vida. Lo quiere todo.

OCHÚN.— Pero... ¿no tiene suficiente?

CORO DE MIAMI.— No. Quiere más. Lo quiere todo.

MIEMBRO DEL CORO DE MIAMI # 1.— Nuestro casabe.

MIEMBRO DEL CORO DE MIAMI # 2.— Nuestros libros.

MIEMBRO DEL CORO DE MIAMI # 3.— Nuestras tradiciones.

CORO DE MIAMI.— Lo quiere todo y quiere guerra, la que hoy le damos. Quiere vernos esclavos de sus ideas, quiere sacrificar nuestras almas.

MIEMBRO DEL CORO DE MIAMI # 1.— Bendita Ochún, madre del cielo, intentemos nuevamente la suerte de los caracoles. (*Ochún asiente. Se coloca una estera en el piso y un miembro del Coro extrae una pequeña bolsa con 16 caracoles. Se quita los zapatos y las mujeres de la corte le quitan los zapatos a Ochún. El miembro del Coro de Miami que va a tirar los caracoles hace invocaciones y sopla los caracoles. Después, hace que Ochún también los sople. Los caracoles se tiran sobre la estera. Comienza el ritual de tirar los caracoles.*)

MIEMBRO DEL CORO DE MIAMI # 1.— (*Salpica el piso con un poco de agua.*) *Omi tutu, tutu laroye, tutu ilé.*

CORO DE MIAMI.— *Asona.*

MIEMBRO DEL CORO DE MIAMI # 1.— Olodumare *ayuba.*

CORO DE MIAMI.— *Asona.*

MIEMBRO DEL CORO DE MIAMI # 1.— *Kosi iku, kosi ano, kosi eyo, kosi ofo. Ariki babagwa.*

CORO DE MIAMI.— *Asona.* (*Mientras el Coro de Miami se prepara a tirar los caracoles, simultáneamente, el Coro de La Habana se prepara para tirar el coco, otro método de adivinación.*)

CORO DE LA HABANA.— *¡Biague! ¡Biague!* ¡Olofín te dio el coco, te dio el don! ¡Tú eres la fe! ¡Cuenta el futuro de la revolución! ¡Los pedazos de tu fruto tú sabrás descifrar! (*Un miembro del*

Coro de La Habana muestra cuatro pedazos de coco seco. Otro miembro del Coro saca un jícara con agua donde se lavarán los cuatro pedazos de coco. Después, el miembro del Coro hace invocaciones mientras que pasa por encima de los cuerpos de los otros miembros los pedazos de coco. Los pedazos se tiran en el piso.)

CORO DE LA HABANA.— *Omi tutu ogún, omi tutu a mi ileis, Olodumare modupues... Boguo yguoro iyalocha babaloche babalao oluo iku embelese ybae baye tonu... Boguo yguoro ache semilenu, cosi iku, cosi ano, cosi allo, cosi ofo, aricubaagua.* (*La acción se desarrolla en ambos Coros en forma alternativa durante el proceso de la adivinación.*)

CORO DE MIAMI.— Los caracoles todo lo cuentan
y saben contar grandezas.
Los caracoles saben llorar tristezas,
en los caracoles está la respuesta.
La niebla ha descendido,
vestida de negro y grana
y en su negrura se pierde
aquel río de esperanzas
que un brillo en la montaña.

CORO DE LA HABANA.— Se huele la pólvora fresca
que revienta en las playas
y mientras el coco cuenta
que estamos en guerra franca.
Tanques, helicópteros, prisioneros,
ya la puerta se ha cerrado.
De los camisones de seda
y las chinelas bordadas
sólo quedan los escombros
de harapos y carne quemada.
(*El miembro del Coro de Miami tira los caracoles sobre la estera y los escruta.*)

OCHÚN.— ¿Qué dicen? Dime...

MIEMBRO DEL CORO DE MIAMI # 1.— *¡Eyioco!* Dos caracoles con su abertura natural hacia arriba. Lucha de hermanos. La traición anda en la casa. (*El miembro del Coro de la Habana tira los cocos en el piso.*)

MIEMBRO DEL CORO DE LA HABANA # 1.— Tres pedazos con la parte blanca hacia arriba y un pedazo con lo oscuro hacia abajo. *Otague.* Es posible... muy posible.

OCHÚN.— Haz otro esfuerzo... hoy más que nunca necesitamos una respuesta.

Miembro del Coro de Miami # 1.— (*Recoge los caracoles y vuelve a tirarlos.*) *Oggunda*. Tres caracoles hacia arriba. Discusión y tragedia. Ogún está presionando a los dioses y va a llover sangre.

Coro de La Habana.— Otra vez.

Miembro del Coro de La Habana # 1.— (*Recoge los pedazos de coco y los vuelve a tirar.*) Un sí rotundo, definitivo. La victoria es nuestra. *Eyife*. Dos pedazos blancos hacia arriba y dos hacia abajo.

Coro de Miami.— Se escucha el estruendo de balas.

Con el morral al hombro
niños descienden las escalinatas
y se van a gritar muerte o patria
con los que se reúnen en la plaza.
Ha muerto la democracia.

(*Las luces parpadean. Se escuchan truenos. El viento sopla fuertemente. Relámpagos. Gran conmoción. Los caracoles, la estera y los cocos son recogidos. Ochún y el Coro de Miami miran hacia el Coro de La Habana, como si estuvieran viendo en la televisión lo que sucede en esa área de la escena. Un breve momento de oscuridad. Ogún aparece frente al Coro de La Habana. Al aparecer, todos los miembros del Coro se arrodillan en señal de adoración. Ogún indicará con un gesto que se levanten. Después, el Coro reaccionará, de acuerdo como lo indique la dirección escénica, con aplausos, vítores, etc.*)

Coro de La Habana.— *Oggún nakobie kobu kobu. Alawewre owo. Oggún yumusu. Oggún finamalu. Eweleyein, anadoro.*

Ogún.— Amigos, camaradas, compañeros.

La pugna que nos envuelve
muestra con diáfana claridad
lo que es el imperialismo.
No pueden aceptar la realidad
de nuestro socialismo
frente al país más poderoso.
La expedición de los mercenarios
debe servir de aviso
a los contra-revolucionarios.

No habrá poder en el mundo
que pueda vencer nuestra revolución.
No habrá clemencia alguna
que pueda salvar a estos desventurados.
El destino habrá de cumplirse
y será cruel con aquellos
osados que pretendieron ultrajar
nuestros caminos, nuestro comulgar.

Se dicen castos y son corrompidos,
ladrones, malversadores,
estafadores y asesinos.
En su audacia y jactancia
quieren ocultar su delito,
la invasión de esta tierra
con sus amigos del norte.

Los que se han atrevido a entrar
serán perseguidos y ajusticiados,
abandonados más allá del horizonte
para que paguen el odio que me inspiran.
El resto, no morirá fácilmente
si es que se lo han propuesto,
pues un desenlace presto
es lo más grato para el infeliz.

Errantes, lejos de la patria,
pasarán tristes su vida,
sin, del regreso, la esperanza,
esclavos en una tierra extraña.
Viva la revolución socialista.
Patria o muerte. Venceremos.
(*Grandes vítores. Estruendos. Relámpagos. Breve oscuridad. Ogún desaparece. El Coro de La Habana recupera su compostura.*)

REPORTERO.— (*Hacia el público.*) Estamos en la Plaza de la Revolución donde aún se está celebrando una manifestación popular en contra de la invasión imperialista de Playa de Girón. (*A un miembro del Coro de La Habana que se ha quitado la máscara.*) ¿Qué cree usted del desembarco de tropas mercenarias en el territorio nacional?

MIEMBRO DEL CORO DE LA HABANA # 1.— Yo creo que hay que contestarles con hierro y fuego a esos bárbaros que nos desprecian y que pretenden hacernos regresar al tiempo de la esclavitud. (*Regresa al Coro y se coloca su máscara.*)

REPORTERO.— (*A otro miembro del Coro sin máscara.*) ¿Cree usted que el gobierno de Estados Unidos es el responsable de esta invasión.?

MIEMBRO DEL CORO DE LA HABANA # 2.— Sí, señor. Y se han buscado este problema por falta de sentido común. Ahora tendrán que enfrentarse al descrédito. Es la cosa más ridícula ocurrida en la historia de los Estados Unidos.

MIEMBRO DEL CORO DE LA HABANA # 3.— (*Impaciente, casi interrumpe con su comentario que va más dirigido al público que al Reportero, permitiendo que éste haga su transición. Antes de hablar se ha quitado su máscara.*) Es el comienzo del final del imperialismo. Porque el imperialismo va a desaparecer. Cada año que pasa es un año menos para el imperialismo. El imperialismo está llamado a morir en menos de treinta años a manos de países como el nuestro. (*Los dos miembros del Coro regresan a su posición y se colocan sus máscaras. Durante este comentario el Reportero se ha trasladado al Coro de Miami mientras que se escuchan voces.*)

VOCES.— ¡Una medianoche para llevar y un batido de fruta bomba! ¡Dos croquetas preparadas y un sandwich cubano!

REPORTERO.— (*Al público.*) En los últimos días este restaurante se ha convertido en el punto de reunión de los exiliados cubanos y aquí nos encontramos para recoger sus impresiones. (*A un miembro del Coro de Miami, sin su máscara.*) ¿Qué sabe usted de lo que está sucediendo en Cuba en estos momentos?

MIEMBRO DEL CORO DE MIAMI # 1.— Lo que leo en los periódicos. Dicen que la fuerza invasora ya ocupó la ciudad de Pinar del Río y que en Isla de Pinos pusieron en libertad a más de diez mil prisioneros políticos.

REPORTERO.— En Cuba se acusa al gobierno de Estados Unidos como intervencionista.

MIEMBRO DEL CORO DE MIAMI # 2.— (*Anticipa un comentario antes que el Reportero pueda hacer su pregunta definitiva. Sin máscara.*) El gobierno de Estados Unidos tiene la responsabilidad de prestar la ayuda necesaria y respaldar, como sea, a nuestros hermanos.

REPORTERO.— ¿Cree usted que los Estados Unidos asumirá esa responsabilidad?

MIEMBRO DEL CORO DE MIAMI # 3.— (*Sin máscara.*) Si no, las consecuencias serán desastrosas para un pueblo que lleva años luchando por su libertad. (*Todos se colocan las máscaras. Por el área del Coro de Miami, entra Elegguá, el mensajero, mientras que el ayudante de escena coloca otras cruces frente al Coro de La Habana.*)

ELEGGUÁ.— (*Al entrar hace una reverencia.*) Hoy la suerte es triste y muy difícil de contar.

CORO DE MIAMI.— *Laroye, akiloye, agguro tente onu. Apawura akama sese. Areletuse abamula omobat. Toni kan ofo. Omoro ELEGGUÁ. Oyone alayiki. Ago.* (*El Coro hace una reverencia.*)

Elegguá, viejo dios de los yorubas,
mensajero de los dioses,
guardián de los caminos,
tú tienes la influencia

para cambiar la suerte
para cambiar el destino.
¿Qué sucede? ¿Qué noticias?
¿Qué eventos de desgracias
o venturas nos esperan?

ELEGGUÁ.— Ya todo ha concluido
y la tierra que amamos
es hoy una enorme celda.

CORO DE MIAMI.— Cuenta lo que sabes,
enumera los detalles,
¿dónde está mi padre?
¿dónde mis hermanos?
¿Qué se ha hecho
de ese grupo de valientes
que fue a rescatar la patria?

ELEGGUÁ.— Destruidos... aniquilados
Si pudiera contar otra historia,
la pena y el dolor que mi pecho abrasan
contaría de grandes victorias,
contaría de grandes batallas...
Pero ha sido un esfuerzo falso,
hoy, ni un alma queda en la costa
y la estrella ya sufre el cadalso.

CORO DE MIAMI.— Quizás tus noticias no sean ciertas
quizás no has sido bien informado.

ELEGGUÁ.— Con mucho pesar, lo siento...
Ojalá pudiera contarles
que mañana nace otra aurora.

CORO DE MIAMI.— (*A Elegguá.*) Nuestra fuerza es la fuerza del cielo.

CORO DE LA HABANA.— (*Al Coro de Miami.*) Vuestras fuerzas son las fuerzas de sierpes.

CORO DE MIAMI.— (*A Elegguá.*) Nuestro anhelo es sólo justicia.

CORO DE LA HABANA.— (*Al Coro de Miami.*) Vuestro anhelo es imperialista.

ELEGGUÁ.— Vengo de la playa de los muertos
donde nuestros hijos no pudieron
contener el empuje del tirano.
Abandonados a su suerte,
los pechos abiertos,
los vientres sangrando,
sumidos en el desconcierto,
el dolor, callando,
sin armas, ni lanzas, ni escudos,
ni aviones, ni tanques

solos, tristes, desvalidos,
a merced de los barbudos.

CORO DE MIAMI.— ¡Imposible! ¡No es cierto!
Nos prometieron refuerzos,
Nos juraron apoyo.

ELEGGUÁ.— Mis palabras no mienten. Nuestras fuerzas yacen a la voluntad de las tempestades.

CORO DE MIAMI.— Habla y cuenta. (*El rumor de un tambor acompaña el relato.*)

ELEGGUÁ.— La brigada de héroes luchó sola, con un inventario de armas que no fue suficiente para hacerle frente a las tropas de La Habana. El ataque fue repelido con aviones que Britania había vendido al país hace tiempo, ahora en manos socialistas. Nuestros amigos voltearon el rostro mientras que soldados y milicianos prácticamente esperaban a los invasores. (*El tambor continúa.*)

CORO DE MIAMI.— ¡Maldito sean! ¡Malditos!

MIEMBRO DEL CORO DE MIAMI # 1.— Malditos sean los que viven y comen y duermen en Washington, donde promesas, vanas palabras, jamás se cumplieron.

MIEMBRO DEL CORO DE MIAMI # 2.— ¡Malditos sean! Son ellos los que nos han robado a los hijos que lanzaron en ciega batalla.

MIEMBRO DEL CORO DE MIAMI # 3.— ¡Malditos sean! ¿Cómo contarle a una madre, a una esposa, que el ser querido jamás volverá? (*El rumor del tambor cesa.*)

OCHÚN.— Hasta ahora he guardado silencio. No hay palabras en mi garganta, y mi corazón moribundo no puede llorar. Habla, Elegguá. Dime los nombres de los que han perecido. Quiero saber el nombre de todos mis hijos. (*Con cada nombre se escucha un estallido o una explosión. Al mismo tiempo, cada vez que se escucha el estallido, una luz ilumina una de las cruces frente al Coro de La Habana. Las mujeres de la corte de Ochún sollozan calladamente.*)

ELEGGUÁ.— Julio Acosta Ruiz... Benito Blanco Cruz... Ovidio Camejo López... Antonio Díaz Pou... Omar Guerra Gutiérrez... (*Un momento de silencio.*)

CORO DE MIAMI.— (*Paulatinamente bajan la voz hasta quedar en absoluto silencio.*) Carlos Julián Padrón... Mario Oropesa Delgado... Manuel Rionda del Monte... Ambrosio Soler Estrada... Víctor Manuel Vila Acebal... (*Un momento de silencio.*)

OCHÚN.— ¿Y mi sangre? ¿Qué se ha hecho de mi sangre?

ELEGGUÁ.— Taebo quizás vive pues pudo escapar. Kainde... está prisionero.

OCHÚN.— Entonces mi casa no puede vestirse de luces.

ELEGGUÁ.— Muchos yacen pudriéndose al sol,

incinerados con fuego, metralla y sal,
porque el hombre sabe matar
y cuando mata su saña es peor que la bestia.

OCHÚN.— Mi alma se quiebra...
Dime, Elegguá,
Dímelo todo.

ELEGGUÁ.— Por horas y horas sólo el silencio,
todos callados, sin poder exclamar
ni una palabra, ni un soplo...
Nuestro débil refugio
fueron las dunas de arena...
Viviendo en la angustia
del calor, una colmena
de hombres heridos, sedientos,
acribillados por balas e insectos,
en una playa hecha de fango,
un pantano que al parecer
quería devorar a los invasores.
Imágenes de triunfo
en nuestras cabezas,
espejismos de gloria
que se tragaba el sol
minuto a minuto.
Y el sueño, quizás ilusión
delirio, ficción,
de regresar a las casas,
a nuestros hogares.

Esperando las naves del cielo,
los aviones, las bombas,
el grito de guerra para avanzar.
Pero nuevamente el silencio,
el cielo desnudo,
sin aves, en una paz misteriosa
que nos hizo temer lo inevitable.
De repente, con la luz y la aurora,
mil estallidos, mil explosiones,
el rugir del monstruo de rojo
comenzó a devorarnos.

Del pantano, del océano,
por las guardarrayas,
un sonido temible
como si Ogún,

oricha del hierro y la guerra
le dijera a Changó que puede pasar,
retándolo a un duelo.
Ogún, que en las batallas
jamás queda atrás,
siempre en vanguardia,
con su espada
repitió su grito de guerra:
"defiéndanse que los voy a matar".
De su cuello colgaba
su cadena de hierro
con sus siete metales:
una flecha, un yunque, un pico,
un hacha, un machete,
un martillo, una hoz.

Nosotros desnudos,
apuntamos los rifles
y las metralletas
a un enemigo tan fuerte
como la ceiba,
sin ayuda alguna.
Nos fue rodeando,
como la boa que aprieta
y aprieta y aprieta,
y aunque uno intenta
salir de su puño
jamás lo logra.

Si hablara día y noche,
por años y siglos,
jamás podría acabar
de contar el martirio
de la derrota.
Si a un ciego, o a un sordo
o a un cojo, o a un manco,
se le abandona en un pantanal,
sin armas, sin agua,
sin comestibles,
cualquiera lo puede allanar
con el hierro de Ogún.

CORO DE MIAMI.— ¡Aciago oricha!

OCHÚN.— Quizás algún día los responsables de este engaño, de esta traición, sepan el dolor causado.

MIEMBRO DEL CORO DE MIAMI # 1.— Jamás los sabrán porque no les importa.
MIEMBRO DEL CORO DE MIAMI # 2.— Somos un pequeño punto en su infinito político.
MIEMBRO DEL CORO DE MIAMI # 3.— Somos un pueblo partido en dos sin voz en el mundo.
CORO DE MIAMI.— Ni nuestros muertos,
ni nuestros gritos,
ni nuestros presos
son importantes.
OCHÚN.— Porque si lo fuésemos y el mundo tuviese vergüenza nuestra causa hubiese triunfado.
ELEGGUÁ.— Pero el tiempo que todo lo cura
sanará las heridas,
nos dará la razón,
calmará los vientos,
libertará a la nación.
OCHÚN.— Para una madre no existe ni tiempo, ni lógica, ni razón. (*Con dolor.*) No... No... No... Terrible mañana la de esta mañana, vestida de noche, con truenos, centellas y rayos. (*Alza los ojos al cielo.*). Ay, Olodumare, dios yoruba, creador de todo lo que existe, líbrame de esta horrible visión. Nunca mi alma ha sentido este miedo, este horror, saber que mis hijos, el alma de un pueblo, yacen destruídos sin una esperanza. (*Breve pausa.*) Oh... Elegguá... mensajero de malas nuevas... me has traído la muerte.
ELEGGUÁ.— Perdón, mi señora... Solamente he contado la verdad.
OCHÚN.— Marcha a tu familia y llora con ella. (*Elegguá hace una reverencia y sale. Breve silencio.*)
OCHÚN.— ¡Ay, mísera de mí! ¿A quién he de gritar para que me escuche? ¿De qué servirán mis voces a mis lágrimas? ¿Dónde habrá un dios, un gobierno, o quizás algún genio que socorra? ¿Qué nos espera? ¿Qué nos queda? Una bandera de franjas y estrella hecha jirones en Playa de Girón. Debo rezar y acudir a los templos, llegar al altar y doblegar las rodillas y pedir perdón ante Olodumare. Invocarle a los dioses que están en el cielo que no me arrebaten mis hijos. (*Lentamente se sienta en el Palanquín y acompañada de su corte abandona la escena. Los miembros del Coro de Miami se ponen unas túnicas y máscaras negras. Un ayudante de escena les entrega, a cada uno, una vela encendida. En la lejanía se escuchan cánticos. La procesión se encamina hacia el área de la escena que sirvió de playa al comienzo de la obra.*)
CORO DE MIAMI.— (*Mientras se encamina al área indicada un miembro del Coro recita unas letanías y el resto responde.*)

Señor, misericordia.
Olodumare, misericordia.
Olorún, oídnos.
Olofín, escuchadnos.
Obatalá, que eres razón y justicia, ten piedad de nosotros.
Orúnmila, que todo lo sabes, ten piedad de nosotros.
Oyá, dueña de los cementerios, ten piedad de nosotros.
Yemayá, diosa de las aguas, ten piedad de nosotros.
Babalú-Ayé, que sabes del dolor humano, ten piedad de nosotros.
(*Al llegar al área de la playa, se arrodillan.*)
La tierra donde nacimos
está rodeada de playas.
El exilio que vivimos
está rodeado de playas.
Los hijos que perdimos,
los perdimos en una playa.

MIEMBRO DEL CORO DE MIAMI # 1.— Desde lo más profundo de nuestro ser, he clamado a Vos, oh, Señor. Señor, escucha nuestra oración, ¿por qué nos has abandonado?

MIEMBRO DEL CORO DE MIAMI # 2.— Oh, dios de los cielos y los infiernos, furioso padre, ¿por qué no nos has permitido aplacar tu ira?

MIEMBRO DEL CORO DE MIAMI # 3.— ¿Por qué este látigo que flagela a nuestras madres, a nuestros hijos, a nuestros hermanos?

CORO DE MIAMI.— Los hijos de Ochún son inocentes.
Sin la mano del padre,
sagrado Changó,
que los guíe y oriente,
sin la mano del padre,
sacrosanto Changó,
que los proteja y ayude,
marcharon como juguetes
del cielo a un infierno sin fin.
Pero no fueron juguetes,
fueron hombres hechos guiñapos,
con la frente erguida y decoroso honor,
por la culpa de una traición.
(*Todos se levantan y regresan al área del Coro y las velas que entregan a un ayudante de escena. Se colocan las máscaras del Coro. Simultáneamente, como el reverso de la trágica y reverente procesión que se acaba de celebrar, en el área del Coro de La Habana se escucha una música de conga y se crea un ambiente carnavalesco. Un grupo de personas sale con cartelones en los que se lee "CUBA SI, YANKEES NO", "PATRIA O MUERTE" y*

otras consignas revolucionarias a la vez que gritan ¡Paredón! ¡Paredón! ¡Paredón! ¡Pa' lante y pa' lante y al que no le guste que tome purgante!.)

CORO DE LA HABANA.— Que no quede uno.
Que la escoba barra la escoria del norte,
y de cada casa, de cada hogar,
de cada edificio, de cada oficina,
saquen, detengan, encarcelen
a los opuestos a nuestras doctrinas.

MIEMBRO DEL CORO DE LA HABANA # 1.— No valgan preguntas, ni procesos legales, hay que actuar con prisa.

MIEMBRO DEL CORO DE LA HABANA # 2.— Este es el momento de romper y acabar cualquier movimiento, cualquier reacción clandestina.

MIEMBRO DEL CORO DE LA HABANA.— En la capital del norte hay timidez porque no quieren aparecer implicados. Pobres gusanos, no tienen quien los respalde dentro del vientre del monstruo.

CORO DE LA HABANA.— Y si esperaban apoyo de Washington jamás llegará. (*Kainde aparece esposado. Todos se detienen. La música cesa. Kainde es conducido a una silla que el asistente de escena ha colocado frente al Coro de La Habana. Se escucha un rumor de comentarios. El Coro de Miami, atento, como si estuvieran viendo todo en televisión. Mientras habla, en la lejanía, muy sutilmente, se escuchan lamentos y fusilamientos.*)

KAINDE.— Soy uno de tantos, no importa el linaje,
desnudo mi pecho, triste mi faz,
y en el tobillo, una cadena
que arrastro entre víboras,
acusado de viles traiciones que jamás cometí.
Hay que llorar, que han violado las leyes.
Y en nuestros campos, hoy suelo triste,
las lágrimas siembran árboles grandes,
tristes, muy tristes.

Éramos libres, ahora esclavos,
cuerpos muertos, con frentes blancas,
pálidas, frías, ni importa la raza,
apiñados racimos frente a la plaza.
Como un circo romano nos han expuesto
frente a las cámaras de televisión,
y nos han hecho culpables de vicios
y horrores, crímenes y excesos
pues víctimas necesita la revolución.
(*Cesan los lamentos y fusilamientos.*)

CORO DE LA HABANA.— Prisionero. Su nombre.
KAINDE.— Kainde. Hijo de Ochún.
CORO DE LA HABANA.— Invasor imperialista.
KAINDE.— Cubano nacionalista.
CORO DE LA HABANA.— Enemigo de nuestra revolución,
partícipe de un juego intervencionista,
que se empeña en la destrucción
de nuestra revolución socialista.
KAINDE.— Revolución que hoy devasta.
en paños de propaganda,
en lauro de democracia.
Mil ideas propaladas,
como una plaga nefanda,
por una cruel autocracia.
Promesas que no han cumplido
y que jamás cumplirán
mientras que un pueblo herido
escapa del huracán.
OGÚN.— (*Al aparecer y escucharse su voz, el Coro de La Habana hace un gesto con la cabeza en señal de saludo y respeto.*) El huracán lo han traído ustedes a estas playas tan plácidas y tranquilas... donde ahora todo el pueblo irá a bañarse.
KAINDE.— Yo no vine a bañarme en la playa.
OGÚN.— ¿A qué viniste, entonces?
KAINDE.— Si no lo sabe, marche a la plaza, a una de esas concentraciones organizadas por sus ministros, y allá se enterará.
OGÚN.— En tu brigada nos encontramos con unos cuantos esbirros del pasado. ¿Es eso lo que pretendía esta invasión? ¿Un regreso al ayer?
KAINDE.— Hay algunos, muy pocos, que nunca debieron haber sido admitidos en las filas de la Brigada, y se están aprovechando de ellos para confundir al pueblo, haciéndolos aparecer como iguales al resto de nosotros. No somos un grupo perfecto, pero en la gran mayoría de nosotros no hay un pasado que recriminar.
OGÚN.— Miles de miles nos apoyan. Esa es la voluntad del pueblo.
KAINDE.— Hay muchos todavía que en su inocencia o ceguera no se han dado cuenta de lo que ustedes intentan.
OGÚN.— ¿No crees que ahora somos un país soberano?
KAINDE.— Dudo que pueda ser soberano. La soberanía de una nación es su poder político no sometido al control de otra nación o doctrina.
OGÚN.— Ustedes vinieron empujados por una doctrina imperialista.
KAINDE.— Nuestro empuje fue el de reivindicar a nuestro pueblo.
OGÚN.— ¿Fue por eso que se rindieron?

KAINDE.— No nos rendimos... peleamos a la altura de las circunstancias. (*Ogún hace un gesto con la cabeza indicando que saquen a Kainde. En ese momento se escucha una descarga de fusilería que se confunde con una música que anticipa el regreso de Ochún. Ogún desaparece. La corte de Ochún entra, como en una procesión. Esta vez Ochún no viene en su Palanquín sino que aparece al final del cortejo. Los miembros de su corte traen las ofrendas que se harán a Changó. Un plato de harina de maíz, manzanas, vino tinto, hermosas flores encarnadas de pitahaya, y velas. Ochún se dirige al Coro de Miami y su corte aguarda instrucciones. La música cesa.*)

CORO DE MIAMI.— Hay en nuestros oídos, un retumbar de cañones, en nuestro corazón, una pena, y en nuestros ojos extrañas visiones.

OCHÚN.— Mis oídos, mi corazón y mis ojos son los de ustedes. (*Breve pausa.*) Los creyentes, viejos y jóvenes, siempre me consideraron la más bella del panteón Yoruba. Alegre, coqueta y dicharachera como Cuba, esa tierra que hoy se escapa de nuestras manos pero no de nuestro corazón. (*Breve pausa.*) Algunos dicen que fue Oyá, dueña de la puerta del cementerio, la esposa favorita de Changó, pero los viejos saben que no hubo para Changó como Ochún. (*Breve pausa.*) Cada vez que Changó tenía una aventura amorosa, siempre volvía, arrepentido y triste a buscar alivio en el seno de Ochún. (*Breve pausa.*) Cuando Changó murió todas lloramos sin poder ser consoladas, pero fueron mis lágrimas las que se convirtieron primero en manantiales, después en ríos incontenibles de nuestro dolor. (*Breve pausa.*) Y, ahora, de nuevo, una nueva aflicción. Otra vez soy la niña de ayer, deseada por todos, pero más por Changó, por su espíritu, por aquellos recuerdos, por aquel momento cuando me dijo en un trueno "si no me das tu cariño me voy a hacer guerra", y yo por miedo a perderlo le pedí que no fuera, que fuese mío toda la vida.

CORO DE MIAMI.— Llámalo, Ochún. Llámalo, ahora.

OCHÚN.— Sí. (*Hace un gesto y los miembros de la corte colocan en el suelo todo lo que han traído formando un círculo. Las velas deben estar prendidas. Comienzan a escucharse los tambores batá.*)

OCHÚN.— *Iku la tigwa aya un bai bai, ano la tigwa aya un bai bai, eye la tigwa aya un bai bai, ofo la tigwa aya un bai bai... owe lasako owe aya un bai bai...* (*Los tambores en aumento.*)

OCHÚN.— (*Continúa.*) Changó, aquí estoy, con las libaciones de nuestro amor. En este plato encontrarás las más rojas manzanas, y en la copa de oro, el vino tinto como la sangre de Taebo y Kainde. Harina de maíz y el corazón de un carnero envuelto en las flores de la pitahaya, guirnaldas floridas que nuestra tierra sagrada engendrará. (*Los miembros de la corte comienzan a moverse al ritmo de los tambores.*)

OCHÚN.— (*Continúa.*) Pero tan grande es la duda que cubre mi alma que dudo si estas libaciones aplacarán nuestro duelo.

CORO DE MIAMI.— Apoya tu frente contra el tronco de la palma real, porque los muertos tienen oídos, y cuando se les llama, saben regresar.

OCHÚN.— ¿Tengo yo el derecho de hacer tal cosa? ¿Traerlo de nuevo a este lugar tan ajeno, donde se habla un idioma extraño, donde nuestras costumbres causan pavor?

CORO DE MIAMI.— Debemos tratar, reina divina. Por ti, por tus hijos, por todos, debemos tratar.

OCHÚN.— Pues... llámelo... alcen su voz mientras apago la sed de la tierra con estas ofrendas.

(*Los miembros de la corte bailan, se mueven como poseídos, mientras que el ritmo de los tambores acelera.*)

CORO DE MIAMI.— Changó, te llamamos.
Ochún te llama.
Sombra de lo desconocido
te rogamos escuches nuestro clamor.
Madre Muerte,

MIEMBRO DEL CORO DE MIAMI # 1.— que al robarte a los jóvenes te llenas de gloria,

MIEMBRO DEL CORO DE MIAMI # 2.— que al robarte a los viejos te llenas de pompa,

MIEMBRO DEL CORO DE MIAMI # 3.— que al recibir a los muertos te llenas de honra.

CORO DE MIAMI.— Con humildad nos acercamos a pedirte
que consientas en darle camino
al espíritu de Changó,
de lo negro a la luz,
y que se presente en humano vestuario
para poder hablarle...
Para que nos ayude.
Madre Muerte,
tan sólo un momento permitir al rey,
nuestro rey, que regrese.
Oh... Changó...
hazte presente
hazte real,
y en tus trajes reales déjate ver.
Ayúdanos.

(*Los tambores en crescendo. El baile de los miembros de la corte en un paroxismo. El Coro de Miami alza los brazos al cielo. De repente, truenos y relámpagos. Cesa el baile y la música. Todos quedan estáticos. Oscuridad momentánea. Changó aparece. La idea de esta escena es crear un total frenesí que culmine con la aparición de Changó. Aunque el autor prefiere que la pieza se represente sin interrupción, si la dirección escénica desea dividir la obra en dos actos, éste es el instante sugerido por el autor para finalizar el primer acto. Al reanudarse la acción, la figura de Changó debe aparecer como Santa Bárbara, como comúnmente se le conoce, pero en penumbras, sin que por el momento se puedan ver sus facciones. La ilusión creada hace que el público vea la imagen de Santa Bárbara tal como aparece en las ilustraciones y estatuas. Todos los presentes, con la excepción de Ochún, hacen reverencia o se arrodillan brevemente en señal de respeto.*)

CHANGÓ.— Aquí me tienen, amigos de ayer. Aquí estoy, diosa, que un día mi lecho vistió de amor.

CORO DE MIAMI.— ¿Eres tú, dios del trueno y la tempestad?

CHANGÓ.— Sí.

CORO DE MIAMI.— ¿Eres tú, hijo de Yemayá?

CHANGÓ.— Sí, lo soy. Acérquense a mí. Invoquen mi nombre. Tomen mis símbolos reales para que en esta forma les pueda hablar. (*Los miembros de la corte de Ochún se acercan a Changó y lo despojan de la copa, la espada, el cetro, la corona y cualquier atributo femenino, mientras que el Coro de Miami declama las invocaciones. Como Changó también es representado por la imagen de un guerrero, su personaje se transformará en escena. Se le despojará de todos sus mantos y se le vestirá con un uniforme militar, con gorra y medallas en el pecho. Las cintas de las medallas deben ser rojas y blancas, los colores de Changó. Al completarse la transformación, aunque aún envuelto en una luz misteriosa, la figura que el público ve en escena es la de un general o coronel de una época militar anterior.*)

CORO DE MIAMI.— (*Invocación durante la transformación de Changó.*) *CHANGÓ mani cote CHANGÓ mani cote olle masa CHANGÓ mani cote olle masa CHANGÓ bari cote CHANGÓ arabaricote ode mata icote alama soicote ye ada manicote ada manicote bansoni CHANGÓ mani cote CHANGÓ mani cote elle masa CHANGÓ arambsoni CHANGÓ ara baricote odemata icote soni sori CHANGÓ arabaricote arabaricoteara sori he he lele aguo que gue a mayo quera he he que ha mayo amayo guera okolote aro egue aro mayo quera manicote CHANGÓ manicote oye mate manicoteoye mata alabao CHANGÓ arabaricote CHANGÓ arabaricote alaguo baricote oye mata arabaricote sori ache CHANGÓ mani cote soicote ara adomamata ode ode odemata ode ode oye mata ara baricote sori sori ode mata sori ache baricote ara baricote sori ache CHANGÓ.* (*Al terminar la transformación, los miembros de la corte, sin darle la espalda a Changó, se retiran respetuosamente y se llevan todas las vestimentas de Santa Bárbara. La copa, la espada y el cetro pueden ser colocados con las otras ofrendas.*)

CHANGÓ.— Lágrimas quieren brotar
de amargos pensamientos
al despertar del silencio
de los muertos, de la fosa,
con los cánticos sagrados
y el llamado de mi esposa.
Mis ojos he levantado
y he aceptado ofrendas
para oírlos y escucharlos.
Los poderes invisibles
no me permitían llegar,
pero mi majestad imperial
se opuso a tal situación.
De lo oscuro he brotado
a la vida, ante la luz,
y he visto que nuestra tierra
sufre en una áspera cruz.
Decid, ¿qué es lo que ha pasado?
Hablar con rapidez porque mi tiempo es breve.

CORO DE MIAMI.— Oh, rey, Changó, que vives en las nubes
en un castillo de relámpagos y truenos,
por respeto mis ojos no te quieren mirar,
por humildad mi lengua se cohíbe de hablar.

CHANGÓ.— He venido porque me llamaron.

MIEMBRO DEL CORO DE MIAMI # 1.— ¿Cómo poder relatar lo sucedido?

MIEMBRO DEL CORO DE MIAMI # 2.— ¿Cómo explicar esta aflicción y melancolía?

MIEMBRO DEL CORO DE MIAMI # 3.— ¿Cómo contar, con este amor que sentimos hacia ti, lo que sería mejor dejar en la mudez?

CHANGÓ.— Si no pueden hablar, que hable mi reina, Ochún, esposa, amante, madre, mujer, que en mi lecho me hizo sentir placeres y gloria, que en sus labios encontré el fuego del que soy rey... ¿Por qué ahora su rostro parece lleno de pena, donde las lágrimas han marcado surcos tan grandes?

OCHÚN.— Te envidio, mi rey, divino Changó, pues tu muerte vino antes de la ruina, antes que la garra se clavara en la carne, Tu reino fue esplendor y placer. Bajo tu cetro palacios surgieron, anchas avenidas, gloriosos monumentos y los hombres te llamaron rey y dios. Frente a tu trono, las rodillas hincaron y cantaron mil alabanzas en tu honor. Los que vinieron después de tu eterna partida no tuvieron la misma suerte.

CHANGÓ.— No puede ser.

OCHÚN.— Ojalá que así fuera, pero nuestros valientes han perecido en una lucha justa pero sangrienta, defendiendo la casa saqueada por aquellos que, una vez, juraron lealtad a la nueva jornada.

CHANGÓ.— Les dejé fortuna y armas.

OCHÚN.— No fueron suficientes.

CHANGÓ.— ¿Quién estaba al frente de nuestras fuerzas?

OCHÚN.— Tus hijos, Taebo y Kainde, que en la creencia que una deidad poderosa los ayudaría se lanzaron por mar en su tentativa...

CHANGÓ.— ¿Viven?

OCHÚN.— Los reportes indican que Kainde cayó prisionero, pero Taebo pudo escapar.

CHANGÓ.— ¿Escapar? Mis hijos no escapan. O claman victoria o claman martirio. Cuando se lucha y se entrega el alma y el cuerpo al furor de la guerra, no existe salida, ni escape. Se entrega la vida y se entrega la sangre. Si estuviera aquí lo destruiría porque no es digno de mí.

OCHÚN.— ¿Y traer con su muerte más desgracias a mi corazón?

CHANGÓ.— Más vale vivir con un puñal clavado en la carne que aceptar la ignominia de su acción.

OCHÚN.— Señor, pides la muerte.

CHANGÓ.— Pido héroes.

OCHÚN.— ¡Maldigo la ofrenda que te trajo, señor! ¿Por qué han ellos de ser responsables? ¿Por qué ellos, si tú fuiste una vez rey? ¿No te has preguntado, poderoso Changó, si tú no has tenido que ver con esta desgracia? Por supuesto que no, me dirás sin siquiera con un titubear de los labios... Tú tuviste que irte, abandonar tu reino dejando que otros tomaran las riendas.

CHANGÓ.— No hubiera podido quedarme para siempre. Mi tiempo fue limitado y los dioses me llamaron.

OCHÚN.— Sí... dioses que hallaron callados cómplices dispuestos a cooperar en la destrucción que hoy lloramos. Nuestros hijos sólo respondieron al llamado de su generación.

CHANGÓ.— ¿Te has olvidado de nuestra lucha, de como llegué a ser rey, de como llegué a ser dios?

OCHÚN.— No, no me he olvidado y no lo podré olvidar. Fue esa lucha parte de nuestra herencia, la que formó un reino que fue y ya no es. Pero tampoco me puedo olvidar de nuestros hijos que ni siquiera tuvieron la suerte que Olodumare los guiara.

CHANGÓ.— Olodumare nunca abandona a su prole.

OCHÚN.— Esta vez, sí. Esta vez hombres sin prestigio los engañaron. Les contaron patrañas que tanto ellos como nosotros creímos.

CHANGÓ.— Para realizar al fin lo que Ogún había anunciado cuando yo pensaba que correrían los años hasta la eternidad sin que se cumpliera la profecía... Todo lo que teníamos, perdido. No los podré perdonar.

OCHÚN.— No hay que perdonar, porque ellos no necesitan de tu perdón.

CHANGÓ.— Soy, Changó, oricha sagrado,
temido dios del rayo,
del fuego y la tormenta,
llamado de nuevo a esta tierra
de vivos para contemplar ruina y dolor.
Soy, Changó, que está en el cielo,
amado por Ochún, Oyá y Obá,
que ruge como el trueno,
hijo adoptivo de Yemayá.
Soy, Changó, temible cuando se enfurece,
implacable con sus enemigos,
el que supo vencer a Ogún
sin pedir dones como un mendigo.

OCHÚN.— Pero tenías otros dioses que te protegieron. Ay, Changó, hallarás en la grandeza de ayer la herida que hoy sangra Ochún. Por ti, tus hijos fueron a luchar. Por ti intentaron culminar el capítulo de nuestra historia que tú jamás pudiste acabar. Por ti, hombres sin prestigio los vendieron al destino. Por ti, han sido sacrificados.

CHANGÓ.— ¿Por qué me hablas así, Ochún, como si yo fuera un criminal? Piedra a piedra, tuve un reino que construir, castillos que levantar, llegar a los cúmulos en torres de caña, tabaco y ron. Fueron mis manos las que le dieron forma a nuestro ayer.

OCHÚN.— Fueron tus manos las que han hecho a nuestros hijos sangrar.

CHANGÓ.— Tú fuiste mi hembra y esposa.

OCHÚN.— Aún lo soy, sagrado Changó, aún lo soy. Pero también son mis hijos Taebo y Kainde... y también son mis hijos los de la Brigada 2506, y los campesinos muertos, y los milicianos desaparecidos, y los estudiantes encarcelados, y los que no pueden gritar a la luz del sol y los que no pueden dormir a la luz de la luna. Todos son hijos de Ochún.

CHANGÓ.— ¿Para qué me llamaste? Me debiste haber dejado en la noche de los muertos y no traerme a esta horrible claridad. Yo no soy parte de este momento.

OCHÚN.— Sí lo eres.

CHANGÓ.— ¡No! Déjame en el ayer que allí aún hay algo de gloria.

OCHÚN.— Piensa, Changó, piensa no sólo en lo que hemos hecho pero en lo que tú hiciste o dejaste de hacer que nos ha arrastrado a este momento.

CHANGÓ.— ¿De qué responsabilidad tan terrible me vistes? Quizás te estorba el amor que antaño tuvo mi alma por ti.

OCHÚN.— Amo el pasado... cuando todo era dulce... cuando, al nacer mis hijos los pude tomar en mis brazos y cantarles la gloria de nuestra raza. Amo el pasado... porque siempre vislumbró un futuro mejor. Hoy, no puedo, ni debo refrenar mis sollozos. Si te llamé fue para encontrar en tu voz el consuelo.

CHANGÓ.— Hay en mis ojos un dolor que me dice que no queda nada que ver. Y tú, la diosa que una vez se durmió en mis brazos no es la misma de ayer.

OCHÚN.— Aún tenemos tiempo para reclamarle al futuro lo que aún nos queda.

CHANGÓ.— Yo no puedo hacer nada.

OCHÚN.— Entonces, mira, Changó,
mira y comparte conmigo la pena.
Mira hasta donde la vista alcance.
La isla convulsionada,
los campos en llamas,
la juventud, ultrajada.
Gritos, carne y metralla,
una horrenda amalgama
que hoy parece indescifrable.
El paredón se engalana
todos los días con muerte
y en los centrales de caña
hoy se muele la esperanza.
Mira, ya no hay "Encanto",
la tienda más importante
que vestía a nuestra Habana.
Fósforo vivo hizo cenizas
mostradores y vidrieras
saturadas de elegancia.

Mira... Changó... mira y dime
lo que ves de tu bella patria.
En las calles la barbarie,
la traición y los canallas
tienen la primera palabra.
Ya no hay sol, sólo duendes
como tú, como mis hijos,

vagando de la noche a la mañana.
Si quieres descansar en paz
por lo menos vierte una lágrima.

CHANGÓ.— Ya yo no tengo descanso.

OCHÚN.— Hay voces que se desgarran
en gritos y el mundo las oye,
pero la mía se pierde
en la distancia,
en la indiferencia
de todos. Yo, que abrí mis brazos,
como escudos, para proteger a mis hijos.

CHANGÓ.— ¿De quién?

OCHÚN.— Del mundo, de sus miserias, de la incomprensión, del ayer, del hoy, de ti.

CHANGÓ.— ¿De mí? Yo también los amo. Fueron mis hijos, las ramas de mi árbol de donde fui raíz, y jamás mi puño se alzó para fustigarlos.

OCHÚN.— No de tus brazos, Changó, ni tampoco de tu fuerza, ni de tus puños, ni de tu furia, sino de tu propia ceguera que no supo adivinar los peligros que se escondían en una extraña bandera. Tan preocupado estabas con tus triunfos, ensimismado en tu progreso de caminos y carreteras, edificios y monumentos, negocios y comercio, palacios surgidos de tus excesos, nunca supiste formar en tus hijos la noción de un presente. Todo comenzó contigo, Changó.

CHANGÓ.— ¿Por qué eres tan cruel conmigo?

OCHÚN.— ¿Cruel? ¿Por qué cruel? Tú eres el que ha maldecido la suerte que hoy corren tus hijos.

CHANGÓ.— No te basta que sufro al ver la destrucción que me cuentas.

OCHÚN.— Todo comenzó contigo, Changó... todo comenzó contigo. Muchos no se dan cuenta, ni siquiera tu mismo, que son tus hijos los que hoy pagan con sus vidas el precio de esta epidemia que se propaga como un río que se desborda... Son ellos los que le han hecho frente a esta plaga maldita que amenaza con destruirnos a todos... Son ellos los sacrificados. Tú, Changó, eres ahora sólo una sombra... un recuerdo.

CHANGÓ.— Déjame partir, Ochún. Déjame partir.

OCHÚN.— Dime entonces, orisha, marido, padre, rey, profeta... Tú que vives con los dioses... ¿Qué debemos hacer para sobrevivir?

CHANGÓ.— (*A los miembros de la corte de Ochún.*) Quitádme estas vestimentas. Debo partir. (*Se escucha un tambor. Los miembros de la corte comienzan a despojarlo del uniforme. Changó quedará desnudo.*)

OCHÚN.— Dime, te lo pido. ¿Cuánto durará esta condena?

CHANGÓ.— Estoy muerto, cansado. Sólo anhelo reposar en paz en el silencio de mi mundo y finalmente desintegrarme en la tierra que cubre mi faz. Sólo anhelo dormir para siempre en una eternidad de sueños.

OCHÚN.— Dime, te lo suplico. Mis lágrimas te lo imploran.

CHANGÓ.— Cuéntales lo que hice, de mis triunfos y mis errores, y que es lo que se siente al vagar por la eternidad. Adviérteles, Ochún, adviérteles, que el mañana de mañana debe ser límpido como un lucero, con la transparencia del más puro manantial, y que la grandeza de la patria está por arriba de todo. Pensé que mi orgullo era suficiente pero no lo fue. Usa mi nombre como un aviso, repítelo constantemente en las calles y en las casas para que no se repita el llanto de hoy.

OCHÚN.— Así lo haré.

CHANGÓ.— Cuanto anhelo tomarte en mis brazos pero yo no puedo. Hubiera querido ver a mis hijos y también estrecharlos junto a mi corazón, y quizás cambiar el sendero, pero ya no puedo... Ochún... Ochún... Ochún... (*Comienza a desaparecer.*)

OCHÚN.— Aguarda, espera. ¿Qué hay en esa mañana? ¿Esperanza? ¿Paz? ¿Muerte? ¿Exilio?

CHANGÓ.— Ustedes mismos podrán responder a esas preguntas. El tiempo los ayudará.

OCHÚN.— ¡Changó!

CHANGÓ.— Te amo, Ochún. Te amo.

OCHÚN.— Nuestros hijos...

CHANGÓ.— Si regresan con vida, en mi nombre, pídeles perdón. Vísteles con el traje de reyes porque son héroes que yo jamás supe comprender. Dales consuelo, dales amor, que sí son los hijos de Ochún también lo fueron de Changó. (*Desaparece. El tambor cesa.*)

OCHÚN.— Oh, Dios, Olodumare,
rey de todas las plantas y los ríos,
luz de la campiña, padre del desvalido,
rayo de la mañana, fe de los bohíos,
regresa a nuestras casas,
desvanece de nuestro dolor
la corona de espinas
clavadas en nuestro albor,
haz que regrese la justicia.
(*Se arrodilla en oración. Lejanamente, como si la música y el canto vinieran de altoparlantes, se escuchan himnos revolucionarios. Unos encapuchados al estilo de la secta de Ku-Klux-Klan, pero con los colores rojo y negro, antorchas en la mano, traen a Kainde a escena. Los encapuchados cercan a Kainde y*

amenazadoramente dan vueltas a su alrededor en una danza malévola.)

CORO DE LA HABANA.— Tú, que nos crees locos, son los locos los que han cambiado al mundo. Tú, que no nos comprendes, haremos que el cielo y el mar sean uno... haremos a todos iguales. ¿Por qué no te unes a la tropa que canta victoria?

MIEMBRO DEL CORO DE LA HABANA # 1.— Si verdaderamente eres hijo de Ochún, di que eres un traidor, que te vendiste, y Ogún sabrá perdonarte la vida.

KAINDE.— No puedo ser traidor porque la traición es el delito del que quebranta la lealtad jurada y nunca hice tal juramento.

MIEMBRO DEL CORO DE LA HABANA # 2.— Si verdaderamente eres hijo de Ochún, confiesa que eres un títere del capitalismo, y Ogún sabrá remunerarte con una posición de importancia.

KAINDE.— No puedo ser títere porque el títere es controlado por aquel que sabe como manejarlo y yo soy un ser independiente.

MIEMBRO DEL CORO DE LA HABANA # 3.— Si verdaderamente eres hijo de Ochún, manifiesta tu deseo de cambiar tus doctrinas, y Ogún te llenará de gloria haciéndote un héroe.

KAINDE.— No vine en busca de gloria sino de libertad. (*La música y el canto cesa. Se escuchan los tres golpes del mazo de un juez como si la acción se transportara a una corte judicial.*)

MIEMBRO DEL CORO DE LA HABANA # 1.— ¡Culpable!

MIEMBRO DEL CORO DE LA HABANA # 2.— ¡Culpable!

MIEMBRO DEL CORO DE LA HABANA # 3.— ¡Culpable! (*Los encapuchados colocan a Kainde frente al Coro de La Habana.*)

MIEMBRO DEL CORO DE LA HABANA # 1.— Tú eres el culpable del descontento del pueblo...

MIEMBRO DEL CORO DE LA HABANA # 2.— Tú eres el que ha violado las leyes de la nueva tierra...

MIEMBRO DEL CORO DE LA HABANA # 3.— Tú eres el que ha traicionado a Ogún...

KAINDE.— No... No fui yo quien entró en casa ajena, ni quien alteró las leyes de la Constitución, ni quien hizo falsas promesas...

CORO DE LA HABANA.— Pones tu vida en peligro.

KAINDE.— No... mi vida, nunca, jamás, ha estado en peligro... Ahora simplemente está más cerca de la muerte. Y un hombre justo no le teme a la muerte. Pueden hacer de mí lo que quieran porque si pudiera rehacer lo hecho, lo volvería a hacer.

CORO DE LA HABANA.— ¡Traidor!

KAINDE.— Ustedes son los traidores. Traidores mil veces. Como gavilanes hambrientos volarán en la altura, por meses, o quizás años, aguardando siempre la excusa, la oportunidad de clavar nuevamente la uña, de sacrificar otra presa. Nuestras acciones quedarán en la sombra de las alas del gavilán hasta que llegue el día de la libertad: (*Nuevamente se escuchan tres golpes del mazo judicial.*) ¡Culpable! Que se lleve a cabo la sentencia. (*El Coro interpreta la pantomima de un fusilamiento.*)

KAINDE.— ¡Olodumare! Con la sangre de mártires purifica al viento... limpia el cielo... lava las rocas de los arroyos... La tierra de nuestros antepasados ha sido violada... Una lluvia de odio ha cegado los ojos de un pueblo... ¿Dónde está Cuba? (*Se escucha una descarga de fusilería. Kainde cae y muere.*)

CORO DE MIAMI.— ... En el pasado... lejos..., muy lejos... Envuelta en la noche, sin sol, ni luna, ni estrellas... (*Los encapuchados arrastran el cuerpo de Kainde y abandonan la escena. El ayudante de escena coloca más cruces en el área del Coro de La Habana.*)

REPORTERO.— (*Frente al área del Coro de Miami, mirando hacia el público.*) Más de doscientos representantes de la prensa, la televisión y la radio se congregaron esta tarde en un hotel de Miami para escuchar las palabras de varios líderes del exilio cubano pidiendo ayuda a todos los pueblos de la América Latina y rechazando la afirmación del gobierno de La Habana de que los invasores eran mercenarios. (*Un miembro del Coro de Miami, sin máscara, reacciona.*)

MUJER # 1.— Lo fusilaron... lo fusilaron... Los que trabajan conmigo en la tomatera saben quién es... Alguien... a quién quiero y que no pudo salir... Me preguntan quien, pero su nombre no importa... Un padre, un hijo, un hermano, un novio, un ser querido... No importa su nombre... Alguien que quizás expresó su opinión... Alguien que quizás trató de escaparse... Alguien que antes de ser fusilado, por órdenes del monstruo, sufrió la extracción de casi toda su sangre para que fuera donada a los hospitales... Alguien, otro, condenado por un delito contra los poderes del estado... Alguien que tuvo esperanzas, que fue un ser humano y ya no lo es... (*Regresa al Coro de Miami y se pone su máscara. El Reportero, como ha hecho anteriormente, se ha trasladado al área del Coro de La Habana y reporta, hacia el público.*)

REPORTERO.— El periódico IZVESTIA, en su edición del día de hoy, advirtió en su editorial que la Unión Soviética respaldará al pueblo cubano y no permitirá que Cuba sea una segunda Guatemala. El Pleno del Tribunal Supremo de Justicia de nuestra nación acordó condenar enérgicamente la agresión contra nuestro país. El Ministro de Relaciones Exteriores de Cuba informó que el doctor Manuel Urrutia, primer presidente del gobierno revolucionario se encuentra asilado en la Embajada de Venezuela en esta ciudad de La Habana. (*El Reportero sale de escena. Un miembro del Coro de La Habana se quita su máscara. Reacciona.*)

HOMBRE # 1.— ¿Qué puedo hacer? Nos quedaba toda una vida por delante. Cuando venía a verme en mi corazón entraba una canción. ¡Cómo olvidar ahora la alegría de su rostro, la caricia de sus manos, los besos que me regalaba! Pensé que teniéndolo a mi lado nada le podía pasar, nadie se lo podía llevar. Jamás se me ocurrió pensar que en dos palabras del nuevo orden encontraríamos la separación que nunca ambicionamos... "Conducta Impropia" es el nombre que lleva nuestro cariño... "Conducta Impropia" porque me quiere y lo quiero... No quise creer lo que me decían. Pensé que eran mentiras... embustes... Y ayer fueron a su casa y se lo llevaron. No sé a donde. Solamente sé que su madre me dijo que se lo habían llevado y que la policía había preguntado por mí. Se lo llevaron y ahora vienen a buscarme. (*Cree haber escuchado un ruido.*) ¿Hay alguien en la puerta? ¿Hay alguien? ¿Quién es? Me pareció que alguien me llamaba. (*Breve pausa.*) ¿Qué puedo hacer? ¿Dónde me puedo esconder? Todos nuestros amigos han ido desapareciendo. Algunos están en unos campos de concentración que se les conoce como UMAP, Unidades Militares de Ayuda a la Producción... (*Se oyen tres golpes en la puerta.*) Ahora sí... Ahí están. Me vienen a buscar... (*Da unos pasos.*) Pero en este cuarto se queda un poco de nuestra presencia... Eso no se lo pueden llevar... (*Regresa al Coro de La Habana y se coloca la máscara. Al mismo tiempo un miembro del Coro de Miami y otro del Coro de La Habana reaccionan, se quitan sus máscaras y se miran, frente a frente, en la distancia, sin abandonar sus respectivas áreas escénicas.*)

HOMBRE # 1.— ¿Cómo está tu familia?

MUJER # 1.— Bien.

HOMBRE # 1.— ¿Hace mucho calor en Miami?

MUJER # 1.— Un poco, pero tío se consiguió un ventilador.

HOMBRE # 1.— Te extraño... Te extraño mucho...

MUJER # 1.— Y yo a ti.

HOMBRE # 1.— No te pongas triste. Tú sabes que te quiero y que no dejo de pensar en ti... Piensa en nosotros y sonríe con esa sonrisa tuya que es solamente para mí. Tú sabes que me gusta ver como te sonríes. (*Breve pausa.*) No te estás sonriendo.

MUJER # 1.— Tú no me puedes ver.

HOMBRE # 1.— Pero te puedo sentir.

MUJER # 1.— Como me gustaría verte, mi cielo... tal como te recuerdo en aquella tarde de agosto, la última vez que nos besamos en la playa... sin camisa... tan bronceado... Lucías tan buen mozo...

HOMBRE # 1.— ¿Yo?

MUJER # 1.— Sí, tú sabes que eres muy buen mozo.

HOMBRE # 1.— No.

MUJER # 1.— Mentiroso.
HOMBRE # 1.— (*Sonríe.*) Está bien. Soy un mentiroso.
MUJER # 1.— Yo lo sabía.
HOMBRE # 1.— Pero no te miento cuando te digo que te quiero y que para mí tú eres la mujer más bella del mundo. Cómo extraño tenerte en mis brazos y besarte y acariciarte y volverte a sentir a mi lado, noche a noche, como antes.
MUJER # 1.— Eso es lo más difícil de esta separación. Quererte y no poder besarte... Amarte y no poder tenerte...
HOMBRE # 1.— No importa. Quizás no podamos vernos, no podamos tocarnos, pero podemos sentirnos cerca... muy cerca... Sin ojos, sin manos... con el corazón... Aquí te siento, muy junto a mí... ¿No me sientes tú? Siénteme...
MUJER # 1.— Mi amor...
HOMBRE # 1.— Siénteme... Te estoy tocando... te estoy besando...
MUJER # 1.— Mi vida...
HOMBRE # 1.— Mis labios acarician tus mejillas, tus ojos... buscan tus labios... tu boca...
MUJER # 1.— Sí... sí...
HOMBRE # 1.— Mi boca se aprieta contra la tuya... Beso tu nuca... tu cuello... tus pechos... ¿No sientes mi boca?
MUJER # 1.— Sí... sí...
HOMBRE # 1.— ¿No sientes mi cuerpo?
MUJER # 1.— Sí...
HOMBRE # 1.— ¿Sabes lo que estoy haciendo ahora?
MUJER # 1.— Sí...
HOMBRE # 1.— ¿Me sientes?
MUJER # 1.— Te siento... muy dentro de mí...
HOMBRE # 1.— Quiero estar dentro de ti.
MUJER # 1.— Te amo tanto...
HOMBRE # 1.— Y yo a ti... Y yo a ti... Oh...
MUJER # 1.— Sí... sí... Oh... (*Pausa.*)
HOMBRE # 1.— Amame... ámame...
MUJER # 1.— Siempre... siempre...
HOMBRE # 1.— No me olvides...
MUJER # 1.— Nunca... jamás... (*Ambos permanecen estáticos por breves segundo. Reaccionan. Regresan a sus respectivos Coros y se ponen sus máscaras.*)
VOZ.— La KLM anuncia la salida de su vuelo ciento treinta y dos con destino a Miami, Nueva York y Montreal. (*Un miembro del Coro de La Habana reacciona, se quita su máscara y se inclina ligeramente como si hablara con un niño.*)
MUJER # 1.— No, mi vida, papi y mami no pueden ir contigo. Tú te tienes que ir solo. (*Breve pausa.*) Porque ahora nosotros no po-

demos irnos. Allá te están esperando tus primos. Nosotros iremos a reunirnos contigo tan pronto como le den permiso a tu papi. (*Breve pausa.*) No, mi cielito. Mami no puede dejar a papi solo. Mami se tiene que quedar hasta que podamos salir los dos juntos. Ahora, el que se tiene que ir eres tú y te tienes que portar como un hombrecito. (*Breve pausa.*) No llores, mi vida. (*Breve pausa.*) No digas eso. Nosotros te queremos mucho, mucho. Pero ahora no podemos ir contigo. (*Ahoga un sollozo.*) Tú verás como te vas a divertir con tus primos... Dáme un beso... Adiós, mi' jo... adiós... (*Se escucha el sonido del avión que se aleja. La mujer regresa al Coro de La Habana y se coloca su máscara. El ruido del avión continúa y un miembro del Coro de Miami reacciona. Se quita su máscara.*)

VOZ.— (*En inglés.*) *KLM announces the arrival of its flight number thirty two.*

HOMBRE # 1.— Sí... ese mismo es... ese es el avión de La Habana. (*Breve pausa.*) ¿Yo? Yo estoy esperando a mis padres. ¿Y ustedes? (*Breve pausa.*) ¡Qué bueno! ¿Hace mucho tiempo que ustedes salieron? (*Breve pausa.*) Yo llevo más de un año sin verlos. Primero salió mi hermano que está en Chicago y después salí yo, y ahora, gracias a Dios, le dieron la salida a los viejos. (*Breve pausa.*) Miren... miren... ya están saliendo los pasajeros... (*Breve pausa. Sonríe.*) Mis padres deben de ser los últimos... a mi madre le da mucho miedo los aviones y siempre se sienta atrás. (*Breve pausa.*) ¿Esos son tus parientes? ¡Felicidades! Mucha suerte. (*Breve pausa.*) Si me hace el favor, ¿ya desembarcaron todos los pasajeros? (*Breve pausa.*) Es que mis padres me dijeron que venían en este vuelo. (*Breve pausa.*) Gracias. (*Lentamente regresa al Coro de Miami.*) No los dejaron salir... no los dejaron salir... (*Se coloca su máscara.*)

CORO DE MIAMI.— Señor... Señor... Dios de las alturas
¿cuál será nuestra ventura?
Somos un pueblo dividido
que ahora yace en el olvido
de naciones poderosas.
Somos familias completas
por los mares separadas
a fuerza de bayonetas.
(*Taebo entra. Se acerca al Coro de Miami. Su aspecto físico refleja la odisea vivida.*)

CORO DE MIAMI.— Este es el comienzo de una maldición.
Este es el comienzo de la destrucción.
Este es el comienzo de una aberración.

MIEMBRO DEL CORO DE MIAMI # 1.— ¿Qué nos espera en esta mole de arena, sal y turistas donde nadie parece escuchar los lamentos de nuestra isla...?

MIEMBRO DEL CORO DE MIAMI # 2.— ¿Qué nos espera si en esta tierra no hay ruiseñores que cantan nuestras canciones...?

MIEMBRO DEL CORO DE MIAMI # 3.— ¿Qué nos espera?

TAEBO.— Hemos pagado con sangre el anticipo de una traición.

CORO DE MIAMI.— Taebo... hijo de Ochún, ¿eres tú?

TAEBO.— Lo soy.

CORO DE MIAMI.— Estás vivo... has regresado.

TAEBO.— Sí, aquí estoy. Hecho jirones, con un cuerpo que ya parece perdió su vigor... con un alma tronchada por una hoz.

MIEMBRO DEL CORO DE MIAMI # 1.— ¿Y los otros? ¿Tu hermano? ¿Aquellos que dejaste atrás? ¿Dónde están, hijo de Ochún?

MIEMBRO DEL CORO DE MIAMI # 2.— ¿Dónde está mi padre?

MIEMBRO DEL CORO DE MIAMI # 3.— ¿Dónde mi hermano?

CORO DE MIAMI.— Habla... Quizás... Los dioses en su infinita piedad...

TAEBO.— Hoy ya no hay piedad. Lo que necesitamos son multitudes que nos respalden.

CORO DE MIAMI.— Sangramos tu sangre en nuestro dolor.
Lloramos tu pena en nuestro amargor.

TAEBO.— El dolor y el llanto nuestro es aún mayor porque está revestido en ira. Las cortinas de fuego que nos levantaron, las atravesamos. Las tormentas de metralla que desataron, las arrestamos. Corrimos y gritamos, pero no en terror, ni en pánico, sino en furia y dolor, doblegados bajo un azote imprevisto y tremendo. Gritamos nuestra tristeza por todos aquellos que perecieron, por todos aquellos ya prisioneros, por mi hermano, héroe que supo enfrentarse a la zarpa de Ogún. Y corrimos buscando en la distancia las playas soleadas que hoy llamamos hogar. (*Mirando hacia el área de la playa.*) Aún veo sus rostros ahogados en sangre frente a la escuadra, frente al paredón. Y hoy grito por ellos porque ya ellos no pueden gritar. Nos han sacrificados como corderos. ¿Fue esa la voluntad de los dioses? ¿Fue quizás el destino que se quiso ensañar contra los hijos de Ochún? ¿Cuál es el futuro que se me reserva? (*Mirando hacia el cielo.*) Te maldigo Olofín porque no supiste darle protección a los inocentes.

CORO DE MIAMI.— Ahora podrás comenzar de nuevo y podrás olvidar.

TAEBO.— ¿Cómo olvidar los muertos? ¿Cómo olvidar los días que, después de la derrota con un grupo de hermanos, estuvimos flotando a la deriva? ¿Cómo olvidar que, sin alimentos, ni agua, iban muriendo y que fueron las olas el único sudario con el que entraron en la eternidad? Uno a uno, alucinados, bajaron a lo profundo.

Ellos, que fueron la flor de la patria, han quedado en el recuerdo, en una lista de desaparecidos, y, quizás, si mañana se reconoce su sacrificio, en una página de nuestra historia. (*Ochún se levanta y se acerca a su hijo.*)

OCHÚN.— Hijo.

TAEBO.— Madre... He aquí a tu hijo al que han querido crucificar bajo la bota de un escorpión temible que el mundo rehúsa aplastar. Eso han querido porque, con mi hermano y otros patriotas, me he atrevido a presentar el pecho contra la malicia y la traición.

OCHÚN.— Una dura deidad volvió su rostro y su mano. Es hora que broten, en mil alaridos, las lágrimas y el llanto.

TAEBO.— No llores, madre, no llores, sean estas heridas que hoy visten mi cuerpo el más dulce galardón que le pueda ofrecer a la patria.

OCHÚN.— Hijo, hijo querido, has regresado. (*Se abrazan tiernamente.*) La mitad de mi vida renace otra vez.

TAEBO.— Quizás hubiera sido mejor haber caído entre valientes.

OCHÚN.— No, hijo mío, no. En tu vida está la victoria, sin tu muerte no hay derrota porque para ellos tú serás el germen de un nuevo futuro que en la nueva alborada renacerá. No fue tu culpa. ¿Dónde están aquellos caudillos que decían ser tu escolta?

TAEBO.— Ninguno apareció.

OCHÚN.— Caiga sobre ellos la sangre de la traición. (*Breve pausa.*) Ven hijo mío, déjame curar tus heridas déjame besar tu frente y poner los óleos y aceites que puedan sanar tu carne quemada por la metralla.

TAEBO.— No, madre. Aguarda. Nada queda de mi antigua grandeza, pero no hay nada más valioso en el mundo que estas llagas que hoy me consumen, que marcan, abiertas, el alma de un pueblo que no se rinde, ni se rendirá. Han querido, madre del cielo, destruirme, aniquilarme, obsesionados en la fiebre que atormenta sus sienes con desmesurada avaricia por poder controlar los destinos del hombre.

OCHÚN.— Tu vida, esa vida que te dio mi vientre, es para ellos una maldición. Quizás en tu hermano hayan podido saciar el odio y la envidia, pero escrito está, que en tu regreso está el destino que algún día ese mundo de playas azules será para todos ¡libre... libre!

CORO DE MIAMI.— ¿Cuántas lágrimas quedan por derramar?

MIEMBRO DEL CORO DE MIAMI # 1.— Abrumador infortunio que hiere tu pecho y el mío.

MIEMBRO DEL CORO DE MIAMI # 2.— La angustia ha encontrado un nido en mi corazón.

MIEMBRO DEL CORO DE MIAMI # 3.— No siento más que tristeza y tormento.

CORO DE MIAMI.— ¿Cuántas lágrimas quedan por derramar?

OCHÚN.— Ni una, jamás. En el medio de nuestro infortunio dadle gozo a la llama que vibra en el corazón, que de los muertos heredamos la riqueza de su redención. Este momento, hombres y mujeres del pueblo, sólo se endulza con el regreso de un hijo, la mitad de mi vida. ¿Puede el ave volar con un ala? Si es necesario así lo hará. ¿Puede la mañana brillar sin el sol? Si es necesario llamará a la luna que brille en su ausencia. (*Señala hacia el Coro de La Habana.*) Ellos son, ellos los que han puesto cadenas en una isla de flores, los únicos culpables de tan cruel desenlace. Los vicios de ayer no son excusas para haber sumergido nuestra alma en tan cruel amargura. ¿No escuchan sus gritos?

CORO DE LA HABANA.— Que sepa el mundo las leyes
que ahora, hoy, se proclaman.
Que el garrote de hierro
del poderoso Ogún
se cierre sobre los cuellos
de los que hoy se llaman
hijos de Ochún.

OGÚN.— Oiga el mundo que hay dioses nuevos,
dioses que han decidido aplastar
leyes y sistemas de antaño,
y de Changó, su nombre y su sombra...
pobre de aquel que se oponga
pues a la fuerza habrá de probar
el veneno que no se desborda.
No habrá perdón, no habrá clemencia,
lo que tengo en mis manos
son caudales de males
que irán desbordando la trágica esencia,
que pondrán en la tierra
la marca de una nueva creencia.

OCHÚN.— Quizás mañana, hijo, tenga la suerte de abrazar a tu hermano.

TAEBO.— Algún día el nombre de Kainde brillará en los cielos con el nombre de aquellos que supieron luchar.

(*Se escucha música de tambores, un toque fúnebre que va acompañado de un canto. Para el canto, la dirección escénica debe indicar un solista. Entra un cortejo con el cuerpo de Kainde envuelto en una bandera cubana. El cortejo se dirige a una área frente al Coro de Miami. Ochún recibirá al hijo muerto. Algunos de los presentes bailan en círculo. Se oye un canto.*)

SOLISTA.— *Aumba awa ori*
aumba awa ori
Awa osun

Awa oma
Leri oma yeyawo
Araorun kawe
CORO.— (*Repite el canto del solista.*)
SOLISTA.— *Tele imoba tele*
Tele imoba tele
Wayeke wayeke
Orosoumbo alaumbo
Wayeke wayeke
Bio wa yeye
CORO.— (*Repite el canto del solista.*)
SOLISTA.— *Ikunla irolo*
Ikunla irolo
Shon shon laiku
Ayaya dola
CORO.— *Ikunla irolo*
SOLISTA.— *Lairo lairo*
Ayaya dola
CORO.— *Ikunla irolo*
SOLISTA.— *Okokan la miwaye*
Okokan la mi Orun
Okokan la miwaye
Okokan la mi Orun
owo Orisha Bogbomiwaye
Okokan la miwaye
CORO.— (*Repite el canto del solista.*)
SOLISTA.— *Lagba lagba ofeunsoro*
Ofeunsoro ofeunsoro
CORO.— *Lagba lagba konfesoro*
SOLISTA.— *Ofeunsoro ofeunsoro*
CORO.— *Lagba lagba ofeunsoro*
SOLISTA.— *Igi ambelawo*
Igi ambelawo
La osha ambelawo
CORO.— (*Repite el canto del solista.*)
SOLISTA.— *Yombolo*
CORO.— *Ambelawo*
SOLISTA.— *Araorun*
CORO.— *Ambelawo*
SOLISTA.— *Baleomi*
CORO.— *Baleoma*
SOLISTA.— *Muni mini*
CORO.— *Bakeoma*
SOLISTA.— *Ala tosha*

CORO.— *Bakeoma*
SOLISTA.— *Laye laba*
Laye laba lafisi
Laye laba laye
Yeye
Laye laba lafisi
CORO.— (*Repite el canto del solista.*)
SOLISTA.— *Iyami ku yeo*
Babami ku yeo
Ala baro dolaye
CORO.— (*Repite el canto del solista.*)
SOLISTA.— *Ala baro dolaye*
CORO.— *Ala baro dolaye*
SOLISTA.— *Ala baro dolaye*
CORO.— *Ala baro dolaye*
SOLISTA.— *Mofoyuborere*
CORO.— *Mofoyuborere*
SOLISTA.— *Mofoyuborereo*
Ala bare dolaye
CORO.— (*Repite el canto del solista.*)
SOLISTA.— *Ala bare dolaye*
TODOS.— *Ala bare dolaye*
Ala bare dolaye
Ala bare dolaye...

(*Se escuchan unas voces lejanas que vienen del cielo que se mezclan con los cánticos fúnebres. De repente, envuelto en una claridad celestial un Ángel aparece. En esta escena todos guardan silencio. Las voces lejanas aún se escuchan pero casi imperceptibles.*)

ÁNGEL.— Como las lunas que recorren el cielo,
como los soles que alumbran los suelos,
con la certeza de las mareas
que lamen las costas del cocodrilo
nuestra tierra renacerá.
De las chozas y los bohíos,
donde se llora la indiferencia del mundo,
de las guardarrayas y caseríos
donde un pueblo yace casi moribundo,
nuestra isla renacerá.
Somos un océano poblado de olas
de miles tonos, de miles colores,
de un azul oscuro y un verde profundo.

Somos un océano donde flotan palmas reales
de rostros blancos como el anón
y caras negras como el carbón.
Somos un alma que sabrá renacer,
somos el alba que rompe diáfana y clara,
somos la sangre que sabrá vencer.
Somos aquellos que traemos los frutos
de los patriotas, de los antepasados,
grabados en campos de azúcar,
al filo del machete guajiro,
somos el sueño que sabrá despertar.

Somos una ilusión,
el grito esclavo
que rompió las cadenas
del yugo de antaño.
Somos la furia, la lágrima
de la madre que llora.
Somos la ira del justo patriota
que luchó contra España.
Somos el bronce del negro Maceo
somos la lira que estremeció a Martí.
Somos Cuba, somos uno,
y uno en todos los que ofrecieron
sus vidas por la libertad.
Somos el tema de la nueva patria,
somos la sonrisa y el amanecer,
somos el pan y la sal de los niños.
Somos Cuba que sabrá renacer.

(*Los miembros del Coro de Miami y los de la Corte se arrodillan en un círculo alrededor del cuerpo de Kainde. Taebo, de pie, al lado de su madre. Ochún toma en sus brazos el cuerpo inerte de Kainde. Un círculo de luz los alumbra. El resto de la escena permanece a oscuras. El Ángel desaparece.*)

FIN DE LA OBRA

Ochun Offering (1980). © Poublé.

REFLEXIONES DE HÉCTOR SANTIAGO

HABLANDO DE MI SANGRE MULATA

Mis abuelos maternos eran blancos, rubios, de ojos azules, él era de Bretaña y ella era de Galicia: de ellos saqué la piel sonrosada, el gusto por la cultura francesa y el amor a España. Mis tatarabuelos paternos vinieron como esclavos del África: de ellos saqué la sangre caribeña, el pelo rizado y una nariz no muy helénica. Más tarde vendrían los orishas. En esa dicotomía yo crecí: ¿blanquito o mulato? ¡Inmensamente negro por dentro y luminosamente blanco por fuera! Pero con el tiempo los colores se ligaron y ahora soy simplemente un caribeño, un hombre de todo el mundo que arrancado de sus raíces morirá en ellas. Los caracoles dijeron que yo era "olukoni". uno de los guardadores del conocimiento y desde entonces no he cesado de buscar a Cuba en mí, preguntarme por qué somos así, qué nos distingue, qué nos hace iguales, y aprender de su pasado oculto, y ese pasado casi siempre es negro. Para bien o para mal, sin el negro no hay Cuba y más vale que se vayan acostumbrando.

Tirado ante mis orishas puedo escuchar a Bach, gustar del vino español, y combinar un buen boudín con frijoles negros. En 1957, apenas un muchacho, caí víctima del virus del teatro y desde entonces no me ha abandonado jamás. Leyendo *Edipo Rey*, me di cuenta que el incesto de Shangó con Obatalá tenía la misma dimensión trágica. Escribí mi tragedia *Iroko* que fue seleccionada para estrenar en Teatro Nacional de Cuba en 1960 estando becado por el Seminario de Dramaturgia del Teatro Nacional de Cuba. Pero eran tiempos del marxismo y el proyecto se canceló: comenzaba la batalla por volvernos materialistas y "blanquitos revolucionarios". La represión fue enorme. Se perdió la ciencia de las yerberías, los cantores se exiliaron, el gobierno no daba permiso para hacer los Santos, ni para tocar los tambores; matar un animal para darle de comer al Santo era un delito de "bolsa negra" y muchos babalawos terminaron en la UMAP. Esa es la realidad histórica que nadie, sea cual sea su ideología, puede negar.

Yo seguí escribiendo teatro negro pero no encajaba en el orden oficial. Yo sabía lo que tenía que hacer. Fueron 25 años de censura, cárceles, silencio. *Iroko* fue incautada por la Seguridad del Estado cubano junto con todas mis obras. Mi obra recomienza con el exilio. Lo otro se perdió... Pero tampoco el exilio acogió mi cultura caribeña. El último golpe bajo fue cuando el Papa se negó a reunirse con los negros santeros y nadie protestó. El negro sigue marginado en ambas orillas y "como nuestro vino es agrio pero es nuestro vino" hay que decirlo. Yo sigo escribiendo en negro: cuentos, poemas, teatro... Indago porque soy así, disfruto del resultado. Para mí lo negro no es un dato exótico a lo "I Love Lucy", ni es una pincelada folklórica. Para mí lo negro hay que verlo desde adentro, tener su voz, si no uno se convierte en un turista fotografiando un toque de tambor.

La Eterna Noche de Juan Francisco Manzano es mi homenaje a un artista de la esclavitud, el cual creía que imitando a los blancos lo respetarían y, por tanto, le volvió la espalda a su origen. Su horrible drama, que traté de plasmar, es que nunca pudo SER. Hay mucho que hurgar en nuestra historia para aprender de ella. Cada vez que busco en un archivo me quedo pasmado de cuánto no sabemos. Mi obra trata de ser una pequeña luz en tanta noche. Ahora mismo me llaman el Benny Moré, Rita Montaner, mi abuelo Tata Guayive y Yemayá que quiere que le dé berro para refrescarla. Con permiso. *Fu mi lo owó awantí yoko eri awa soro.*

LA ETERNA NOCHE DE JUAN FRANCISCO MANZANO

MASCARADA PARA ACTORES, TÍTERES Y ESPERPENTOS EN DOS ACTOS

de

HÉCTOR SANTIAGO

¿Por qué te pone tan bravo
cuando te dicen negro bembón,
si tiene la boca santa,
negro bembón?

NICOLÁS GUILLÉN: *Motivos de son*

A todos los Armenteros:
Que me dieron a beber leche yoruba,
de quien llevo el rizo mulato,
la alegría caribeña.

PERSONAJES

MANZANO* NIÑO-JOVEN-VIEJO (El mismo)
DAMAS
IKÚ (la muerte afrocubana)
SEÑORES*
DOMINGO DEL MONTE*
PLÁCIDO*
PARDO 1*
NEGROS 1, 2*
DOÑA BEATRIZ
MARQUESA +
ESQUELETOS*
HABANEROS*
MAYORAL +
CURA +
RASTREADOR +
MARÍA DE LA LUZ +
DELIA +
JUEZ +
SOLDADOS +

Acción: La Habana y Matanzas.

Época: 1835-1854.

[*Los personajes con signo * son títeres; los de signo + son esperpentos. Se utilizan fragmentos originales o versiones de las auténticas memorias de Juan Francisco Manzano y otros datos históricos (Primera parte*). *La segunda parte es apócrifa. También se utilizan cartas reales.*]

ACTO PRIMERO

(Plaza de la Vigía en la ciudad de Matanzas.)
1835-1854

(Un escenario vacío, de paredes desnuda. Hay un viejo retablo de títeres callejeros, regados en torno a baúles y cosas de teatro tiradas con polvo y olvido. En el proscenio la rústica mesa y banqueta con tintero, pluma y hojas. Se añadirán otras cosas para los diversos ambientes. Entran Damas. Aparece Manzano en el retablo. Las Damas se miran.)

MANZANO T.— Volad tiernas letras
volad hijas mías,
las alas batiendo
que esta pluma os fía:
salid de la cuna
do en míseros días,
mis ojos os vieron
por amor nacida...
Llegad silenciosas
a par de sumisas,
por donde peligren
vuestras palabrillas.
cuidad no tropiezen
con la atroz malicia,
que siempre inhumana
fulmina la envidia.[1] *(Telón.)*
(Con paso muy cansado sale detrás del retablo Manzano Viejo, en harapos, descalzo. Les tiende la mano. Una va a sacar una moneda de su bolso, la otra la detiene.)

DAMA 1.— ¡No te atrevas! Es ese esclavo liberto, que estuvo metido en conspiraciones para asesinar a los blancos.

---

1. Juan Francisco Manzano: "Anacreóntica".

DAMA 2.— (*Persignándose.*) ¡Jesús, María y José! Desde la rebelión en Haití, los negros están indomables. Antes se volvían cimarrones escapándose al monte, pero ahora les da por conspirar y rebelarse, quemando ingenios, cañaverales y haciendas. Mira lo que pasó en el Triunvirato. (*Ambas se persignan.*) ¡No dejaron un blanco con vida! ¡Y dicen que a la Condesa, los negros... (*Ambas se persignan.*) La sola idea de que un negro me... (*Se persignan.*) ¡Qué asco!

DAMA 1.— Menos mal que el Gobernador General, ha ordenado que no pueden salir de las haciendas sin permiso, prohibió que se reunieran en los cabildos y toquen sus tambores; se dice que con éstos se hablan sus conspiraciones. ¡Ya se leyó un bando donde todo negro que se rebele será ejecutado!

DAMA 2.— La culpa es de la libertad que gozan los morenos y pardos libres. ¡Quieren ser como los blancos y hasta exigen igualdades! Les inculcan esas bazofias a los esclavos.

DAMA 1.— Detrás de todo eso, están los criollos que quieren abolir la esclavitud.

DAMA 2.— ¿Y quién va a cortar la caña y trabajar en las haciendas?

DAMA 1.— ¡Todos son unos traidores a la Corona! Como ese grupito de poetas, que reunía el traidor de Domingo del Monte. Entre los negros y pardos que recibía y que se creían que podía haber negros cultos... (*Lo señala.*) Estaba ese Manzano. ¡La culpa la tienen los que los enseñan a leer y escribir!

DAMA 2.— ¡Pero si está prohibido!

DAMA 1.— Los criollos los usan para crearles líos a la Corona. ¡Pero Cuba siempre pertenecerá a España! (*La toma del brazo y van saliendo.*)

MANZANO V.— ¡Una limosna en nombre de Dios!

DAMA 2.— ¡Hum, un negro poeta! (*Salen. Manzano viejo tose, se estremece del frío.*)

IKÚ.— (*Fuera de escena.*) ¡Sereno! ¡Las doce y todo está en calma! (*Entra Ikú, disfrazada de sereno gallego, con boina y una máscara blanca. Trae un farol encendido.*) ¿Juan Francisco Manzano?

MANZANO V.— ¡Ave María Purísima! (*Se persigna.*) ¿Ya me toca?

IKÚ.— ¡Mulato sinvergüenza me has reconocido! (*Ríe quitándose el disfraz y la máscara. Debajo está el negro de rostro rayado en blanco y el traje de esqueleto de la muerte.*) No me gustan las máscaras, pero las uso para que la gente no se espante de mi huesería.

MANZANO V.— ¿Me llevas al Señor o al Diablo?

IKÚ.— ¿Olodumare o Echú? ¡Este cráneo tan olvidadizo que tengo! "Vete por Manzano", me dijeron, y se me olvidó preguntarlo.

MANZANO V.— No sabes como me pesa la cruz de mi vida. Te he estado esperando. Vamos...

IKÚ.— (*Lo detiene.*) El purgatorio está repleto, el infierno rebosa de hijos de puta, el paraíso está atestado de idiotas. ¿A dónde te llevo mulato? Se dicen tantas cosas de ti. ¡Eres un soberbio que no aceptó su destino! ¡Ay, mulato! El esclavo lo sigue siendo aunque compre su libertad. Mira tu pellejo y dime qué vez...

MANZANO V.— Hace mucho que acepté lo que soy, y dejé de aceptar lo que ya no seré. ¡No me lleves al infierno, que ya bastante infierno fue mi vida!

IKÚ.— ¡Arrodíllate! ¿Renuncias a tus sueños fantasiosos, rebelarte contra los blancos, la Iglesia y la Corona? (*Manzano viejo asiente.*) ¿Eres un mulato brujero, vago, borracho, rebelde y ladrón? (*Manzano niega.*) ¿Qué eres Juan Francisco Manzano?

MANZANO V.— Una sombra...

IKÚ.— Cuéntame tus trastadas y así sabré a quién entregarte. ¡Apúrate porque con las campanadas del ángelus, le vas a dar la última patada a la lata! Escribirán en el Registro Eclesiástico: "Juan Francisco Manzano, pardo libre, de profesión cocinero, vecino de La Habana. Habiendo recibido la extremaunción, falleció el diecinueve de julio de mil ochocientos cincuenta y tres, a la edad de cincuenta años. Siendo enterrado en el cementerio general de esta ciudad, en el lote de los pobres".

MANZANO V.— Podría confesar lo que cada uno espera de mí. Así que habrá muchos Manzano, como una Hidra de muchas cabezas... Manzano el mal esclavo, el ladrón, el mulato blanqueado, el poeta, el traidor... Quizás si te leo la primera parte de mis memorias. (*Toma el diario de la mesa y se lo da.*)

IKÚ.— (*Leyendo.*) "Poemas por un esclavo de la Isla de Cuba, con la historia de la vida del poeta negro, escrita por el mismo y traducido del español por Robert Richard Maden, Londres mil ochocientos cuarenta". ¡No está mal para un muerto de hambre! ¿Cómo lo lograste?

MANZANO V.— En el círculo literario de Don Domingo del Monte. Allí se reunía lo que vale y brilla de los poetas y señores, Además, recibían a negros y pardos. Le envié unos poemas y me invitó.

IKÚ.— ¡No puedes ir así!

MANZANO V.— (*Llevándolo al retablo.*) A lo mejor entre estas cosas... Aprendí entreteniendo a los hijos de los amos, después hice algunas funciones y hacía algún dinero. Yo mismo escribía, actuaba, hacía los muñecos, pintaba los telones...

IKÚ.— ¡Un mulatico talentoso! ¡Pero este retablo se está cayendo a pedazos!

MANZANO V.— Desde mi silencio no lo he vuelto a tocar.

IKÚ.— Veremos qué encontramos. (*Entran al retablo.*)

CASA DE DOMINGO DEL MONTE

(*Se escucha una contradanza. Se abre el telón. Los Señores conversan en la animada tertulia.*)

SEÑOR 1.— Don Domingo del Monte no descansa en descubrir talentos. Aquí está lo mejor de la Atenas de Cuba. Y como no oculta que es un libre pensador y enemigo de la trata de esclavos, mira cómo invita a negros y pardos.

SEÑOR 2.— Hay que hacer algo; ¡los negros están costando una barbaridad! Ya se han inventado máquinas para duplicar la producción de azúcar e Inglaterra presiona para que aceptemos la abolición de la esclavitud.

SEÑOR 1.— ¡Sin azúcar no hay país, sin esclavos no hay azúcar y sin la trata no hay negros! Mientras nos mantengamos unidos a España, ésta nos garantizará que no habrá abolición.

SEÑOR 2.— ¿Por cuánto tiempo? Inglaterra intercepta los cargamento de negros; este año sólo han podido entrar dos barcos, escondidos del maldito del cónsul inglés y sus espías en todos los puertos. El gobernador O'Donnell, en público acepta la prohibición, pero por detrás, nos hace pagarle a precio de oro cada negro que se entre clandestinamente.

SEÑOR 1.— ¡La trata puede abolirse pero no la esclavitud! ¡El país se irá a la ruina! No hay nada malo en ser amo, lo que hay es que mejorar las condiciones de los esclavos. Debíamos hacer como en los Estados Unidos, que han abierto criaderos de negros. Pon un buen negro semental y varias negras que paran cada año, sustituiremos los negros que no podemos traer y los que vayan muriendo.

SEÑOR 2.— ¡Y si España se deja presionar por Inglaterra y firma la abolición nos anexaremos a Estados Unidos! Mientras tanto debemos ganar tiempo para hacernos de la mayor cantidad de esclavos que podamos, sobre todo ahora que el precio del azúcar ha subido. El bien de la nación está en las espaldas de los negros; así que yo estoy por hacer concesiones menores y muy lentas. Entre nosotros mismos hay algunos radicales, que hasta desean la independencia.

SEÑOR 1.— ¡Eso va contra nuestros intereses! ¡Sería nuestra ruina! Habrá que vigilar a ese maldito hereje del cónsul inglés, a los negros, los libertos y cualquier criollo con ideas subversivas. ¡Nada cambiará mientras los hombres de bien manejemos los destinos de Cuba! (*Salen. Detrás de retablo entran Ikú y Manzano joven. Este está maquillado de blanco, con boca roja, peluca rubia: como un minstrel sureño al revés. Lleva guantes blancos, levita y chistera gastada, aún descalzo.*)

IKÚ.— (*Arreglándolo.*) Hubiera querido afinarte un poco esa nariz ñata, cortarte un poco de bemba, estirarte esas pasas. Pero bueno... ¡Menos mal que el teatro nos ha ayudado un poco!

MANZANO J.— ¿Es qué vamos a hacer alguna función?

IKÚ.— ¡Tu vida!

MANZANO J.— ¿Para quiénes habré de hacer tal cosa?

IKÚ.— (*Señala al público.*) ¡Para ellos! Espero que tu historia sea interesante y logre interesarles. ¿Titubeas? ¿Toda tu vida no te la has pasado, tratando de lograr la aprobación del público blanco?

MANZANO J.— Es que de hacer títeres para los hijos de sus mercedes, a esto...

IKÚ.— Te ayudaré... Algo me sé de las candilejas. Recuerda que yo soy quien baja el último telón.

MANZANO J.— ¿Y los zapatos?

IKÚ.— ¡No pidas tanto! (*En el retablo entra Domingo del Monte.*)

IKÚ.— Ve, que tu destino te espera. ¡Acuérdate que la función se acaba para el toque del ángelus! No temas, yo estaré dirigiéndolo todo. (*Saliendo con el farol.*) ¡La una de la madrugada y todo está en calma!

MANZANO J.— ¿Su merced es Don Domingo del Monte? ¡Soy Juan Francisco Manzano!

DOMINGO.— Nada de su merced; simplemente Domingo. ¡Bienvenido a nuestro círculo literario! Señores... ¡Aquí está Juan Francisco Manzano! (*Entran todos los señores y pardos.*)DOMINGO.— Al invitarte, te he pedido que nos trajeras algo de leer. (*Manzano busca desesperado en su levita pero no encuentra el poema. Detrás del retablo sale Ikú y se lo entrega, quedándose escondida para oír.*)

MANZANO J.— Este soneto se llama "Mis treinta años". (*Lee.*)

Cuando miro el espacio que he corrido
desde la cuna hasta el presente día,
tiemblo y saludo a la fortuna mía
más de terror que de atención movido.

Sorpréndeme la lucha que he podido
sostener contra suerte tan impía,
si tal llamarse puede la porfía
de mi infelice ser al mal nacido.

Treinta años ha que conocí la tierra;
Treinta años ha que en gemidor estado
triste infortunio por doquier me asalta;

más nada es para mí la cruda guerra
que en vano suspirar he soportado,
si la comparo, ¡Oh Dios!, con lo que falta.[2]
(*Bufonamente Ikú solloza. Todos aplauden encantados.*)

DOMINGO.— ¡Impresionante! ¿Verdad señores? (*Todos asienten.*) Espero que nos sigas encantando en esta tarde.

MANZANO J.— Es que... todavía tengo que abrillantarle los faroles a la calesa de mi ama. Si no... Les prometo que para la próxima.

DOMINGO.— Quiero hablar contigo. (*Todos aplauden y salen. Ikú escucha.*) Antes que te marches, déjame hablarte de un proyecto. Les he pedido a varios escritores del círculo, que escriban sobre el tema de la esclavitud. Quiero hacer un álbum antiesclavista, que entregaré al cónsul inglés, que es el representante de la Comisión contra la Trata de esclavos. Varios fervorosos antiesclavistas ya han contribuido; Don Féliz Tanco con el relato *Petrona y Rosalía*, Don Anselmo Suárez y Romero termina su novela *Francisco*, Don Antonio Zambrano escribe *El Negro Francisco*. (*Ikú aplaude gozosa.*) También he recibido poemas, de nuestro grupo de morenos y pardos, donde se encuentran los poetas de "color", Gabriel de la Concepción Valdés más conocido como "Plácido", Ambrosio Echemendía, Agustín Baldomero Rodríguez, Antonio Medina y Céspedes, Juan Estrada, Vicente Silveira, José del Carmen Díaz y otros...

MANZANO J.— ¡Negros... ¡Pardos... ¡Poetas... ¡Libertos! ¿Sueño? (*Ikú asiente.*) ¡Tenía la esperanza perdida y ahora se me renuevan los sueños! ¿Y la censura, su merced? He oído decir que hasta a usted le han cortado poemas.

DOMINGO.— ¡A la Corona le asusta todo lo que huela a libertad! ¡Escribe tu vida!

MANZANO J.— Quizás les está más permitido a ustedes los señores por ser blancos... Y si aún así la censura los alcanza, ¿que quedará para este pobre esclavo? ¿Qué dirán los de la trata, de un esclavo que así denuncia su terrible vida? (*Ikú le hala de la levita y él disimula.*) ¿Se quedarán callados mis verdugos que aún viven y me han dado tanto que gemir? ¿Cuántos más castigos caerán sobre mí? No me obligue usted, su merced, que ya bastante quebrantado tengo el cuerpo y el alma.

DOMINGO.— Nos has impresionado tanto con tu lectura, que he decidido abrir una donación para comprar tu libertad. Cuando se publique lo que te pido, ya serás libre y podrás decirlo todo. (*Manzano*

---

2. Juan Francisco Manzano: "Mis treinta años".

no sabe que hacer de la alegría. Ikú, como si él fuera un títere, lo inclina haciendo una profunda reverencia a Domingo.)

MANZANO J.— ¡Tengo miedo al cepo y al látigo!

DOMINGO.— Te doy mi palabra que, todo este material será publicado en el extranjero lejos de la censura y represión que nos acosa. ¡Tienes que escribirlo para que se sepan los horrores de la esclavitud! (*Manzano está indeciso. Ikú le da un patada en el trasero.*)

MANZANO J.— (*Masajeándose la nalga.*) ¿Cómo negarme al que me procura la libertad? Le advierto que se prepare a ver a una débil criatura, nadando en los más graves padecimientos. (*Ikú hace muecas burlonas.*) Acuérdese su merced que soy un esclavo y el esclavo es un ser muerto ante su señor. Pero sepa que los infinitos azotes jamás envilecieron a vuestro afectísimo siervo...

DOMINGO.— Te entiendo; el hombre que nace y se cría esclavo, por la precisa condición de su estado tiene que ser ruin, estúpido, inmoral y es de su esencia el tener esos defectos. Pero tú eres Manzano, una de las generosas excepciones. Y es también una ley, que si el esclavo se envilece con su esclavitud no menos se envilece el amo en su ejercicio de la potestad absoluta. Toma estas monedas para que compres papel y tinta. (*Ikú se adelanta y las toma, contándolas. Campanadas.*)

MANZANO J.— ¡El ama! (*Sale corriendo. Ikú sale tras él. Domingo sale. Entran Plácido, Señor 1, Negro 1 y Pardo 1.*)

SEÑOR 1.— No puede quejarse Plácido; su fama de poeta va más allá de Matanzas. Usted es un vivo ejemplo, de los que no quieren ver excepciones en las razas etiópicas. Usted ha vencido el natural instinto primitivo y ha sobresalido.

PLÁCIDO.— Muchas veces me siento como un adorno, un bicho raro, cuando los señores me invitan a leerles mis poemas en sus tertulias o me pagan poemas de ocasión para sus hijas feas o que alabe matrimonio por conveniencia.

SEÑOR 1.— ¿Habría de leerselos a la negrada salvaje que sólo sabe gritar y brincar con sus tambores? Además, usted luce "casi" blanco. ¡Aproveche eso, que en este país es una gracia! (*Sale.*)

PLÁCIDO.— No pueden ver más allá de sus intereses como hacendados. Son liberales aquí y negreros en el ingenio. Es cierto que protestan con vehemencia contra la situación de nuestros hermanos...

NEGRO 1.— ¡Para que no muera ninguno y seguirlos explotando!

PARDO 1.— ¡Y ninguno habla de la abolición! ¡Eso lo tendremos que hacer nosotros! (*Confidencial. Mirando sigiloso a todos lados.*) El cónsul inglés nos manda sus agentes. Quiere que nos preparemos para una revuelta. Ha prometido que Inglaterra nos ayudará.

NEGRO 1.— ¡Cuidado, que los chivatos del Capitán General están por todos lados!

PARDO 1.— ¡Al fin llegará la hora de liberar a nuestros hermanos!

PLÁCIDO.— Primero escuchemos lo que se nos ofrece. Lo primero es libertad y participación en la sociedad con plenos derechos.

NEGRO 1.— Comenzaremos a convencer a los que tienen nuestras ideas. El día, la hora y el lugar de la reunión, será avisado con tiempo. (*Salen. En escena entra Ikú arrastrando a Manzano Joven que forcejea.*)IKÚ.— ¡Empieza a escribirlo todo! (*Lo sienta en la mesa. Entre las cosas del retablo toma un reloj de arena que pone en la mesa.*) ¡El ángelus se acerca!

MANZANO J.— Es verdad que he demostrado mi natural capacidad para las tablas, y hasta tengo el proyecto para un drama llamado *Zafira,* pero mi torpe pluma no sabe por dónde comenzar. (*Mira al público.*) Me es duro exponer, ante los que me detestan, todo el drama de mi vida.

IKÚ.— ¿Y te llamas mulato culto? ¡El teatro se escribe con hilazas de la vida! ¡De tu vida! ¡Moja la pluma! (*Al retablo.*) ¡Salgan todos! (*Entran los Señores, Plácido, Pardo 1 y Negro 1.*) Necesitamos vuestra experiencia teatral para el espectáculo. (*Todos aprueban complacidos.*) No sean muy duros con Manzano, que es nuevo en eso de contarse. ¡Ya tienes un público de teatro!

MANZANO J.— Duros han sido los castigos, que no me merezco por mi inteligencia superior, que me coloca por encima de un esclavo. (*Protesta del grupo de Plácido.*) Lo que me humilla, junto con la burla de los envidiosos, por insistir en mi derecho a ser libre. (*Risas de los Señores.*) La esclavitud es la noche del alma, que queda tan maltrecha como el surco del látigo en la espalda, el cepo, el hambre, la falta de sueño, el sadismo del mayoral y la explotación del amo. (*Los Señores protestan.*)

SEÑOR 1.— (*Ofendido.*) Les damos comida, casa, protección, los sacamos de la idolatría, los civilizamos al sacarlos del África salvaje...

IKÚ.— Habrán de entender los señores, que por primera vez habla el esclavo y no el amo. (*El grupo de Plácido asiente.*) Manzano escribe con la sangre de sus latigazos y no con la tinta del escribano oficial.

SEÑOR 2.— ¿Cuándo se ha visto un esclavo que escriba? Su lugar es en el ingenio, el cafetal o sirviendo en la casa del amo. ¡Me niego a permitir que se le de voz a un esclavo! (*Los Señores discuten con el grupo de Plácido.*)

IKÚ.— ¡La escena se me está yendo de las manos! (*Restalla un látigo.*) ¡Silencio! ¡Ah, ese sonido lo conocen todos! (*Le hace una señal cómplice a Manzano Joven.*) ¡Señores, que no se diga que discuten por un esclavo! Tienen que dar muestras de vuestra superior inteligencia. ¡Que diga lo que quiera! Después ustedes lo revisarán, expurgarán lo que ofenda, darán otro giro a las palabras y engrandecerán lo que les convenga. (*Hace un guiño burlón al grupo de Plácido, que entiende.*) Esa es la facultad del que manipula la historia y la censura.

MANZANO J.— No teman sus mercedes; no voy a extralimitarme ni ser ofensivo. Trataré de escribir mi negro destino lo más blanco posible,

IKÚ.— (*Sarcástica.*) Comienza con algo más suave, más idílico... (*Manzano Joven vacila. Ikú va al retablo y da unas palmadas. Entra Manzano Títere. Manzano Joven entra al retablo.*)

MANZANO T.— La señora Doña Beatriz de Justiz, Marquesa Justiz de Santa Ana, esposa de Don Juan Manzano. (*Entra Doña Beatriz. Todos aplauden. Hace una reverencia.*)

MANZANO T.— Gustaba ir a su famosa hacienda El Molino... (*En el retablo se desenrolla un telón donde está pintado la bucólica estampa de la hacienda. Se escuchan trinos de pájaros y una habanera tocada en un piano.*)

SEÑOR 1.— El Molino era un lugar paradisíaco, de perfecta armonía donde los esclavos eran muy felices... (*En el retablo se desenrolla un telón donde está pintado la infernal estampa del cañaveral, el molino de caña y el cepo. Se escucha el canto de los negros.*)

CANTO.— Corta la caña,
apura lo fierro,
el fuete e mayorá
pica muy fiero...

NEGRO 1.— ¡"El Molino" era machete, cepo, látigo y barracón! (*Todos discuten.*)

BEATRIZ.— ¡Señores! (*Restalla el látigo. Se callan.*) A "El Molino" yo iba a buscar las más bonitas niñas esclavas. Las educaba en mi casa para que supieran atenderme, y las casaba con artesanos o libertos intachables. Mi preferida fue mi esclava de mano María del Pilar Manzano. (*Entra en escena la Madre y abraza a Manzano Niño.*) A quien casé con mi esclavo principal Toribio de Castro. (*Entra en escena el Padre.*) Que hubieron de darme el niño de mi vejez, mi entretenimiento: ¡Juan Francisco Manzano! (*Toma del retablo a Manzano Títere y lo carga.*)

MADRE.— Nuestra familia fue María del Pilar Manzano, Pilar Manzano, Santiago Manzano, Juan Francisco Manzano.

NEGRO 1.— ¿No podían ser Makongo, Mulambe, Kimbasa, Ntoto?

SEÑOR 1.— Agradecidos debían de estar, de que el amo les da un apellido cristiano y civilizado.

MANZANO N.— Era la joyita de mi señora. Estaba más con ella que con mis padres y la llamaba "mamá mía". (*Los Señores se burlan.*)

PADRE.— ¡Te has ensuciado el mameluco! ¿Qué dirá el ama? No quiero que juegues más con los hijos de las negras. ¡Malcriado! (*Le quita a Beatriz a Manzano Títere y le da unas nalgadas. Manzano Niño llora. Furiosa Beatriz se lo quita y lo carga amorosamente.*)

MADRE.— Fue entonces cuando el ama nos hizo saber, que nos prohibía regañarle o pegarle, so pena de latigazos. (*Al padre.*) Me da miedo, Toribio. Ese no es trato a un esclavo. Juan Francisco se está criando como si fuera libre... ¡Y hasta blanco!

PADRE.— Alégrate mujer, así no conocerá el trato que sufrimos nosotros.

MADRE.— Es que el ama lo malcría, pero no habla de hacerlo liberto. ¡Mal le va el yugo a un negro que han criado como un blanco!

MANZANO N.— Desde entonces vino la ojeriza de mi padre y el rigor con que me trató siempre. ¿Qué podía si no disfrutar de mis majaderías, permitidas por todos, que me hacía sentirme superior y libre? ¡Hasta andaba libremente entre los nietos de "mamá mía".

MADRE.— Buscándote el odio de los esclavos y sus hijos...

MANZANO N.— Ya a los diez años me distinguía, diciendo de memoria los largos sermones de Fray Luis de Granada, el catecismo, actuaba loas y entremeses, regresé de la ópera imitando a los cantantes, y en las fiestas de la casa los invitados me pedían que dijera algo, dándome monedas que daba a mis padres.

NEGRO 1.— ¡Un monito del circo de los blancos!

PADRE.— ¿Cuándo se habrá visto tales ínfulas en un esclavo? Con tus pretensiones nos haces lucir unos brutos. Aprende de tus hermanos, que se atienen a limpiar, cocinar, conducir la calesa, coser...

MANZANO N.— ¿Cómo me pide que sea bruto?

PADRE.— Solo te pido que sientas los grilletes y mires el color de tu piel. ¡Vas a sufrir mucho!

MANZANO N.— ¡No mientras mi ama me proteja!

MADRE.— Toribio terminó por distanciarse de él, negándole el afecto que le daba a nuestros otros hijos. (*Acaricia a Manzano Niño.*) ¡Mi pobre hijo! El amor del ama terminó haciéndole daño; que ella fijó la libertad de Toribio y la mía, en trescientos pesos cada uno... ¡Pero nada dijo sobre Juan Francisco! (*Campanadas fúnebres. Por el retablo pasa el cortejo de esqueletos. Ikú toma un trapo negro. Le quita Manzano Títere a Beatriz y lo devuelve al retablo. Le pone el trapo negro a Beatriz por encima. En fuera de escena se escuchan llantos y rosarios.*)

IKÚ.— Lo siento Juan Francisco...

SEÑOR 2.— ¡Se te acabó la fiesta! (*Manzano Niño y Manzano Títere lloran. En el retablo todos salen. Ikú se lleva a Beatriz.*)

MADRE.— Te mandaré a La Habana con tus padrinos. Te enseñarán el oficio de sastre.

PADRE.— ¡A ver si te haces de un carácter recio! (*La Madre lo besa y sale con el Padre.*)

MANZANO N.— (*Al público.*) Cinco años que no les volvería a ver. Sin "mamá mía" y sin ellos, dejado a mí mismo para sólo aprender de la vida. (*En el retablo cae un telón donde está pintada La Habana de la época y hay el trasiego de los habaneros: negras pregonando tableros con dulces, mulatas que se lucen, señoras de quitasol, un negrito vendiendo frutas, un chino vendiendo billetes de lotería y soldados. El marasmo de la ciudad lo envuelve y fascina.*)

MANZANO N.— (*Al público.*) Felices años que corría por un jardín de bellísimas flores. Era tan libre que no sabía sí tenía amo o no, andaba a mis anchas.

MANZANO T.— (*Entrando en el retablo.*) Un día mi madrina me puso las mejores prendas y me anunció que visitaríamos nuestra antigua casa. (*Entran las negras y lo rodean alegremente.*)

MANZANO N.— Apenas entré, las negras me tomaron con alegría, quizás porque yo les recordaba los buenos tiempos de "mamá mía". Entre juegos, comidas y recuerdos, me enteré que la herencia de mi difunta ama, había pasado a la señora Marquesa de Prado Ameno, ahora mi nueva ama. (*Música tenebrosa. Todos miran miedoso hacia un lado. Entra la Marquesa: un gordo, enorme y gigante esperpento de vestido negro, mantilla, cadena con cruces y a la cintura látigo y rosarios. Las negras huyen.*)

MARQUESA.— ¿Ya me abrillantaron la plata? (*Restalla el látigo.*) ¿Ya me bañaron los caballos? (*Latigazos.*) ¿Ya me hicieron la natilla? (*Igual.*) ¿Ya me... (*Descubre a Manzano Niño.*) ¿Y este mulatico?

MANZANO T.— ¡Era el niño lindo del ama difunta!

MARQUESA.— ¡Entonces es de mi dotación de esclavos! ¡Ven acá! (*Le revisa la boca, oídos, etc.*) ¡Un buen ejemplar! (*Campanadas.*) ¡El rosario! (*Se aparta muy fervorosa a rezar.*)

MANZANO N.— A la tarde cansado ya de jugar, y con tantas atenciones, quise regresar a la casa de mi amada madrina.

MARQUESA.— (*Restallando él látigo.*) ¡Tú de aquí no sales! ¡Me perteneces! ¡Serás mi paje! (*Sigue en sus rezos. Manzano Títere llora desconsolado.*)

MANZANO N.— Por más que lloré me tuve que quedar para siempre. Lejanos serían los días de mi felicidad. (*Ikú entra y lo viste con una librea de cirquera estampa: lentejuelas, galones y entorchados dorados, sombrero con plumas rojas.*)

MANZANO N.— (*Al público.*) Véanme ustedes.

IKÚ.— Del lucir del esclavo muestra su riqueza el amo. Si rompes algo lo pagarás con latigazos. ¡Chivo que rompe tambó con su pellejo paga!

MANZANO N.— Voy a dar un salto hasta la edad de catorce años. Paso por alto algunos pasajes, en los que se verificaría lo inestable de mi fortuna. Después de mil ochocientos nueve es que la fortuna se ensañó conmigo.

IKÚ.— Cuéntalo todo. (*Señala al público.*) Quieren saberlo.

MANZANO N.— (*Mirando miedoso a la Marquesa.*) No me recuerdo de las épocas, era demasiado tierno y sólo conservo ideas vagas...

MARQUESA.— ¡Negro del demonio! ¡Ven acá inmediatamente!

MANZANO T. / MANZANO N.— ¿Qué desea el amita?

MARQUESA.— Te has puesto a correr por el jardín y me has quebrado una rosa. ¡Lorenzo, Lorenzo! (*En el retablo entra el Negro 2.*) Dale su merecido a este diablo: ¡A la carbonera! (*Manzano niño se tira a sus pies llorando. Manzano Títere forcejea entre gritos con el Negro 2 que lo domina y saca entre gritos. Apagón general. Entra Ikú con el farol encendido. Manzano Niño está tirado en el piso al pie del retablo, tembloroso.*)

MANZANO N.— Las liviandades de mi edad me costaban veinticuatro horas encerrado en la carbonera, en la más completa oscuridad, expuesto al frío de la noche, sin nada que me cubriera. La carbonera estaba apartada de la casa, era húmeda y al lado de un apestoso basurero que me hacía el aire irrespirable y era guarida de enormes cucarachas (*En el retablo salen unas enormes cucarachas fosforescentes que persiguen a Manzano Títere que grita aterrado.*) Y había ratones que me pasaban por encima. (*En el retablo un enorme ratón. Grita y trata de espantarlo.*) En vigilarlos no dormía. (*Ikú espanta al ratón.*) Cuando salía el tropel de ratas hacía ruidos... (*Risas fantasmales.*) Yo, que tenía la cabeza llena de cuentos de almas aparecidas, me aparecía aquel lugar lleno de fantasmas. (*Salen en el retablo los esqueletos con su danza. Se cubre el rostro llorando.*)

ESQUELETOS.— ¡Manzano! ¡Negro malo! ¡Negro maldito! ¡Vamos pal infierno! ¡Manzanooo! (*Sale.*)

MANZANO N.— Tanto gritaba pidiendo misericordia que me sacaban. (*En el retablo el Negro 2 le da latigazos a Manzano Títere.*) Pero era para darme más latigazos y encerrarme de nuevo... (*La Marquesa busca entre las cosas del retablo y toma una enorme llave.*) El ama guardaba la llave de la carbonera en su cuarto. (*En el retablo sale el Negro 2. Entra la Madre sigilosa vigilando a la Marquesa. Trae pan y agua. Manzano Niño le habla a modo de advertencia.*) Ordena el ama, so pena de castigo, que no me den ni agua. Y tanto le temían que ni siquiera mis padres se atrevían.

MANZANO T.— ¡Ay de mi! Lo que en esa cárcel sufrí, aquejado de hambre y sed, atormentado del miedo. No pasaba una semana en que me metieran ahí dos y tres veces; tan sólo por no responder a la primera llamada, por olvidar palabras en los recados. ¡Esas eran mis primeras faltas!

MANZANO N.— Y el comportarme como un niño. Debí aprender a ser un fantasma. He pensado que lo pequeño de mi estatura y la endeblez de mí salud, se lo debo a la amarga vida que llevé desde los trece años. (*La Madre sale triste y sigilosamente del retablo con un pan. Manzano Niño come apresurado el pan que le ha dejado.*)

MANZANO T.— Siempre hambriento me comía cuanto hallaba, acusándome de ser glotón. Con miedo de que me encerraran y no poder comer, me tragaba la comida casi entera, por lo que me daban fuertes indigestiones, que me obligaban a ir mucho al baño. (*La Marquesa restalla el látigo.*) Por lo que también me castigaban.

MANZANO T.— Por llevar vida tan angustiada, se me rompían las narices y echaba sangre.

MANZANO N.— ¡Por lo que también me castigaban!

MARQUESA.— ¡Juan Francisco!

MANZANO N.— Oír su voz era entrarme un temblor y apenas podía tenerme en pie. Eso me demoraba.

MANZANO T.— ¡Y me castigaban!

MANZANO N. / TÍTERE.— La alegría y viveza de mi ingenio y lo parlero de mis labios se trocó en melancolía sin saber por qué lloraba, buscando la soledad para dar rienda suelta a mis pesares, en un estado de abatimiento que ya me acompañó para toda la vida.

MARQUESA.— Juan Francisco barre la casa, Juan Francisco trae el agua, Juan Francisco trae el carbón, Juan Francisco abrillanta la planta, Juan Franciscooo... (*Manzano Títere corre de un lado a otro.*)

MANZANO N.— Me levantaba de madrugaba, antes que nadie, a trabajar, después me echaba en la puerta de mi ama, para cuando se despertara me encontrara allí. (*La Marquesa va por la escena fiscalizando el polvo, etc... La sigue detrás.*) Debía seguirla en silencio y sin hacer ruido. (*Entra la Madre con una bandeja con comida, la Marquesa se sienta de espaldas al público y come botando algunos restos de comida que Manzano Niño recoge y apresurado se los da a Manzano Títere. La Madre lo mira tristemente y sale.*)

MANZANO N.— Debía recoger con maña lo que se caía, lo que dejaba y engullirlo antes de que el ama se levantara, pues debía salir tras ella. (*La Marquesa eructa satisfecha. Entra Ikú con levita y máscara blanca. Trae unos lápices y unas hojas donde hay dibujos.*)

MANZANO N.— En la clase de dibujos de los señoritos permanecía detrás del ama sin poderme mover, pero mi natural habilidad me hizo entenderlas. (*Ikú desaprueba algunos dibujos y los bota, vigilando a la Marquesa que dormita. Manzano Niño los toma y tira al retablo. Manzano Títere desenrolla un hermoso telón pintado con rubios angelitos y flores.*)

MANZANO T.— Con las cosas que botaban yo hacía dibujos (*Ikú mira el telón y aplaude.*) Me dijo el maestro que yo sería un famoso retratista, que podría pintar al ama. Desde entonces los señoritos me tiraban cosas para que yo dibujara.

PADRE.— (*Entra furioso.*) ¡Te prohíbo que mientras yo viva, vuelvas a tocar los pinceles! (*Le quita los dibujos y sale.*)

MANZANO N.— Así me vi negado de aquel escape a mi espíritu para huir de mis tribulaciones, donde a los castigos del ama, debía añadir el mal trato de mí padre.

MANZANO T.— ¿Me habrá querido decir que en lo de ser un esclavo de entendimiento estaría el futuro de mis males? ¿Qué pisábamos el sagrado territorio de los blancos que nos estaba prohibido?

MANZANO N.— ¡No! ¡En ser como los blancos es donde está el triunfo! ¿No ves la negrada que nace con el yugo y con el yugo se muere? Siendo como ellos terminarán por respetarme.

MANZANO T.— ¿Estás seguro mulato? ¡Mira que el látigo de la Marquesa...!

MARQUESA.— Juan Francisco, nos vamos al río San Agustín! (*En el retablo se desenrolla un telón donde está pintado el río. La Marquesa abre su sombrilla y se pasea. Los negros entrarán a escuchar su poema. En escena entra la Madre a escucharlo.*)

MANZANO N.— Con la melancolía arraigada en mi alma, allí en el río me ponía a componer unos versos de memoria, ya que me estaba prohibido escribir. Todos eran tristes y melancólicos.

En vano, reloj mío
te aceleras y afanas,
marcando silencioso
las horas que no pasan;
sí, aunque veloz el tiempo
con el viento se escapa...[3]

MARQUESA.— (*Entra restallando el látigo.*) ¿Otra vez entreteniendo a la negrada? ¿No sabes que un negro parado me cuesta mi dinero? (*Al retablo.*) ¡Desde hoy les prohíbo que le hablen a Juan Francis-

---

3. Juan Francisco Manzano: "El reloj adelantado".

co, si no quieren una paliza! ¡Y si él les habla les ordeno que le den una paliza!

TODOS.

¡Sí mi ama!

MARQUESA.— ¡Ya lo oíste negro del diablo! (*Se esconde detrás del retablo a vigilarlo.*)

MANZANO N.— Sólo podía hablar con los señoritos y los hijos de los negros, a los que componía cuentos y canciones. (*La Marquesa hace una señal al Negro 2 en el Retablo.*)

NEGRO 2.— Jabla un cuento Juan Francisco...,

MANZANO N.— Necesitado de hablar, aquella noche de invierno, improvisé un cuento para la negrada.

MARQUESA.— (*Sale restallando el látigo.*) ¡Te agarré negro maldito! Túmbalo Lorenzo! (*En el retablo el Negro 2 golpea a Manzano Títere. Entra Ikú y le pone a Manzano Niño dos carteles que por un lado dicen: "Negro desobediente" y "Negro hablantín". Le pone un capirote y una mordaza en la boca. Lo sube a la mesa. Los negros se burlan. La Madre llora.*)

MARQUESA.— (*Saliendo.*) ¡Aprendes a no desobedecerme o revientas!

MADRE.— Allí hubo de estar subido por horas, con grandes calambres y burlas. (*Los Negros salen. La Madre, amorosamente, lo baja, le quita todo y le masajea las piernas adoloridas. El le va a hablarle, Ella con miedo le tapa la boca, mira a todos lados y sale.*)

MANZANO N.— Ni mis padres me hablaban. Era tal mi soledad que me dio por hablar con la casa. ¡Ay Señor Don Espejo, qué golpiza la de hoy! ¡Señora Doña Mesa lo que tengo que contarle! ¡Ay, Señora Doña Pared le compuse un poema! Debiendo estar detrás de mi ama todo el día, siendo su paje debía acompañarla a sus visitas toda la noche sin moverme detrás de ella. Pasada la madrugada regresábamos a la casa, yo asido detrás de la volanta y aguantando el farol. El hambre, los golpes y el exceso de trabajo me hacían dormirme...

MANZANO T.— ¡Juan Francisco se te cayó el farol! ¡Ay, Dios mío!

MANZANO N.— Me desperté y tirándome fui a buscarlo. Intenté después alcanzar la volanta pelo ya había desaparecido.

MANZANO T.— (*Llorando.*) ¿Sabes lo que me espera? (*Entra la Marquesa restallando el látigo. Ambos Manzanos gritan de terror. En escena Ikú entra el cepo triple y le quita el farol. Entra el Mayoral, la Marquesa le señala a los Manzanos, le entrega el látigo y sale. El Mayoral zarandea violentamente a Manzano Niño.*)

MAYORAL.— ¡Negro maldito del infierno! ¡Por tu culpa me han despertado a esta hora!

MADRE.— (*Entrando.*) ¿Qué has hecho hijo? ¿A dónde lo lleva? ¡No!

MAYORAL.— ¡Apártate negra! (*El Mayoral lanza a la Madre al piso y le da latigazos. Manzano Niño se lanza contra El, tras una corta lucha el Mayoral lo domina y a golpes lo pone en el cepo. Arrastra a la Madre y también le pone en el cepo. Entra al retablo y sale empujando violentamente al Titiritero con Manzano Títere y lo pone en el cepo.*)

MAYORAL.— ¡Ahí se van a podrir hasta que yo me acuerde que existen! (*Sale.*)

MANZANO N.— ¡Ay, madre, cómo me parte el corazón verla tratada como una esclava!

MANZANO T.— Ya ves que ni siendo liberta la respetan por ser negra.

MADRE.— ¿Qué diré yo traspasado mi corazón de madre al verte así?

NEGRO 2.— (*Entrando en escena con un atado de caña.*) ¿Y por qué no? Ni tu poemita, ni tu manera de señorito blanco, te salvá de sé tratao como lo resto de lo negro. (*Ríe.*) ¡Candela, látigo, machete y cepo! Entonce e mejó sé negro de verdá: bailá con lo tambó, reverenciá lo Orisha,[4] corré detrá de lo culo e la negra y bebé aguardiente. Y no sé a la mitá como tú; ni negro ni blanco... ¡mulatico engreío! En queré sé algo que no ere se te va a ir la vida y al finá no gosaste como negro lo que no te dejaron gosá como blanco, porque lo negro no se raspá con cuchillo. Mejó aprendé a sé negro y no te abochorná de serlo.

MANZANO T.— No le hagas caso Juan Francisco. Si te quieres alejar de los males de la esclavitud, en vez de quedarte entre los negros tienes que "adelantar". Te envidian porque eres un mulato entre negros. Cada cual en su lugar; ¡negro ni en los zapatos!

NEGRO 2.— (*Ríe.*) Pero eso no te evitá lo golpe, ni que te traten como negro. ¿Sabé por qué? ¡Mulatico sé esclavo!

MANZANO T.— El pasado es negro y el futuro blanco Juan Francisco. ¡Tú no eres negro! Con tus maneras de señorito, tu inteligencia y tus oficios, apenas puedas tener la libertad te van a aceptar y respetar en la sociedad.

NEGRO 2.— (*Ríe.*) Lo blanco no te dejá aprendé a leé y escribí, depué te llaman bruto porque no sabé jacerlo. Decí que lo negro no e inteligente porque no queré verlo; lo blanco tocá lo piano, lo negro lo tambore, lo blanco bailá la dansa y lo negro bailá pa lo Orisha, ello van al dotó y nosotros a lo yerbero, ello incendian lo monte y nosotros pedimo permiso pa cortá lo bejuco, la memoria de lo abuelo sé nuestro periódico y libro, ello llamá salvaje a lo que cantamo, y pa nosotro la ópera son gorda dando grito. ¡Siempre te van a ve como bruto! ¡No te pué escapá! (*Saliendo.*) ¡Candela, golpe, machete y cepo! (*Su risa se pierde fuera de es-*

---

4. Deidades afrocubanas

cena. Los tres lloran. Campanadas. En la lejanía el canto de los esclavos. Entra el Mayoral, zafa a Manzano Niño y a la Madre, que caen al piso. Zafa al Titiritero y ata a Manzano Títere con una soga.)

MAYORAL.— ¡Te vas al ingenio! (*Se lo lleva a rastras detrás del retablo.*)

MADRE.— (*Abrazando a Manzano Niño...*) ¡Ay mi hijo! ¡El ingenio! (*Sale llevándose el cepo.*)

MANZANO N.— Era tal la vida en el ingenio, que se tenía por castigar sacar al esclavo de la casa para mandarlo allá. Mas yo no lo sabía y mi madre por no aterrarme se limitaba a llorar y compadecerme. En llegando me atacaron unos perros entrenados para morder negros. (*Se escucha la jauría y gritos. En el retablo entra ensangrentado Manzano Títere.*)

MANZANO T.— Seguí el resto del camino soportando los golpes y las obscenidades del Mayoral que nada hizo por restañarme las heridas y seguía golpeándome...

MANZANO N.— Me metieron en el cepo y después llegó el Mayoral con más negros... (*En el retablo entran los Negros.*)

NEGROS.— ¡Látigo carajo!

MANZANO T.— Después me regresaban de nuevo al cepo toda la noche, hasta que me soltaban con la campana para que fuera a trabajar. Y a la noche...

NEGROS.—¡Látigo carajo! (*Salen.*)

MANZANO N.— (*Al público abriéndose la camisa.*) Sepan sus mercedes, que hasta hoy llevo la marca de los perros... (*Se levanta bajos del pantalón.*) Y en los tobillos las de los grilletes con rocas que me pusieron. (*Se escuchan los cantos de los esclavos.*)

MANZANO N.— Debía recoger el bagazo seco para conducirlo a los hornos. Un día un negro llamado Andrés (*Grito fuera de escena.*) le cogió el brazo el molino hasta el hombro, dejándolo atrapado con grandes gritos de dolor. La azúcar se tiñó de sangre hasta que se murió el infeliz. Para sacarlo se le cortó el brazo con un machete. (*Pueden pasar los esqueletos por el retablo.*) Pensando en su ánima tuve gran zozobra. Pero lo peor estaba porvenir. (*Se escuchan los perros. Manzano Niño busca desesperado donde esconderse. Manzano Títere lo llama y entra al retablo desde donde espía. Entra el Mayoral y el Rastreador con su bolsa ensangrentada.*)

MAYORAL.— ¿Te dieron mucho trabajo los negros cimarrones?

RASTREADOR.— Los perros los encontraron enseguida. Me ofrecieron resistencia, pero con el rifle y el machete... Aquí están las orejas.

MAYORAL.— Hubiera sido mejor traerlos vivos, pero una vez que se vuelven cimarrones y prueban el monte... Son un mal ejemplo para la negrada. (*Saca de la bolsa el collar de orejas.*) ¡Diez pesos oro por cada una!

RASTREADOR.— Traje la cabeza del líder...

MAYORAL.— La pondremos en una estaca en medio del batey[5], para que los negros la vean, a ver si van a seguir ahorcándose, tragándose la lengua o bebiendo leche de güao.[6] Como se creen que muriéndose regresan al paraíso en África, si les falta la cabeza no pueden hacerlo y entonces desisten. ¡Salvajes!

RASTREADOR.— ¡Como si los negros tuvieran paraíso! (*Salen riendo. Luz de la noche. Manzano Niño sale del retablo y se tira en el piso a dormir.*)

VOCES.— ¡Juan Francisco, Juan Francisco, Juan Franciscoo...

MANZANO N.— ¡Ave María Purísima! (*En el retablo la cabeza cortada persiguiendo a Manzano Títere. Manzano Niño grita aterrorizado. Sale del retablo el Titiritero con Manzano Títere y se abraza miedoso a Manzano Niño. Sale del retablo el Mayoral con la cabeza y los circunda. El Titiritero con Manzano Títere huye al retablo. El Mayoral atormenta a Manzano Niño. Campanada. Se hace el día. El Mayoral sale huyendo. En el retablo entran el Cura y los Señores.*)

CURA.— Quisiera venir más de una vez al año, para encargarme del alma de los esclavos.

SEÑOR 1.— Es más que bastante para no interrumpirles el trabajo. Si lo sabrá el padre que su iglesia también tiene fincas y esclavos.

SEÑOR 2.— Apreciamos su visita padre. El mensaje religioso es el único medio de hacer que estos negros salvajes sobrelleven su situación, siendo humildes, trabajadores, obedientes y respetuosos.

SEÑOR 1.— A la noche celebraremos su visita, dándoles un poco de ron y licencia para que toquen los tambores, canten y hagan sus bailes bárbaros.

CURA.— ¡Siempre con el ojo abierto para evitar paganismos y herejías! Bueno, iré entre ellos, para descubrir los que viven en concubinato, los sodomitas, los sin bautizar y los que no saben el catecismo. (*Los Señores salen.*)

MANZANO N.— ¡Ay padrecito! ¡Ayúdeme con este cruel castigo! ¡Me tienen el lomo pelado de tantos golpes! ¡Interceda con la Marquesa para que me perdone!

CURA.— ¡Algo habrás hecho! Pero intercederé con la señora Marquesa. ¿Cómo andas con Dios?

---

5. Patio de los ingenios.

6. Planta de savia corrosiva y venenosa.

MANZANO N.— Pues mire usted padrecito, que siendo la primera vez que veo un sacerdote por estos lugares, y en llevándome a misa me dejan afuera esperando, sin haberseme enseñado memoricé el catecismo y las oraciones del calendario que digo cada día y cuando el infortunio se ceba en mí pienso que he olvidado algún santo y las comienzo todas.

CURA.— Eso te abrirá el cielo donde encontrarás la verdadera libertad.

MANZANO N.— ¿Quiere decir que sólo seré libre con la muerte?

CURA.— La esclavitud es sólo una manera más de expiar el pecado original por habernos sublevado contra Dios. Por eso en el amo habrás de ver la natural autoridad y el respeto que les debes; quebrarlo es poner en peligro tu acogida en el paraíso.

MANZANO N.— ¡Jesús, María y José! ¡Le juro que respeto y quiero al ama!

CURA.— La Iglesia lucha por un trato benévolo y moderado a los esclavos, de esa manera no hay justificación para rebeliones ni cimarronerías. Y dime; ¿estás amancebado con alguna negra? (*Manzano Niño lo niega todo.*) ¿Te tocas las partes impuras, tienes malos pensamientos, has usado algún animal como mujer, has andado en sodomía, has pagado ramera?

MANZANO N.— ¡No, no, padre! ¡Le juro que ni sabía que esas cosas se hacían!

CURA.— De todas maneras reza, para que lo evites en el futuro. ¡Dios te bendiga hijo mío! (*Sale.*)

MADRE.— (*Entra con un pañuelo atado que le muestra.*) Hijo mío, debilité mis pulmones lavando para la calle, gasté mis ojos cosiendo de noche, cuidé enfermos, pulí pisos, vendí dulces. ¡Y todo por liberarte Juan Francisco! ¡Aquí llevo los ochocientos pesos oro para comprar tu libertad a la Marquesa! (*Lo abraza.*) Vas a ser un hombre libre y no te maltratarán más. (*Va a la Marquesa en sus rezos.*) ¡Vengo a comprar la libertad de mi hijo! (*La Marquesa sopesa el atado. En el retablo todos los personajes salen expectantes a mirar. Hace una señal a la Madre para que calle y salen de escena.*)

MANZANO T.— ¡Libre! Poderme dedicar a escribir tantos poemas que llevo en la memoria, andar por donde quiera, no temer más a los golpes, que me traten como a una persona. ¡No lo puedo creer! ¡Juan Francisco Manzano libre! (*La Madre entra.*) ¿Ya soy libre madre? (*La Madre cruza el escenario llorando y sale. Entra la Marquesa y regresa a sus rezos. En el retablo todos salen.*)

MANZANO N.— Mi madre salió sin el dinero y yo quedé a esperar no sé qué tiempo y no sé qué promesas... Quedando igualmente esclavo. Caí en una tristeza tal que ni me inspiraba jugar con los otros muchachos, ni la comida me interesaba, solamente andar llorando mi pena por los rincones. Y de ese estado, que hoy me dura, me acusan de mi carácter... (*Va a la mesa y pasa una hoja del diario.*) Mejor pasamos ese instante tan doloroso...

MANZANO T.— Para caer en otros... Un día arranqué una hojita de geranio. La Marquesa me vio y la hojita se convirtió en toda la mata y la mata en el jardín... ¡Se me mandó al ingenio con cepo y látigo cada día!

MANZANO T.— Y cuando se perdió un pollo me atravesaron por toda la ciudad amarrado en un mulo como un criminal, y después se supo que lo había comido un mayordomo.

MANZANO N.— Y cuando la Marquesa me dio una limosna para un mendigo, y siendo la moneda nueva y brillante, la cambié por una mía y cuando me la encontró me acusó de quedármela.

MANZANO T. / MANZANO N.—. ¡Ay qué golpiza! (*Manzano Niño sale.*)

IKÚ.— (*Saliendo detrás del retablo.*) ¡Están igualito que unas viejas quejosas! ¡El público se aburre! ¡Látigo, látigo, cepo, cepo! ¿No hay otra cosa? Ya no eres un niño. Háblame de tu juventud.

MANZANO T.— Pues cuando el señor Don Nicolás, el hijo de la Marquesa, viéndome en estado tan deplorable me llevó con él a La Habana... Tan buen trato me engordó, recobré el hablar olvidado del látigo y el rigor de la Marquesa, mi alma pareció regresar a mi cuerpo. ¡Qué tiempo tan feliz! (*Entra Manzano Joven.*)

MANZANO J.— Le acompañaba a sus estudios y pronto como un papagayo me aprendí de memoria las clases y los libros. Mas no me iba fruto en ello y... (*Sigiloso susurra.*) ¡Aprendí a leer! De las monedas que se me daban por el coser, en secreto compré pluma, tinta y papel. En secreto recogía las lecciones que mi amo botaba. Robaba tiempo a mi descanso para copiarlas y pronto tuve buena letra. (*Muestra el Diario.*) Entonces comencé a escribir los poemas que llevaba en la cabeza desde los doce años. Un amigo del señorito encontró uno de ellos...

IKÚ.— Y predijo que serías poeta aunque todos se opusieran. ¡Ahí empezó tu desgracia!

MANZANO J.— Déjeme usted, una desgracia más no es nada. (*Pone el farol en la mesa.*) Cuando todos dormían, robando el sueño, escondido, con un cabo de vela escribía... (*Canta un gallo. Cierra el diario.*)

MANZANO T.— Entonces inventé un teatro de títeres para los señoritos y era muy aplaudido.

IKÚ.— Poco dura un merengue en la puerta de un colegio. ¡El ama te llevó de nuevo con ella y...

MANZANO T.— ¡Látigo carajo!

MANZANO J.— Viendo en mi vida sólo maltrato me decidí a pedirle a mi ama, que me diera un papel para trabajar fuera de la casa, como decía la ley, pagándole a ella la mitad de mi salario.

MARQUESA.— (*Entra enfurecida restallando el látigo y seguida por las Damas.*) ¿Así me pagas los desvelos por tu educación? ¿Alguna vez te he puesto las manos encima? (*Espera su respuesta.*)

IKÚ.— ¡Para eso manda a los negros y mayorales! ¡Dile que sí Juan Francisco! (*Manzano Joven mueve la cabeza negándolo. Las Damas sonríen satisfechas.*)

MARQUESA.— ¿Olvidas que he quedado en lugar de "mamá mía? ¡A mi lado quedarás hasta que determine qué hacer contigo!

MANZANO J.— Es que la ley...

MARQUESA.— ¡Ingrato que así me pagas! ¡Ay, que dolor!

DAMA 1.— ¿Cómo puedes ser tan mal agradecido? ¿Tienes alguna queja de ella? (*Manzano Joven mira a Manzano Títere e Ikú, que le hacen señas para que diga que sí, pero lo niega.*)

DAMA 2.— Señora tan virtuosa, tanta caridad que practica en la parroquia y tanto modelo que da a imitar a la sociedad con su vida. (*Manzano Joven se echa a llorar a los pies de la Marquesa.*) ¡Eso está mejor! (*Las tres salen.*)

MANZANO T.— Así quedé en lo mismo, pero ahora con fama de mal agradecido y las recriminaciones del ama.

MANZANO J.— Así quedé en lo mismo, lo único que ahora con fama de mal agradecido y las recriminaciones del ama... A ratos trabajaba pintando, cosiendo, haciendo dulces para la calle y guardaba el dinero pues quería publicar mis poemas en un libro. Habiendo descubierto el ama que los negros jugaban a la baraja, lo que yo no sabía, registró mis cosas y encontrando mi dinero lo tomó. Pude precisarle cómo lo había ganado y me dijo que se quedaba con él de todas maneras, pues debía haberle dicho que trabajaba para afuera. Y me mandó al ingenio donde...

IKÚ.— ¡Ya, ya! ¡Látigo carajo! Se te gasta la tinta en lo mismo.

MANZANO T.— ¡Y nos duele el lomo!

MANZANO N.— Mejor brincamos para mil ochocientos diecisiete, en que abatido de tan mala fortuna forcé yo mismo un cambio en mi vida...

IKÚ.— ¡Después de aguantar las verdes y las maduras! (*Campanadas fúnebres. Entra la Madre con los papeles y joyas. Ikú toma el trapo negro y se lo va a echar por encima. La Madre la detiene.*)

MADRE.— Algo te dejo para tu futuro; estas joyas son finas y estos papeles son las deudas que la Marquesa me debe y habrás de cobrarle. También ella me guarda un dinero que le di para el futuro de ustedes cuando yo no estuviera y habrás de pedírselo. Reparte lo de tus hermanos y con lo tuyo podrás comprar tu libertad. ¡Adiós hijo!

Ikú.— (*Poniéndole el trapo negro.*) ¡Lo siento Juan Francisco! (*Manzano Joven trata de retenerla, Ikú lo contiene y la Madre se marcha.*)

Manzano J.— Por lo duro de su trato la muerte de mi padre no me fue tan dolorosa, ¡pero, ay, mi madre!

Manzano T.— Daré las joyas a mi hermana, venderé una manilla para pagar las misas por el alma de mi madre. (*Entra la Marquesa.*)

Manzano J.— ¿Ya leyó el ama los papeles de mi madre?

Marquesa.— No he tenido tiempo preparando la beneficencia de los desamparados.

Manzano J.— Es que mi hermana me apremia, de la herencia de mi madre espera un buen uso.

Marquesa.— ¡Tu hermana! Esa negrita que por ser liberta se cree... ¡Le prohíbo que visite más esta casa, ni que la veas más! Si no me obedeces te mando al ingenio.

Manzano J.— Perdóneme el amita; siempre que hablamos de la herencia...

Marquesa.— (*Restalla el látigo.*) ¡Me tienes harta! ¿No sabes que soy heredera forzosa de mi esclavos? Cuando me vuelvas a hablar de ese asunto te mando de por vida al ingenio.

Manzano J.— Pero...

Marquesa.— ¡Cállate! Y dime con qué dinero has pagado tantas misas a tu madre.

Manzano J.— Vendí una de sus manillas de oro...

Marquesa.— ¿Cómo te has atrevido sin mi permiso? ¡Esa manilla era mía! ¡Ladrón! (*Le arrebata el pañuelo.*) ¡Al ingenio! (*Sale.*)

Ikú.— Que no salga el Mayoral. Ahorremos tiempo.

Manzano T.— Ya lo sabemos: ¡Látigo carajo!

Ikú.— Otra vez sin la esperanza de ser libre. ¡El ama volvió a engañarte!

Manzano J.— ¿Qué puedo hacer? Me dio educación...

Ikú.— ¡Te prohibió aprender y ahora el que escribas!

Manzano J.— Me dio enseñanza católica...

Ikú.— ¡Y después te rompe el lomo!

Manzano J.— Me ha dado tanto...

Ikú.— ¡Te hace trabajar como un mulo y después te lo roba todo!

Manzano J.— ¡No quiero ser mal agradecido!

Ikú.— ¡A mí no me engañas! ¡Habla! (*Silencio.*) ¡Ah, no, yo no sigo en esta hipocresía! ¡Al carajo con el teatro! (*Va a marcharse.*)

Manzano T.— ¡Espera! ¿Qué pasa?

Ikú.— ¡Juan Francisco, que lo han robado, pateado, castigado y todavía insiste en ser fiel a los blancos! Se niega a decir la verdad de sus sentimientos. (*A Manzano Joven.*) ¡No tienes que escribirlo claramente en el diario!

MANZANO J.— (*Señala al público.*) ¿Y ellos?
IKÚ.— Saben que es teatro. Todo es teatro...
MANZANO J.— ¡No, es mi vida, coño!
IKÚ.— ¡Al fin un poco de sangre en tus venas!
MANZANO J.— ¡Quiero escaparme para La Habana! ¡Mi corazón está lleno de odio contra el ama!
IKÚ.— (*Aplaude.*) ¡Bravo! La Habana está a un día a todo galope. (*Campanadas.*) ¡Las tres! ¡Apura el relato! (*Ikú sale detrás del retablo. Manzano Títere sale. Manzano Joven escribe en el diario. En el retablo entran Plácido, Pardo 1 y Negro 1.*)
NEGRO 1.— Ya todas las partes están listas para rebelarse. No podemos esperar más, hay nerviosismo en el ambiente y los soplones de O'Donnell están activos, especialmente vigilando a los libertos.
PARDO 1.— Le tienen miedo a ver negros y pardos educados y con dinero.
PLÁCIDO.— El dinero no es suficiente para nuestro desarrollo; el color de la piel es lo que determina nuestro lugar en la sociedad cubana. ¡Es necesario tener el poder político para conseguir el control de nuestras vidas!
NEGRO 1.— ¿De qué nos ha servido la educación? Primero nos prohibieron aprender y ahora necesitamos de la Iglesia el papel de la "limpieza de sangre", porque sólo los blancos pueden ser médicos, abogados, notarios y tenedores de libros. A no ser que paguemos con grandes sumas las "cédulas de gracia", que igualan al mulato claro con el blanco y dejan a los negros detrás, creando divisiones entre nosotros.
PARDO 1.— Obligando al negro a querer ser mulato y al mulato querer ser blanco, porque el delito es ser de "color". ¿Qué color? La palabra negro los enfrenta a su propio racismo así que nos borran el color.
NEGRO 1.— Nos llamaron brutos por ser negros, ahora nos discriminan por la inteligencia. Se creen que con represión podrán silenciarnos. ¡Al terror blanco responderemos con el terror negro!
PLÁCIDO.— Ya los esclavos no se rebelan para protestar por un mayoral despiadado, ahora es el deseo de libertad el que quema los ingenios y destripa mayorales y les cobra a los amos tanto latigazo. El fuego de la libertad es más temido que las llamas, por eso reprimen a matar y ponen las cabezas en las plazas. (*Estalla la tormenta.*)
NEGRO 1.— Pero el negro mira y no olvida, llama a sus orishas, le da sangre a sus cazuelas... Esta vez la isla va arder de una punta a la otra. (*Lentamente se escuchan los tambores que cobrarán intensidad.*) ¡Candela! (*Plácido sale con Pardo 1.*) Y tú, mulatico arrepentido... ¿No te da vergüenza aguantar tantos palos? Un mulatico

con tus habilidades, enseguida hallará quien lo compre. Si llegas al Tribunal de los Esclavos en La Habana, y lo cuentas todo, te firmarán un papel para que cambies de amo. (*Sale.*)

IKÚ.— (*Sale del Retablo con una cuerda.*) ¡Puede que te den la libertad!

MANZANO T.— (*Entra.*) ¡Hay un caballo fresco en la cochera! Es de noche, hay tormenta y todos están recogidos. Sigue recto el camino real y llegarás a La Habana mañana. (*A la vez Manzano Joven reza en católico e Ikú reza en yoruba.*).

MANZANO J.— Padre nuestro, etc...

IKÚ.— Eleguá que abres los caminos, *Eleguá laroye akí loyú té té anu paguda akamá sese arale tu se aba muy lí omu bata otolo ofofó ñiñi okolo to ni kanu omó korogún oyona alayiki, ayuba.*[7] (*Ikú le da la soga y comienza a limpiar el camino delante de él. Entra el Titiritero con Manzano Títere.*)

MANZANO T.— (*Al público.*) Lo que me sucedió luego, lo veremos en la segunda parte de esta historia.

MANZANO T. / MANZANO J.— ¡Voy a ser libre! (*Salen.*)

IKÚ.— Señoras y Señores;
entreacto pido,
ya el esclavo escapó;
si algo del sueño logra
eso lo sabremos luego
que haya caído el telón.

FIN DEL PRIMER ACTO

7. Oración a Eleguá, el guardián de los caminos, pidiendo su protección.

SEGUNDO ACTO

(*El mismo lugar*)
1835-1854

IKÚ.— (*Manzano Joven está en la mesa mirando al público. Entra Ikú.*) ¿No ves que ya abrió el telón? ¡Comienza!

MANZANO J.— No puedo, la segunda parte del diario se ha perdido. La primera parte la entregué a Don Domingo del Monte, quedando tan complacido que me hizo continuarla y habiéndola terminado la entregué a Don Ramón de Palma, que se ofreció a enmendar las muchas faltas con que escribo y... (*Se abre el telón del retablo. Entra el Señor 3 seguido de Dama 1 con los papeles.*)

DAMA 1.— ¡Ramón, Ramón! ¿Qué infamia es esta? Me dio la curiosidad por ver qué había traído ese mulato, me puse a leer y... ¡Esto es un libelo contra mi prima adorada! ¿Qué piensas hacer?

SEÑOR 3.— Revisarlo y entregarlo a Don Domingo del Monte.

DAMA 1.— ¿Para qué circule por toda la sociedad y lo usen esos traidores que quieren arruinarnos aboliendo la trata? No permitiré que se empañe de esa manera el nombre de la Marquesa de Prado Ameno, de mi familia. ¿Cómo ese salvaje se va a atrever a tanto? Escúchame bien esposo mío; no puedes contribuir al bochorno de nuestra familia. ¡No hagas eso!

SEÑOR 3.— ¡Pero Don Domingo del Monte y el mismo Manzano saben que lo recibí!

DAMA 1.— ¡Y lo perdiste! (*Sale.*)

SEÑOR 3.— ¡Mujer! (*Sale detrás de ella.*)

MANZANO J.— Todo el resto de mi vida, desde que me escapé...

IKÚ.— Haremos que Don Domingo lo reclame.

MANZANO J.— Es muy tarde... (*En el retablo se ve el humo y el rojo del fuego.*)

IKÚ.— ¡Vamos hombre, que ya no tienes el grillete, ni conoces el fuete!

MANZANO J.— Pero debo bajarme de la acera para cederle el paso a los señores, si alguno me habla debo quitarme el sombrero y hay sitios a los que no puedo entrar.

IKÚ.— No te impacientes. Deja que vean tu talento. Lo tuyo es la pluma. ¿Por qué no tratas de recordar y re-escribes tu diario? ¿Vas a dejar la función a medias? (*Señala al público.*) Ellos querrán saber qué pasó cuando llegaste a La Habana. (*Le pone la pluma en la mano.*) ¡Trata! Yo te ayudo: martes cinco de diciembre de mil ochocientos diecisiete. (*Manzano Joven escribe.*)

MANZANO J.— A la mañana llegué a La Habana todo tembloroso y empapado, algo vacilante de lo que había hecho y con pesar de traicionar así a mi ama, pero con dieciocho años no me era dado más lagrimas, ni esconderme en los rincones.

IKÚ.— Fuiste a buscar a tu padrino, que te condujo al Tribunal de los Esclavos, donde declaraste el trato inhumano que te daba la Marquesa.

MANZANO J.— Solicité se me concediera la libertad que ya mi madre había pagado. Más no habiendo pagaré firmado por la Marquesa, tuve que conformarme con pedir que me comprara otro amo. (*Se escuchan golpes de mazo. En el retablo entra el Juez. Manzano Joven se levanta.*)

JUEZ.— Este Tribunal de los Esclavos escuchó las razones de Juan Francisco Manzano, esclavo perteneciente a la Marquesa de Prado Ameno que presentó sus papeles. Antes de dictar veredicto escucharemos sus razones. (*En retablo entran los Señores 1, 2. En escena entran las Damas 1, 2.*)

DAMA 1.— Es completamente falso que la Marquesa maltrate a ningún esclavo. Hemos traído una carta firmada por los más nobles apellidos de la sociedad habanera y matancera, donde se da razón de los valores morales de la Marquesa y el justo trato que brinda a sus esclavos.

MANZANO J.— Pero su Señoría; puedo enseñarle mi espalda marcada por los latigazos...

SEÑOR 1.— Los mismos negros están dispuestos a declarar los desmanes de este esclavo ladrón, glotón, mentiroso y pendenciero.

MANZANO J.— Ellos me odian porque soy mulato y de razones. Me llaman "blanquito".

DAMA 2.— El Mayoral Saturnino, dará cuenta de las innumerables ocasiones en que fue remitido a la hacienda "El Molino" y el ingenio "San Agustín".

SEÑOR 2.— Y aun así era perdonado por la Marquesa, hasta que la volvía a ofender.

MANZANO J.— ¡Tengo derecho a que me compre otro amo!

SEÑOR 1.— ¡La señora Marquesa se niega a perder este esclavo! Ha invertido mucho tiempo y dinero en formarlo a su manera.

MANZANO J.— (*Se arrodilla ante el Juez.*) ¡Le imploro a su Señoría que no me haga regresar a la Marquesa! ¡Después de esto me matará!

SEÑOR 2.— ¡Chantajea a este tribunal con el suicidarse! ¿Así le pagas los desvelos por hacerte un hombre de bien?

Dama 1.— La Marquesa ha prometido hacer algo, cuando logre la mayoría de edad y tenga algún oficio de bien que le permita ser útil.

Manzano J.— ¡Soy sastre, pintor y dulcero! (*Todos discuten. El Juez da tres mazazos.*)

Juez.— ¡Orden! Habiendo escuchado todas las partes, este Tribunal de Esclavos, con el poder de la Corona, determina... Primero: Que el esclavo Juan Francisco Manzano goce del poder de trabajar fuera de la casa de su ama, de acuerdo con la ley, dándole la mitad de lo que gane que le corresponde como ama y dueña de sus brazos. (*Manzano Joven estalla en alegrías.*) Segundo: Que dicho esclavo continúe en posesión de su ama hasta que ella decida su futuro. ¡Este veredicto es final e inapelable! (*Alegría de Señores y Damas. El Juez da tres mazazos y todos salen. En escena entra el Mayoral. Manzano Joven quiere huir al retablo pero el Mayoral lo agarra y lo lleva a la Marquesa.*)

Marquesa.— ¡Perro! ¿Así muerdes la mano que te alimenta?

Manzano J.— (*Tirándose a sus pies.*) ¡Perdóneme amita!

Marquesa.— (*Lo tira al piso de una patada.*) Sólo te dejaré salir a trabajar afuera, cuando me tengas la casa brillando y a mí bien atendida. Habrás de rendirme cuentas del último peso que cobras. ¡Ay de ti si intentas robarme!

Coro.— (*Fuera de escena.*) ¡Látigo carajo!

Marquesa.— ¡Aquí el único tribunal que vale es el mío! (*Sale con el Mayoral.*)

Ikú.— ¡Algo lograste!

Manzano J.— ¡Seguir esclavo!

Ikú.— Si trabajas duro lograrás dinero para comprar tu libertad.

Manzano J.— En ochocientos pesos oro, ha fijado el tribunal mi precio. Pero debiendo entregarle al ama la mitad de lo que gane... ¡Ni en veinte años seré libre.

Ikú.— Pero no estás solo. Alguien te ayuda lavando para la calle, cociendo, vendiendo animales.

Manzano J.— ¡Mi amada Marcelina! Negra bella y alegre como un sol.

Ikú.— Y esclava como tú, de la dotación de la Marquesa. Fue ella quien los casó.

Negra 1.— (*Entra en el retablo.*) Me voy a comprar las hierbas.

Manzano J.— ¿Ya estás con esas brujerías?

Negra 1.—¡Esas no son brujerías! Es el conocimiento de nuestros abuelos; hasta los blancos las usan. Si te sentaras a hablar con los negros, conocerías un poco de nuestras cosas.

Manzano J.— Detrás de todo eso está el demonio. Dice el señor cura que...

Negra 1.— ¿Entonces por qué me obligas a usarlas?

MANZANO J.— ¡Yo no te obligo a nada!
NEGRA 1.—¡Tú eres el que no quiere tener hijos! Y usas cualquier cosa para evitarlo. ¡Hasta ponerte esa tripa de vaca! ¿Para qué te casaste conmigo? ¡Yo no soy machorra! ¡Puedo tener hijos!
MANZANO J.— ¿Se te olvida que somos esclavos? Tu vientre no es libre, le pertenece al ama. ¡No quiero traer al mundo otro esclavo! Todavía recuerdo cómo sufrió mi madre al verme en el cepo, que hasta sus latigazos cogió ya siendo libre. ¡Primero tomo un mazo y me capo como un toro!
NEGRA 1.—¡Pues hazlo! (*Sale.*)
IKÚ.— Murió al año dejándote viudo...
MANZANO J.— Otra ausencia sobre mis hombros.
IKÚ.— Te queda tu pluma. (*Entra en el retablo Manzano Títere.*)
MANZANO T.— ¡No lo puedo creer! Los poemas que mandé a las revistas han sido publicados.
MANZANO J.— ¡Y piden más!
IKÚ.— Aunque dejas tu identidad oculta... (*Va a la mesa y lee una revista.*) "Poemas de un pardo esclavo que demuestra esta extraña destreza".
MANZANO T.— Tengo miedo... Me han dado tanta fama que ya todos saben quien soy.
IKÚ.— Todos los esclavos tienen que estar orgullosos de ti.
MANZANO J.— Se burlan... Me llaman "mulatico pretencioso", "hueleculo de los blancos".
IKÚ.— Es la ignorancia. Acuérdate que los mantienen analfabetos a la fuerza. Tú mismo, si no te hubieras atrevido y puesto empeño en aprender solo...
MANZANO T.— Me envidian por eso.
MARQUESA.— (*Fuera de escena.*) ¡Juan Francisco! (*Manzano Títere sale corriendo. Manzano Joven tiembla. Entra la Marquesa con las revistas que tira al piso.*)
MARQUESA.— ¿A quién pediste permiso para esto? ¿Cuándo se ha visto un negro poeta? ¿Te crees blanco? ¡Poesía! ¡Lo tuyo es coser, cocinarme y tenerme brillosa la casa! ¿A dónde iremos a parar? ¡Te prohíbo que vuelvas a publicar nada!
MANZANO J.— (*Se tira a sus pies sollozante.*) ¡No me haga eso amita! ¡La poesía es mi vida!
MARQUESA.— ¿Quieres que te mande a "El Molino"? (*Entran en el retablo Manzano Títere y el Señor 4.*)
MANZANO T.— ¡Haga algo su merced!
SEÑOR 4.— Buenas tardes, señora Marquesa.
MARQUESA.— ¡Que agradable visita señor Don Tello Mantilla.
SEÑOR 4.— Venía a complementarla. Todo Matanzas habla de su empeño; ¡las poesías de Juan Francisco han sido recibidas con gran éxito!

Circulan sus libretas de décimas en todas las casas ilustres. Eso habla mucho de su nobleza y el rigor intelectual con que se vive en esta casa. ¡No todas las señoras tienen esclavos poetas! ¡La felicito!

MARQUESA.— ¡Más me gustaría tener esclavos buenos trabajadores!

SEÑOR 4.— Sin duda, pero recuerde que por lo novedoso todos dicen: "El esclavo poeta de la Marquesa de Prado Ameno". Esclavos tendrá en dotación que le corten caña y le limpien... Pero no un poeta.

MARQUESA.— Sí, claro... Bueno... He tratado de darle a mis esclavos una buena educación y un sano ejemplo.

SEÑOR 4.— Esperamos que Juan Francisco nos siga ofreciendo sus poemas, que son el vivo ejemplo de las dotes de la señora Marquesa. Creo que tiene gran talento y le admiro mucho, pese a ser esclavo. A sus pies señora Marquesa. (*Sale seguido de Manzano Títere. La Marquesa le hace una señal y Manzano Joven le entrega las revistas.*)

MANZANO J.— ¿Me dejará el amita?

MARQUESA.— No he de oponerme a la alta sociedad. (*Manzano Joven le besa la mano, se la zafa y la limpia en la saya.*) Si te dejan alguna ganancia la mitad me corresponde por ser yo la dueña de todo lo que sabes. No lo olvides porque si no...

CORO.— (*Fuera de escena.*) ¡Látigo carajo! (*La Marquesa sale.*)

IKÚ.— ¡Victoria!

MANZANO J.— No tanta; leído en los salones y pateado en la casa. Mientras más fama me venía más se ensañaba conmigo el ama.

IKÚ.— No se verá bien que meta en el cepo a un poeta. La gente comenta...

MANZANO J.— (*Mirando miedoso al público.*) ¡Yo no he dicho nada!

IKÚ.— Los otros esclavos hablan en la plaza y eso llega a los señores. Ya le resulta imposible a la Marquesa castigarte con tanta saña. Se ve impotente porque han venido muchos señores a interceder por ti, las damas acuden a conocerte, todos te piden poemas de ocasión. ¡Es demasiado para la Marquesa! Sólo sabe tratarte como a un perro y no concibe darte un trato justo. (*Entra en el retablo el Señor 4 y en escena la Marquesa.*)

MARQUESA.— Señor Mantilla, más de una vez me ha insinuado su interés en Juan Francisco...

SEÑOR 4.— No es un esclavo cualquiera.

MARQUESA.— ¡Se lo vendo! (*Manzano Joven no puede detener la alegría y corre a besarle la mano al Señor 4.*)

MARQUESA.— ¡Maldito mal agradecido! (*Se marcha.*)

MANZANO J.— El amo no se arrepentirá. Sabré atenderlo y cuidarlo en todo.

SEÑOR 4.— Falta que me hace por las muchas dolencias que tengo. De mi nada tendrás que temer, no me gusta maltratar a mis esclavos.

Sólo tienes que hacer lo que se te mande y después podrás usar tu tiempo como quieras.

MANZANO J.— ¡El cielo me ha escuchado tras tantos sufrimientos!

SEÑOR 4.— Sé que desearías publicar tus poemas... Sabes que necesitas una licencia porque a los esclavos les está prohibido escribir.

MANZANO J.— Y yo incurro en castigo haciéndolo, por eso no los firmo para que la justicia no me atrape. Sé que tendré que seguir escribiendo en libretas que circulan por ahí.

SEÑOR 4.— Soy primo hermano del censor... Podría conseguirte la licencia...

MANZANO J.— ¿Lo haría el amo? ¡Dios lo bendiga! Ahora mismo recogeré todo lo que tengo escondido y regado por ahí.

SEÑOR 4.— (*Tose.*) Mejor me recuesto. (*Marchándose.*) ¡Estas dolencias!

MANZANO J.— ¡San Juan se apiadó de mí!

IKÚ.— ¡Eleguá te abrió el camino![8] ¡Al fin te pasa algo bueno!

MANZANO J.— Todo el dinero que he guardado lo guardaba para comprar mi libertad, que es lo más preciado de mi vida. Pero el poder de la poesía es tanto que tomé algún dinero para publicarme, sabiendo que eso me lograría el respeto de todos y la aceptación de los señores.

IKÚ.— (*Lee los libros de la mesa.*) Mil ochocientos veintiuno: *Poesías Líricas*. Mil ochocientos treinta: *Flores Pasajeras*.

MANZANO J.— Acogidos con grandes aplausos aunque lo único que parece interesar a muchos es que un esclavo pueda ser poeta. ¿Acaso no tenemos corazón y mente? ¿Creen que somos animales? (*Campanadas fúnebres.*)

IKÚ.— ¡Lo había olvidado! Es mil ochocientos veintidós... ¡Lo siento Juan Francisco! Aunque estoy dirigiendo esto, no soy quien decido...

MANZANO T.— (*Entrando en el retablo.*) ¡El amo!

MANZANO J.— (*Cae al piso.*) ¡Oh, no!

MANZANO T.— Desde "mama mía" nadie me había tratado con tanto respeto y amor.

MANZANO J.— ¿Por qué duró tan poco? ¿Por qué así se ensaña en mi la desgracia? ¿Y ahora qué? (*Entra Doña María, esperpento glamoroso de abanicos y joyas.*)

MARÍA.— Soy Doña María de la Luz de Zayas. Te acabo de comprar. (*Tiende la mano que Manzano Joven le besa. Va al reta-*

---

8. Orisha que guarda los caminos.

blo y hace lo mismo con Manzano Títere.) Espero que sepas tus obligaciones.

MANZANO J.— Hace veinticinco años que soy esclavo, mi ama.

MARÍA.— Espero que no me des dolores de cabeza. Hay contradictorias referencias de ti; pésimas de la Marquesa de Prado Ameno y excelentes del fallecido Don Tello Mantilla. Veremos...

MANZANO T.— ¿Podré... escribir?

MARÍA.— Ya tienes fama... Pero que eso no te impida atenderme y cuidar la casa.

MANZANO J.— ¡Le juro al amita que no le daré pesares!

MARÍA.— ¡Más te vale! (*Sale.*) ¡Lo mismo te mando al cepo que te quemo todo lo que escribas!

MANZANO J.— (*Escribe en el diario.*) No quiero insistir en lo que aún sufrí en la esclavitud... (*Mira temeroso al público.*) Que aún viven algunos... Mejor será que salte el tiempo pues quiero reservar lo más interesante de mi vida para escribir una novela cubana, ya asegurada mi suerte y subsistencia.

MANZANO T.— Mejor me largo a limpiar... (*Sale. Entra Delia.*)

IKÚ.— ¡Hermosa blanconaza![9]

MANZANO J.— María del Rosario Díaz es esclava liberta, hija de padre blanco y mulata “adelantada”. Tiene diecinueve años y es bella como un grano de oro. La llamo Delia en mis poemas... No sé qué me pasa cuando la veo. Nunca había sentido tal cosa.

IKÚ.— Antes sólo lo mencionabas en tu poesía... Ahora lo estás sintiendo: ¡Eso se llama amor! (*Sale.*)

MANZANO J.— Tanto que lo busqué a través de toda mi vida, tanto que lo necesité para soportar el látigo... Y ahora tú me lo traes dulce Delia.

DELIA.— ¡Delia, Delia...! ¡La vida no es un poema Juan Francisco!

MANZANO J.— Siempre te han gustado mis poemas. ¿Qué te sucede?

DELIA.— Mis padres siguen oponiéndose a nuestro matrimonio.

MANZANO J.— ¿Porque soy mulato, esclavo y te llevo más de veinte años? ¡Qué barreras tan insalvables para nuestro amor!

DELIA.— Habla con tu ama. Si ella les ofreciera alguna seguridad de que pronto serás libre, quizás ellos...

MANZANO J.— Como eres casi blanca ellos querrán “adelantar” la raza. ¡No me puedo arrancar la piel! Recuerda el dicho: ¡Más vale querida de un blanco que esposa de un negro! ¡Qué mundo tan injusto!

DELIA.— ¡Es el único que tenemos! Yo te amo Juan Francisco, deseo ser tu esposa, pero antes debemos quebrar la resistencia de mis padres. (*Lo besa y sale.*)

---

9. Mestiza de aspecto blanco.

MANZANO J.— Me dio tal melancolía que enfermé gravemente. (*Sale cabizbajo. Entra Doña María y en el retablo entra el Señor 2.*)
SEÑOR 2.— Si ese negro sigue así se le muere irremediablemente.
MARÍA.— ¡Con lo que me ha costado!
SEÑOR 2.— Su dolencia es un mal de humores insanos provocados por una profunda neurastenia, y como no come, ni nada le interesa... ¡No hay medicina que le salve!
MARÍA.— ¡Maldito! Me han contado que sufre porque se quiere casar con una parda libre y sus padres se oponen.
SEÑOR 2.— Quizás usted pueda hacer lo que yo no puedo. (*Sale.*)
MARÍA.— ¡Un negro enamorado! ¡Bueno, con tal de no perder ese dinero! ¡Juan Francisco!
MANZANO T.— (*Entrando.*) Diga su merced.
MARÍA.— ¡Pareces un ánima! Y todo por esa parda que se te ha metido por los ojos.
MANZANO T.— Mi Delia: es pura como una rosa. Yo soy quien la persigo.
MARÍA.— ¿Saldrías de ese estado si te ayudo?
MANZANO T.— ¿El amita haría eso por mí?
MARÍA.— ¡Mira lo descuidada que está mi persona y la casa! Los haré venir y les daré mi promesa de que serás libre.
MANZANO T.— ¡Voy a ser libre!
MARÍA.— Un día, un día... Con mi palabra no dudarán y te podrás casar.
MANZANO T.— ¡Ay amita! ¡Qué buena es! ¡Siempre le estaré agradecido!
MARÍA.— ¡Demuéstramelo limpiando todo este abandono. (*Sale.*)
IKÚ.— El dos de marzo de mil ochocientos treinta y cinco... (*Campanas nupciales. Cruza el escenario Manzano Joven del brazo de Delia con velo nupcial.*)
IKÚ.— Te sacaré de escena... ¡Necesitarás tiempo! (*Salen.*)
MANZANO T.— Medio día de asueto me dio mi ama.
IKÚ.— ¡Pero es tu luna de miel!
MANZANO T.— Eso no lo sabe la casa que debo limpiar.
IKÚ.— Lo importante es que estás casado.
MANZANO T.— Tuve que poner casa y así el matrimonio me consumió el dinero que guardaba para mi libertad. Debía levantarme de madrugada para trabajar en la casa del ama, de allí salía a trabajar afuera para mantener mi hogar. Tanta era la faena que siempre estaba soñoliento y cansado. Mi ama me castigaba porque sufría la calidad de mi servicio, los clientes igualmente se quejaban y en llegando cansado no podía cumplir con mi hogar, en el que apenas estaba unas horas. ¡Y mi pobre Delia sufría en silencio!

DELIA.— (*Entrando.*) ¿Ya hablaste con tu ama sobre tu libertad? Mis padres...
MANZANO T.— Ya sé que te atormentan... No quiero más peleas con ellos.
DELIA.— ¡Si aprobaron nuestro matrimonio fue porque tu ama prometió...
MANZANO T.— ¡Lo sé! ¿Crees que a alguien le interesa más que a mí? Tengo que esperar, es vaga en sus promesas...
DELIA.— ¡No quiero que mi hijo tenga un padre esclavo!

(*Sale llorando.*)

MANZANO T.— De siete meses de embarazo por los disgustos ha estado a punto de abortar. ¿No he de conocer paz y felicidad?
IKÚ.— Vete al círculo de Don Domingo del Monte. Mira que es tu destino. No me hagas repetir la escena. Leerás tu soneto "Mis Treinta años" y después veremos...
MANZANO T.— ¡Ya era hora de que mi pluma me consiguiera la libertad! (*Sale. Como un director en escena, Ikú hace algunos arreglos en el escenario. Sale y entra con Doña María a la que sienta y arregla su presencia. Toca en el retablo. Salen Domingo del Monte y el Señor 1.*)
IKÚ.— Es Febrero quince de mil ochocientos treinta y seis
DOMINGO.— ¡Señora Doña María de la Luz de Zayas!
MARÍA.— ¡Don Domingo del Monte y Pepe de la Luz! ¿A qué debo tal honor?
DOMINGO.— Hace más de un año que organicé una colecta entre amigos. Al fin he logrado el rescate de ochocientos peso oro para comprar la libertad de Juan Francisco.
MARÍA.— ¡Qué vileza es esa a mis espaldas!
SEÑOR 1.— Es la ley; ¡ochocientos pesos oro!
MARÍA.— ¡Ese perro esclavo! ¡Ingrato que así me paga lo que me costó obtenerlo! ¡Con lo que me empeñé en formarlo en las buenas costumbres! Es inaudito que sean ustedes, señores, los que se presten...
DOMINGO.— Juan Francisco es un alma superior que sufre con la vileza del yugo. Es nuestro deber rescatarlo.
MARÍA.— ¡Siempre será un negro infeliz! ¡Ellos no tienen alma! ¿Qué ideas están ustedes poniendo en los esclavos?
DOMINGO.— No he venido a discutir señora. He venido a llevarme a Juan Francisco. ¡Tome el dinero!
MARÍA.— ¡Juan Francisco, Juan Francisco!
MANZANO J.— (*Entrando.*) ¿Qué he hecho ahora mi ama?
DOMINGO.— (*Señalándolos.*) ¡Han venido a pagar tu libertad.

MANZANO J.—(*Corre a besarles la mano a Domingo y al Señor 1.*) ¡Dios bendiga a sus mercedes!

MARÍA.—¿Así me pagas maldito? ¡Negro del demonio!

SEÑOR 1.—Toma tus cosas mientras Doña María nos firma los papeles.

MARÍA.—¡De aquí no sacarás nada! ¡Todo lo que tiene me pertenece! (*Sale y Domingo y el Señor 1.*)

MANZANO J.—(*Se arrodilla.*) Nunca vi llegado este momento que esperé por treinta años. ¡Soy libre Dios mío! ¡Ya puedo ser tratado como un ser humano, que me respeten y reconozcan mis poemas!

IKÚ.—¿Qué planes tienes?

MANZANO J.—Ahora que no tengo que darle dinero a ningún amo pondré una dulcería. Ya tengo nombre como pintor de casas y adornos, tengo clientela de sastre y los fines de semana daré funciones de títeres en la Plaza de la Vigía.

IKÚ.—Hablando de teatro... Es mil ochocientos cuarenta y dos y has escrito la tragedia "Zafira", con gran acogida. Ya hablan de montarla en La Habana... (*Campanadas.*) Como me gustaría poder hacer con tu vida, como hacías con tu diario que saltabas las fechas, ignorabas o adelantabas otras. Pero mucho me temo... ¡Juan Francisco, es mil ochocientos cuarenta y cuatro! (*Manzano Joven corre a esconderse en el retablo donde entran Plácido, Pardo 1 y Negro 1.*)

NEGRO 1.—¡Lo sabía! Los señores han estado coqueteando y dándole de largo al cónsul inglés, pues nunca han estado interesados en abolir la esclavitud. Y ahora que Mister Turnbull, cansado de la frustración, se decidió a tratar directamente con nosotros y todos les han dado la espalda.

PARDO 1.—Se dice que lo han denunciado en Londres y su Majestad, temeroso de que si estalla una rebelión de esclavos Estados Unidos puede intervenir en la isla, le ha quitado el cargo de cónsul. Pero él sigue preparando la revuelta.

PLÁCIDO.—Inglaterra aseguró a los señores que no presionará a España para la abolición. Hasta el mismo Don Domingo del Monte, aterrorizado, denunció a Estados Unidos que si hay rebelión Inglaterra intervendrá en la isla apoyada por los esclavos y los declarará libres. Estados Unidos ha alertado a España. Mucho me temo que estamos en el medio del juego de las grandes potencias y nadie recuerda los horrores de la esclavitud.

NEGRO 1.—¡El recuerdo de Haití es el cepo de los señores! Jamás apoyarán la abolición, ni el darle poder político a los libertos. ¡Estamos solos!

PARDO 1.—Los señores pagaron el atentado contra Mister Turnbull y las autoridades se niegan a protegerlo. No le ha quedado más remedio que escapar a las Bahamas.

PLÁCIDO.— Los esclavos están desconsolados al saberlo. Y los últimos miembros de la fracción blanca al saber que perdimos el apoyo de Inglaterra nos han abandonado.

NEGRO 1.— ¡No importa! ¡Donde quiera que haya un esclavo se alzará!

PLÁCIDO.— ¡Eso es una locura! ¡Cada uno por su lado, sin líder, sin armas, ni estar organizados!

NEGRO 1

¡Pero con mucho deseo de acabar con todos los blancos y fundar una Cuba negra!

PARDO 1.— Eso terminará por amedrentar a los dudosos. Propongo que se dé el liderato a la fracción parda.

NEGRO 1.— ¿Para después entenderse con los blancos a los que siempre han imitado?

PLÁCIDO.— No tenemos que regresar al África, ni tener mayoría blanca, ni república mulata. El futuro de Cuba está en la integración. Cuba será mestiza porque África y España nos corren por las venas y es imposible borrar ninguna o hacer prevalecer una sobre otra.

PARDO 1.— Ustedes los negros siempre han querido vernos como blanconazos y nos niegan que también somos negros.

PLÁCIDO.— ¡El radicalismo quebrará la unidad de los complotados!

NEGRO 1.— ¡No necesitamos a ningún traidor! ¡Haremos la rebelión con los esclavos!

PLÁCIDO.— ¡Será una locura! ¡Hay que detener los planes!

PARDO 1.— En un mes no se podrá alertar a toda la isla.

NEGRO 1.— Los esclavos prefieren morir que seguir con el yugo. ¡La rebelión va!

PLÁCIDO.— ¡No apoyaremos a radicales de ningún bando! ¿Entonces no nos entendemos?

NEGRO 1 — PARDO 1.— ¡No nos entendemos! (*Salen.*)

PLÁCIDO.— ¿Dios mío qué pasará? (*Sale. Tambores. En el retablo entran los Señores.*)

SEÑOR 1.— Al fin se ha confirmado señores; Don Esteban Cruz de Oviedo, el dueño del ingenio "Trinidad", viendo a los negros comportarse de una manera sospechosa y descubierto que se habían desaparecido varios machetes, prometió la libertad a la negra Dorotea si hablaba. Esta reveló que habrá una rebelión de negros para la Navidad. El Capitán General O'Donnell ordenó que ahorquen a los dieciséis líderes y castiguen a los cien restantes de la dotación.

SEÑOR 2.— Esta es la oportunidad de mandar un mensaje a los negros, a los libertos y a los agentes de Inglaterra.

SEÑOR 1.— Se dio orden que no quede un solo negro de los ingenios que no sea interrogado. También han comenzado a detener a libertos y a criollos. ¡Hay más que un señor ilustre acusado!

SEÑOR 2.— O'Donnell ha declarado que cuando se trata de la seguridad de la isla cualquier medio es legal y permitido. ¡Al terror negro responderemos con el terror blanco!

DOMINGO.— (*Entrando.*) ¡Así se convierte la sospecha en delito! ¡No puede haber verdad cuando se tortura!

SEÑOR 1.— ¿Vamos a dejar que violen a nuestras hijas, prendan fuego a nuestros ingenios e invadan nuestras ciudades?

DOMINGO.— ¡Ser liberto no es delito! El terror se apodera de todos. Mucho me temo que aprovecharán para pasarnos la cuenta, a los que nos oponemos a la trata y todos los que la Corona considere enemigos. Ya para no hablar de las mezquinas venganzas personales. Señores; no me queda más remedio que esta misma noche exiliarme para Francia. Soy inocente pero en este clima de terror y delaciones no podré defenderme. Cuiden de mi esposa. (*Sale huyendo. Tambores. La luz roja del fuego ilumina la escena. Entran corriendo las Damas y van a los Señores.*)

DAMA 1.— Se han levantado los negros de los ingenios Arratía, La Alcancía, La Luisa, Las Nieves, La Trinidad, La Aurora, el cafetal Moscú, y los del ferrocarril de Cárdenas...

DAMA 2.— Gritan la consigna de "¡Muerte, fuego, libertad!". ¡Dios nos asista! (*Fuera de escena los gritos de la rebelión.*)

SEÑOR 1.— Con machetes y desorganizados no podrán contra el ejército.

DAMA 1.— ¡La isla entera arde!

DAMA 2.— ¡Ahí vienen! (*Todos salen huyendo. En el retablo entran Plácido, Pardo 1, Negro 1, 2, esclavos, etc. Cesa el ruido de la batalla, todos se miran. En escena entran corriendo los Soldados y los apuntan con sus rifles. Cada Titiritero va saliendo del retablo con las manos y el Títere en alto. Un Soldado entra empujando a Ikú con una escalera, entrará otra que pone en semicírculo. Violentamente los Soldados obligan a cada Titiritero a amarrar su Títere a la escalera. Entra el Juez y se sienta en la mesa a leer el diario. En el retablo entran los Señores y Damas a mirar lo que sucede.*)

JUEZ.— Gabriel de la Concepción Valdés, más conocido como Plácido, pardo libre, vecino de esta ciudad de Matanzas, se le acusa de conspirar para exterminar a los blancos y fundar una república negra. Otros acusados le señalan como el líder de la rebelión.

PLÁCIDO.— (*El Titiritero.*) No soy enemigo de los blancos, todas mis ideas defienden la integración. Harían bien en leer mis escritos en vez de acusarme de que con ellos conspiro. Mi madre es blanca...

JUEZ.— ¡También han detenido a muchos blancos traidores!

PLÁCIDO.— No conozco a los conspiradores ni tienen pruebas contra mí...

JUEZ.— Es inútil que sigas mintiendo, otros han confesado: Jorge López, Andrés Dodge, Santiago Pimienta, Miguel Flores...

PLÁCIDO.— ¡No sé nada! (*A la señal del Juez, obligada por los soldados, Ikú saca entre las cosas del retablo varios látigos que los soldados obligan a los Titiriteros a tomar.*)

JUEZ.— ¡Nombres! *¡Silencio!* (*A la señal del Juez, los soldados obligan a los Titiriteros a flagelar sus Títeres mientras ellos mismo gritan y lloran.*)

PLÁCIDO.— ¡Basta! (*A la señal del Juez cesan los castigos.*)

JUEZ.— ¡Nombres!

PLÁCIDO.— ¡Todos los que hay en esa lista!

JUEZ.— ¿Quién más?

PLÁCIDO.— No recuerdo. (*El Juez alza la mano.*) ¡Domingo del Monte, Francisco Manzano! (*Un soldado entra a empujones al Titiritero con Manzano Títere y a Manzano Joven.*)

JUEZ.— ¿Francisco Manzano?

MANZANO J.— No su señoría; me llamo Juan Francisco Manzano.

JUEZ.— ¡Es lo mismo! (*A su señal es también atado.*)

MANZANO J.— ¡No he hecho nada!

JUEZ.— Plácido te acusó. ¿Domingo del Monte conspiraba? ¡Habla!

MANZANO J.— ¡Soy fiel a los blancos! (*Obligan a Manzano Joven a flagelar a Manzano Títere, el Titiritero grita y se retuerce del dolor. Manzano Joven cae al piso. A la señal del Juez, los Soldados obligan a los Titiriteros a llevarse las escaleras, queda sólo la de Manzano Títere flanqueado por los Soldados que vigilan. Sale el Juez. Entra Delia e incorpora al adolorido Manzano Joven...*)

DELIA.— (*A los Señores y Damas en el retablo.*) Después de haberlo soltado por falta de pruebas, al mes lo han vuelto a encarcelar y se lo llevan para La Habana. ¡Hagan algo por Dios! ¡Juan Francisco es inocente! ¡Mí hija se muere de hambre! (*Los Señores y Damas le dan la espalda.*)

MANZANO J.— Ve a ver a Doña Rosa Aldama, la esposa del señor Del Monte. Dile que te mando para una ayuda a nuestra hija. (*Delia lo besa y sale. Manzano Joven escribe en el Diario. Silenciosamente los Soldados flagelan a Manzano Títere.*)

MANZANO J.— A pie nos han conducido a La Habana, cargados de grilletes, sin darnos comida ni agua, de calabozo en calabozo, de cepo en cepo, acompañados de los peores delincuentes, que me han robado todo y abusan al verme las buenas maneras. Alguien dijo que yo era poeta lo que me trajo muchas burlas. (*Los Soldados se burlan.*) En cada pueblo por donde pasábamos salían los vecinos. (*Los Señores y las Damas le gritan e insultan.*) Mi hija tiene mal de tisis y la segunda ha nacido estando yo en la cárcel.

Mi Delia se ve obligada a mendigar pues los amigos se han perdido y no encuentra quien quiera bautizar a mi hija. (*Gritos.*) En los meses que llevo en estas mazmorras, he visto morir más de trescientos esclavos por las torturas, otros se han suicidado por el desespero, y quien declara lo que le piden lo hace para huir del tormento. (*Disparos.*) Anoche fusilaron al número setenta y ocho; Plácido el que me denunció. Se dice que de los más de cuatrocientos mil denunciados han sido sentenciados mil doscientos noventa y dos. Todos con los bienes incautados y sus apellidos envilecidos de por vida. Cuatrocientos treinta y cinco se exiliaron, huyendo del inhumano trato, casi todos los del círculo del señor del Monte. No queda un pardo ni negro liberto que se atreva a reunirse. ¡Se acabó la poesía! Y yo... ¡Oh Dios mío, dame fuerzas!

IKÚ.— Nunca pensaste que una vez libre volverías a probar el látigo...

MANZANO J.— Creí que la libertad lo sería todo, que mi capacidad me abriría puertas y traería el respeto de la sociedad.

IKÚ.— No han podido inculparte. El tribunal ha reconocido tu fidelidad a los blancos. ¡Estás libre! (*Manzano Joven desata a Manzano Títere, lo abraza. Los Soldados salen con la escalera. En el Retablo entra Delia con el bebé y un atado de ropas.*)

MANZANO J.— ¡Delia, mi amor! (*Entran en el retablo los esqueletos con su danza.*)

MANZANO J.— ¿Mi hija? ¡Oh, no!

DELIA.— Lo hemos perdido todo Juan Francisco, los blancos dejaron de venir a la dulcería y por miedo les siguieron los pardos y los negros. Nadie quería los dulces de un hombre marcado.

MANZANO J.— ¡Soy libre!

DELIA.— Sigues marcado por la sospecha y el odio.

MANZANO J.— Trabajaré y nos volveremos a...

DELIA.— ¡Nadie te dará trabajo! Ningún señor te dejará entrar en su casa, para evitar sospechas ningún pardo se coserá contigo. Y los negros se preguntan por qué te han soltado...

MANZANO J.— ¡Aguanté los castigos sin denunciar a nadie!

DELIA.— Estoy cansada de los desprecios y las ofensas, los dedos señalando nuestra casa, la pobreza, las falsas esperanzas. Esperé callada tu libertad, opuesta a mis padres, porque me prometiste que una vez libre todo sería diferente. ¿Es esto lo que nos ofreces?

MANZANO J.— ¡Te prometo!

DELIA.— ¡Basta de promesas!

MANZANO J.— ¡Ven a mí! Ansiaba tu calor en el frío de la mazmorra. Déjame besar a mi hija. ¿Qué haces ahí?

DELIA.— Todos somos muñecos Juan Francisco... El único que no se da cuenta eres tú. Adiós... (*Manzano Joven corre al retablo a de-*

tenerla pero ella sale. Abraza a Manzano Títere y cae llorando al piso. Entra Ikú.)

IKÚ.— Lo siento Juan Francisco, pero la función tiene que continuar... (*Sale del retablo el Titiritero y toma a Manzano Títere. Va a la mesa y mira las revistas. Manzano Joven se quita el maquillaje, la peluca, los guantes, etc. y se convierte en Manzano Viejo.*)

MANZANO T.— Todas las revistas han virado mis poemas...

IKÚ.— Después de lo que pasó, desconfían de los poetas de "color".

MANZANO T.— Han cancelado el proyecto de montar mi tragedia Zafira... Me marcharé a La Habana, pero antes... Ayúdame. (*El Titiritero e Ikú le ayudan a quebrar las plumas, romper las hojas, etc.*)

MANZANO T.— Me perderé en el anonimato de la ciudad... Un pardo más como quieren todos. (*Manzano Viejo se arrastra a la mesa. En el retablo entra el Negro 1.*)

NEGRO 1.— Aquí adentro nos molesta el silencio. ¿Te olvidaste de nosotros?

MANZANO V.— ¡Se acabó! Ni títeres, ni poemas, ni nada...

NEGRO 1.— Tanto has actuado para los demás que ahora queremos actuar para ti.

MANZANO V.— ¡No, por favor!

NEGRO 1.— Mira que tu vida ha sido bien cómica; siempre has querido ser un mulatico catedrático. (*Al público.*) ¡Señoras y Señores le presentaremos el cuadro bufo llamado...

MANZANO V.— (*Se tapa los oídos.*) ¡No, no!

NEGRO 1.— "¡Un mulatico equivocado o Los sueños de Manzana podría!". (*Entran el Negro 2 y el Pardo 1.*)

PARDO 1.— ¡Qué estampa tan catedrática!
la de este Manzano pardo,
con aires de matemática
luce laureles de bardo.

NEGRO 2.— ¡Ese pardo es la candela!
que tan romana gramática,
graduó sin duda en la escuela
de la ciencia periplática.

LOS TRES.
Gato por blanca liebre
sirvió la vida en tu plato,
de ser libre fue tu fiebre
tu estampa de negro sato.

(*Ríen burlonamente. Campanadas. Sale Ikú del retablo con el farol, se miran. Ikú lo apaga. Manzano Viejo muere. Salen del retablo los Titiriteros con sus Muñecos que ponen al pie del cadá-*

ver. Entra el resto de actores. Le rodean y aplauden. Ikú va al público.)

IKÚ.— Señoras y señores;
negada le fue la gloria
pese a pluma meritoria,
ser libre fue su sueño
más siempre tuvo dueño,
en la piel llevó el pecado
por el cual fue castigado.
Iluso teatro amó;
teatro del sueño pagó,
antes que vayan a salir
les rogamos aplaudir.
(*Reverencia de todos.*)

TELÓN

New York 9-25-95; New York 10-28-95

REFLEXIONES DE MANUEL MARTÍN JR.
¿UNA BIOGRAFÍA?

¿Cuándo comenzó mi interés en escribir teatro? A los ocho años, mi abuela que vivía en el Vedado en una de esas desteñidas casas con elaboradas decoraciones Art Noveau me regaló *Mujercitas* de Louise May Alcott. En esta novela se mencionaba que las hermanas se reunían en un ático y representaban obras teatrales escritas por una de las hermanas, Josephine. Como en los años cuarenta muy pocas compañías teatrales se aventuraban en gira por mi nativa Artemisa, me decidí a escribir una obra teatral que por razones inexplicables de los actores — mi prima de siete años y yo — decidimos convertirla en una novela radial. No recuerdo la trama muy bien, pero me parece que estaba influenciada por la novela de Ms. Alcott con una cierta dosis de surrealismo cubano. Esa extraña mezcla norteamericana-cubana parece como una premonición y una constante de lo que sería mi vida futura en Nueva York adonde vine a parar en el año 1956.

Las memorias más placenteras de mi niñez siempre estuvieron conectadas al cine donde entraba a la matineé al primer toque del anhelado timbre y salía arrastrado por mi hermana al comienzo de la función de la noche. No sé y ni de dónde sacaba la energía para ver noticieros, dibujos animados, episodios y, por supuesto, dos películas. Hollywood (y ahí tenemos la influencia norteamericana de nuevo) afectó todos mis juegos infantiles en los cuales hice mis primeras incursiones como director— esto con alguna resistencia de mis amigos que temían un poco mi tendencia a dirigir mis "películas"—que siempre terminaban con un terremoto que arrasaba con toda la escenografía. No sé y ni cómo, y a pesar de mi timidez, lograba involucrar a tantos niños que generalmente no me prestaban ninguna atención, a seguirme en tan descabellados proyectos. Es curioso que a pesar de los años invertidos en estudios e investigaciones todavía conservo esa dosis de juego, ingenuidad y diversión cuando escribo y cuando dirijo. Es también curioso que los norteamericanos usan la expresión "to play a character", "to play" —jugar.

Después de llegar a este país y seguir el mismo camino de muchos de mis compatriotas, estudiar inglés intensamente, mientras brevemente (tres días) trabajé en una fábrica de cinturones de donde fui despedido insensiblemente por una jefa que descubrió que le había puesto las hebillas a cientos de cinturones, en el lugar incorrecto. Después de trabajar en la oficina de una fábrica de muebles de aluminio, de donde fui despedido después de seis meses cuando se descubrió que por tres meses había hecho errores monumentales en el inventario (nunca he sido muy bueno en cosas concretas); después de trabajar de mensajero en New York University, donde estudié todos mis cursos de inglés; después de ir a dar a un trabajo glamoroso y aburrido en la biblioteca de las Naciones Unidas donde uno de los "highlights" de los cinco años y medio de labor fue, por un segundo y a varios pies de distancia, ver pasar al presidente Kennedy acompañado de su esposa Jacqueline a través de los cristales del pasillo de nuestra celda, tomé finalmente la decisión de cambiar el rumbo "lógico" de mi vida por el mundo "ilógico" y maravilloso del teatro. Clases de actuación, primero con Carolyn Brenner, después con el compatriota Andrés Castro, en el American Academy of Dramatic Arts, y más tarde clases privadas con Lee Strasberg, donde sólo había dos latinos, mi acento parecía sacudir los cimientos del edificio del Carnegie Hall donde Strasberg tenía su estudio, proyectos en el Actors Studio, obras en inglés y en español. En medio de todo esto, un viaje a Roma donde viví por once meses y estudié en el Teatro Goldoni con un norteamericano, William Berger.

A mi regreso de Italia, y desencantado con interpretar personajes latinos de la forma que nos ven los norteamericanos (no como somos), conocí a Magali Alabau recién exiliada de Cuba. Decidimos abrir un teatro en el año 1969. El Teatro Duo de solamente veinte y siete asientos fue la semilla de todos nuestros experimentos como actores, productores y directores. Como todo en la vida vuelve al comienzo de ese círculo misterioso, en 1973 empecé a escribir para nuestra compañía de actores. En 1976, después de un azaroso viaje por Centro y Sur América y sintiendo en carne propia el rechazo al cubano exiliado en los festivales internacionales (especialmente que nuestra compañía estaba representando a los Estados Unidos), me decidí a escribir obras con las cuales pudiese encontrar mi propia voz. De esta búsqueda nacen *Swallows*, basada en entrevistas con cubanos en la Isla y en los Estados Unidos, *Union City Thanksgiving*, y *Rita and Bessie*. Después de haber escrito musicales (la música es esencial en todas mis obras) y haber producido ochenta y tres obras con el Teatro Duo, del cual renuncié en 1989 a mi posición de director artístico después de veinte años de agonía y éxtasis, todavía sigo buscando mi voz, que ahora creo la siento más clara, y sigo por suerte sintiendo la misma ingenuidad, la misma curiosidad y el mismo deseo de jugar que tuve a los ochos años cuando escribí mi primera obra.

RITA AND BESSIE

A PLAY WITH MUSIC

by

MANUEL MARTÍN JR.

CAST OF CHARACTERS

RITA: A light-skinned Cuban mulatto woman of indefinite age, perhaps in her late thirties, forties or fifties.

BESSIE: A Black heavy set North American woman of indefinite age, perhaps in her late thirties, forties, or fifties.

SETTING

The office of a theatrical agent on the top floor of a New York skyscraper. This is in no way a conventional office. The decor could be called "Decadent Deco," and the office has the appearance of a late 1930's movie set, but the entire place seems to be suspended in mid-air. There is a desk situated upstage center and several chairs are located on each side of the upstage and downstage areas. There are numerous file cabinets standing in front of the three visible walls of the set. There is a door situated downstage left, and a window framed by heavy burgundy velour drapes, situated upstage left. This window is covered from the outside with an iron gate.

Revised Version: July 21, 1992

(BESSIE *sits in one of the chairs situated downstage right.* SHE *wears a 1930's style, black satin dress. The straps are embroidered with silver sequins. A large bow, also embroidered with silver sequins adorns the lower waist of the dress. Although the bow somehow destroys the classic 1930's line, it adds a touch of theatricality to her costume. A fox stole is disdainfully thrown on the back of her chair.* BESSIE *adjusts one of her large white and silver oval earrings and immediately feels the other one to make sure* SHE *has not lost it. The door suddenly opens and* RITA *enters the office clutching a manila envelope that holds photographs and resumes.* RITA *wears a late 1950's short sleeve, square shaped neck, bright red crepe dress.* SHE *wears no jewels but two diamond clips accentuate the lower part of her neck. The red turban, the clear plastic platform shoes and clear plastic matching purse match the theatricality of* BESSIE'S *costume. Her makeup is discreet and a large beauty mark which resembles the shape of a star highlights the center and highest part of her forehead.* RITA *looks at* BESSIE *and when their eyes meet, they resemble cats' eyes when they encounter each other for the first time.* RITA *studies* BESSIE *and hesitantly considers the possibility of asking her for information. The monotonous, mechanical voice of a man is heard over the old fashioned speaker situated on top of the desk.*)

MAN'S VOICE.— You may leave your picture and résumé on top of the pile in the "in" box. The Agent has not arrived yet. Please, take a seat. (RITA *places the résumé in the box, takes a handkerchief out of her purse and dusts the chair located downstage left.* SHE *sits down and takes a sandalwood fan out of her purse and slowly begins to fan herself.* RITA *and* BESSIE *exchange cautious looks.* BESSIE *takes a small "Betty Boop" cardboard fan out of her purse and slowly begins to fan herself.* RITA *increases the speed of her fanning.* BESSIE *also increases the speed of her fanning. Both women are now fanning themselves at full speed. They both suddenly stop and in a wavering voice speak at the same time.*)

RITA AND BESSIE.— (*Together.*) Have you seen the recept...

RITA.— (*To* BESSIE *in a puzzled manner.*) I don't understand. I have an appointment.

BESSIE.— So do I, honey.

RITA.— But he's expecting me.

BESSIE.— He expects a lot of people, sugah'. You bet your sweet ass he ain't especially waiting for you.

RITA.— I beg your pardon?...

BESSIE.— You heard me. (SHE *gets up and stands in front of the water cooler.* SHE *takes a Dixie cup out of the dispenser and fills it with water and then begins to sip from the cup.*) My, O', my... It's hot today.

RITA.— (*Rearranging her dress.*) Yes, it's quite hot... and I have known hot climates.

BESSIE.— I bet you have, honey. You look like a hot number yo'self.

RITA.— Is there something the matter with you?

BESSIE.— Never you mind me sugah'. That's the way I is. (*Fills another Dixie cup with water and hands it to* RITA.) I'm Bessie.

RITA.— My name is Rita. Just Rita... Since I was very little everybody considered me unique. A child prodigy, they said... She has a gift. (*Points at the beauty mark on her forehead.*) The clairvoyant woman who first saw me after birth told my mother: "She is marked with the lucky star and she is destined to be one." (*Pause.*) I never needed a last name.

BESSIE.— You don't say...

RITA.— That's right. I was quite unique.

BESSIE.— I don't doubt it, honey.

RITA.— (*Quite upset.*) You don't seem to believe me. (*Pause.*) Well, some people are destined for stardom.

BESSIE.— Will you cut the bullshit?

RITA.— Listen, we just met. What do you have against me?

BESSIE.— I ain't got nothing against you. Just tell me, if you are such a big star, don't you think you are at the peak of bullshitting if at your age you are still trying to get a job through an agent?

RITA.— (*Nervously adjusting her dress.*) I received a call from this agency.

BESSIE.— So did I.

RITA.— I will never stop at an agent's office unless I have a previous appointment.

BESSIE.— I understand... (*Pause.*) Just to refresh my memory, you said your name was Rita.

RITA.— Yes.

BESSIE.— And that's the name you've used for your theatrical career.

RITA.— Yes, I have.
BESSIE.— And why in hell, haven't I heard of you before?
RITA.— Well... I have been out of the business for some time. But, I have quite a theatrical record.
BESSIE.— (*Smiling.*) You don't say...
RITA.— Why do you keep on saying "You don't say..." Don't you believe me? I was the first Cuban woman to work on Broadway. I had the privilege of sharing the same stage with Al Jolson.
BESSIE.— How old are you, sweetie pie?
RITA.— None of your business! (*Pause.*) I was just a child... "Wonder Bar"... (*Laughs.*)
RITA.— Oh, times were so different. A mere child, and I landed an important part on Broadway. Imagine... My name shining on that marquee... (*Very upset.*) Everything was going so well... and then I lost my big chance in the movie version.
BESSIE.— Oh, did you?
RITA.— Yes, I had to go back to Havana. My husband who was a prominent lawyer collapsed and died during a very important trial in court.
BESSIE.— Oh, that's where you from? Havana?
RITA.— That's right.
BESSIE.— I could say I took two years of Spanish in high school but, honey chile', I never went beyond the sixth grade.
RITA.— (*Gets up and looks at herself in the mirror.*) Oh, what a mess. (*Begins to brush her hair.*) I must say I was very privileged. I went to the best schools in Havana.
BESSIE.— Well, ain't that extraordinary...
RITA.— Why?
BESSIE.— I know nothing about your high class, Havana schools but, baby in America you were lucky if they let you go through the public school door. (*Laughs bitterly.*) No siree, no high class school for a nigguh'.
RITA.— I'm not a nigger!
BESSIE.— You ain't? So what did you dye your skin with — cinnamon?
RITA.— (*Ignores* BESSIE*'S remark and sits down.*) There is not even a clock in this place. I wonder what time it is.
BESSIE.— I don't have the slightest idea.
RITA.— (*After a long pause.*) What's your last name?
BESSIE.— My name is Bessie. Just Bessie.
RITA.— (*Pause.*) Oh... What's your specialty?
BESSIE.— I'm a singer, a blues singer.
RITA.— Oh, I love the blues.
BESSIE.— (*Mocking* RITA.) You love the blues... (*Begins to hum "You*

Don't Understand".) "But I know dear That you don't understand"...

RITA.— But I do...

BESSIE.— (*Interrupts* RITA.) You understand nothing! To understand you've got to have lived under the darkness of my skin. What the hell do you know, cinnamon doll! (*Hums a few bars of the song.*)
"Won't you believeee
Anything I say
But I know dear
That you don't understand. "

RITA.— Are you doing night clubs now?

BESSIE.— Hon', I've done everything. You name it, I've done it.

RITA.— I guess I've been very lucky.

BESSIE.— I guess you have. (*Pause.*) You don't learn to sing the blues for nothin' (*Gets up and stands in front of* RITA.) You sing from pain. (*Lights change.* RITA *freezes. Spotlight on* BESSIE. *MAN'S VOICE is heard over the loudspeakers.*)

MAN'S VOICE.— Woman, I've taken from you as much as any man can take, and I ain't taking no mo'.

BESSIE.— Ain't that a shame! I've taken as much shit from you as you've taken from me. So what's the fucking difference?

MAN'S VOICE.— The fuckin' difference is that I ain't a woman, and you is, Bessie, you is!

BESSIE.— So, cause' you is a man that gives you the damn privilege?

MAN'S VOICE.— Dat's right!

BESSIE.— I ain't never heard of such shit!

MAN'S VOICE.— You ain't heard half of my shit yet.

BESSIE.— Go ahead, nigguh'. Spit it out! (*Sound of* MAN*'s hand slapping* BESSIE*'s face.* BESSIE, *hands-on-hips in a defiant manner.*) You motherless bastard, I blow your skull!

MAN'S VOICE.— I wouldn't do dat'... (*Pause.*) I'm taking our son away from you.

BESSIE.— What?

MAN'S VOICE.— You heard me. I'm taking my son.

BESSIE.— No one, do you hear me? No one is goin' to take my son away from me!

MAN'S VOICE.— You wanna bet? The law is on my side.

BESSIE.— The law? What you talkin' about?

MAN'S VOICE.— I'll tell the judge how my wife washes down half gallons of "white lighting" and misses her engagements, sleeps with any young man in our company, and...

BESSIE.— Ain't true!

MAN'S VOICE.— Oh... It ain't true that Agie ran away with the money to bail you out of jail...

BESSIE.— You, bastard! Ain't you goin' to tell the judge about yo'self? How you mess around with other women?
MAN'S VOICE.— Not as much as you do! Anyways, dat's different! I'm a man.
BESSIE.— A man wearing the suit I bought, the ring I bought, the shoes I bought, and driving the car I bought!
MAN'S VOICE.— I ain't wasting my time with you no mo'. I'm taking my son with me. You can bet on dat'. (*Sound of a door closing.*)
BESSIE.— No one is goin' to take my son away. He's all I've got left! (*There is a sudden light change.* BESSIE *speaks to* RITA.)
BESSIE.— Yeah, baby. You sing from pain.
RITA.— Like flamenco singers?
BESSIE.— (*In a resigned manner.*) Yes dear, like flamenco singers.
RITA.— So, no one taught you?
BESSIE.— To sing the blues?... When I was born I didn't cry. I sang the blues. I guess no one taught me.
RITA.— (*Playing little girl.*) I couldn't have made it without my teachers. (*Pause.*) You see, my father who was a pharmacist, hired the best singing teachers for me. (*Pause.*) Classical, you know. (*Pause.*) The basics.
BESSIE.— The basics. Yeah. (*Pause.*) Girl, you had no common nigguh' upbringing!
RITA.— Why do you insist on repeating that word? (SHE *gets up and begins to pace around the room.*) It's such a horrible word!
BESSIE.— Not if you get used to it. In this country it's become a household word. (*Pause.*) Honey, wouldn't it be nice if someone bottles up a perfume named (*Lifts her hand and points at imaginary letters in a neon sign.*) Nigguh'!
BESSIE.— (*Laughs.*) Oh, Lord. Can you imagine? The best stores in the country selling "Nigguh'. "
RITA.— (*Seriously.*) I don't think it's funny.
BESSIE.— Why ain't it funny?
RITA.— How old are you? Things are not like that anymore.
BESSIE.— I'm a hundred years old. (*Laughs.*) Naw, things ain't like that anymore... (*Pause.*) On the surface.
RITA.— I don't know about your experiences, but mine were very different.
BESSIE.— D'ya know a thing that makes all nigguhs' equal?
RITA.— What?
BESSIE.— The color... Ain't no way we can hide. A nigguh' is a nigguh' all over the world.
RITA.— I told you I was born with a lucky star. My father was a pharmacist, my mother was a teacher and I was trained to be an opera singer.

BESSIE.— And...

RITA.— Well, my father had connections. What a gentleman my father was. He accompanied me every day to the conservatory.

BESSIE.— Did he?

RITA.— (*Upset.*) Yes, he did. Before I knew it, the best composers of the time were writing for me.

BESSIE.— And...

RITA.— Well, I did have a glorious voice. They even named an operetta after me.

BESSIE.— Oh, Lord...

RITA.— It was true! "La Niña Rita. "

BESSIE.— (*Sincerely.*) That sounds pretty.

RITA.— Oh, it was lovely. I was getting all of this attention. I, a mere child.

BESSIE.— Ain't that remarkable.

RITA.— Oh, it was. It was. (SHE *stands up and extends her hand to an imaginary character. Lights dims and a spotlight illuminates* RITA. BESSIE *freezes and from this point on,* RITA *will speak to the recorded voice of the* COMPOSER.)

COMPOSER'S VOICE.— How would you like me to accompany you in your first recital?

RITA.— But, maestro, I could not possibly accept this honor.

COMPOSER'S VOICE.— Yes, you would, Rita. (*Whispers to an imaginary character standing next to him.*) How do you think we can make her skin look lighter? (*To* RITA.) Wouldn't you love to be an operetta star?

RITA.— Of course, Maestro.

COMPOSER'S VOICE.— If you cooperate I'll make you a star. (*Whispers to an imaginary character standing next to him.*) We must change the color of that dress. It makes her look too dark. (*The recorded voice of the composer stops suddenly. Lights fade in as the spotlight fades out on* BESSIE.)

RITA.— (*To* BESSIE.) Yes, I had an auspicious beginning.

BESSIE.— Weren't you lucky.

RITA.— Oh, indeed I was. (*Pause.*) What time is it?

BESSIE.— Honey, I tol' you I haven't got a watch.

RITA.— Don't you think he should be here by now?

BESSIE.— Girl, you trying to tell the boss when he's supposed to be here?

RITA.— Well, I can't waste my time.

BESSIE.— You've got better things to do?

RITA.— Yes, many, many.

BESSIE.— Like what?

RITA.— Well, I... I...

BESSIE.— Sister, you are so full of it!

RITA.— Let me tell you something (*Imitates* BESSIE.) "sister," I'm tired of your doubts and inquiries. You either believe it or not. That's your damn privilege — "sister"!

BESSIE.— Alright! The Cuban sister is beginning to show her true colors.

RITA.— I've always been a lady.

BESSIE.— Sure, sure. I read you, sis.

RITA.— (*Gets up and stands center stage.*) Don't sis, me! A lady, always known as a true lady. (BESSIE *takes a vanity out of her purse and begins to powder her nose. Her movements gradually become very slow until* SHE *freezes. Lights dim on stage and a spotlight illuminates* RITA *who speaks to an imaginary character.*) (*As a young woman speaks to a young gofor.*) What do you mean that that fucking bitch is still using my rehearsal space? (*Pause.*) What?... That she's having an affair with the station's producer? (*Talks to a young singer.*) Listen, sweetheart, you better clear out of this place before the whole radio network knows you are getting laid by that miserable imbecile hick who's running the station. (*Pause.*) What?... That it has been a hard way to the top? (*Laughs.*) Yeah, and I imagine you made sure it was hard enough so you could fit it in. Your only talent lies on a mattress and at the very bottom! Cunt! You are nothing but a cheap cunt! (*Lights gradually come up.* RITA *is still standing center stage and is now speaking to* BESSIE.) Nothing but a lady.

BESSIE.— (*Smiles.*) I bet.

RITA.— Do you know I even sang opera?

BESSIE.— Opera?

RITA.— Mind you, a contemporary opera.

BESSIE.— Oh, brother!...

RITA.— Menotti himself, kissed my hand.

BESSIE.— Oh, kiss my ass!

RITA.— You are so vulgar. (*Pause.*) They all adored my performance.

BESSIE.— They, who were they? Girl, whoever the hell they were, they must have been color blind.

RITA.— (*Very upset.*) Color pigmentation didn't make a difference.

BESSIE.— Color pigmentation! You is yellow but not light enough to pass!

RITA.— I wasn't aware of those things. (*Lights change suddenly.* BESSIE *freezes while the recorded voices of two women theatergoers during an intermission are heard over the loudspeakers.* RITA *is illuminated by a spotlight.* SHE *is making herself up in front of an imaginary mirror.*)

VOICE OF WOMAN # 1.— You saw it. He touched her.

VOICE OF WOMAN # 2.— He had to. He was supposed to be in love with her.

VOICE OF WOMAN # 1.— But she is a Negress...

VOICE OF WOMAN # 2.— She's almost white.

VOICE OF WOMAN # 1.— There's no such thing as almost... You are either Black or White.

VOICE OF WOMAN # 2.— Please! It's only a play.

VOICE OF WOMAN # 1.— Today it's a play. Tomorrow it may be happening in your own home. Something must be done.

VOICE OF WOMAN # 2.— Are you serious?

VOICE OF WOMAN # 1.— I'm dead serious. A demarcation must be established and the sooner the better!

RITA.— (*To an imaginary dresser.*) Shut the dressing room door! (*The recorded voices suddenly stop. Lights fade in as the spotlight fades out.* RITA *is still standing center stage.*) (*To* BESSIE.) You see, my story is very different from yours. (*Pause.*) If he doesn't arrive soon, I'm leaving.

BESSIE.— Oh, calm down, sister.

RITA.— I told you I have more important things to do.

BESSIE.— Well, stop bragging for a moment and relax. If you stay a little longer you may encourage old fat Bessie to tell you the real story of her life.

RITA.— (*Pretending not to be interested.*) As long as you make it brief. (*Lights a cigarette.*) Do you mind?

BESSIE.— Does your throat mind?

RITA.— (*Holds her throat and looks suddenly terrified. Then* SHE *quickly puts the cigarette out in a standing ashtray.*) I better not.

BESSIE.— You sure is a strange child, Rita... Would you like to hear my story?

RITA.— Go ahead.

BESSIE.— Although I didn't have no fine teachers like you sister, I did have a loving mother — may she rest in peace — and father. My pa' was a minister... Do ya' hear me? A minister. Ours was a loving family. My father never raised his voice. He didn't have to — everyone in the house followed his commands... (*Lights fade out. A spotlight illuminates* BESSIE *while* RITA *freezes on the downstage area.* BESSIE *as a little girl has finished singing a saucy song on a street corner.* SHE *thanks the imaginary audience and picks up "coins" off the ground.*)

YOUNG BOY'S VOICE.— Bessie, your pa' is looking for ya'!

BESSIE.— (*As a little girl.*) Oh, no. I better hurry home. (BESSIE *sets her right foot forward but* SHE *is interrupted by her father's recorded voice.*)

FATHER'S VOICE. .— Bessie!

BESSIE.— Yes, papa...

FATHER'S VOICE. .— Where were you?

BESSIE.— Looking for blueberries, papa.

FATHER'S VOICE. .— If you are lying to me, I'm going to kick your fat black ass! Tell me the truth!

BESSIE.— I tol' you papa, picking up berries...

FATHER'S VOICE. .— Liar! I bet you went out, singing and dancing with those bums. You're only twelve. What do you want? Someone to ruin you?

BESSIE.— No, papa

FATHER'S VOICE.— You are a dumb nigguh', Bessie, dumb! (*Lights fade in as the spotlight on* BESSIE *fades out.*)

BESSIE.— (*Speaks to* RITA.) A dream of a childhood...

RITA.— Did your family approve of your wanting to be a singer?

BESSIE.— Oh, they minded at first, but then they became my true fans. (*Pause.*) Of course, my ma' chaperoned me to every nightclub I worked. (*Pause.*)

BESSIE.— You know, those were different times... (*Pause.*) If it wasn't for ma' and pa', I couldn't have made it.

RITA.— (*Reassuringly.*) Oh, you would have made it.

BESSIE.— For whatever time it lasted...

RITA.— Did you say your last name was?...

BESSIE.— I didn't say nothing... Bessie, just Bessie.

RITA.— Oh... you are? (*Pause.*) Don't mind me... It couldn't be, anyway...

BESSIE.— Yep... Here you are stuck with old Bessie.

RITA.— (*After a long embarrassing pause.*) Why don't we concentrate on the present. Let's talk about beautiful and positive things.

BESSIE.— Like what?

RITA.— Well, our careers.

BESSIE.— Boy O' Boy...

RITA.— Aren't you interested? What is more important than our careers?

BESSIE.— Living, baby... living is more important.

RITA.— I only live when I'm on stage.

BESSIE.— Baby, you've got some problems...

RITA.— Why? Isn't life more exciting on stage?

BESSIE.— Life is more exciting as life. (*Lights suddenly fade out. A spotlight illuminates* BESSIE *who sits seductively on top of the desk.* RITA *freezes while the recorded voice of a girl is heard over the loudspeakers.*)

GIRL'S VOICE.— Are you sure your husband is out of town?

BESSIE.— (*As a young woman.*) Don't worry honey. He ain't coming til late tonight.

GIRL'S VOICE.— I feel funny about this...

BESSIE.— About what?

GIRL'S VOICE.— Well... about being with another girl.
BESSIE.— There is nothing to worry about...
GIRL'S VOICE.— I don't know...
BESSIE.— Give mama a kiss...
GIRL'S VOICE.— You promised to teach me a new dance routine...
BESSIE.— I'll teach you after... (*The sharp sound of someone knocking on a door.*)
GIRL'S VOICE.— Oh, Lord! Your husband! (*Lights fade in while the spotlight on* BESSIE *fades out.*)
BESSIE.— (*To* RITA.) Yeah, life is more exciting as life.
RITA.— Well, if that makes you happy — to each his own.
BESSIE.— Baby, you always have an answer for everything.
RITA.— Well, a woman should be allowed to have her own opinion.
BESSIE.— Oh... The lady is also for liberation.
RITA.— I come from a country of liberated people.
BESSIE.— (*Sits on the chair behind the desk.*) Tell me about it, baby.
RITA.— Have you ever read the history of my country?
BESSIE.— To tell you the truth, I only know that it's a lil' island in the Caribbean.
RITA.— My island is not little!
BESSIE.— I beg your pardon...
RITA.— It's the largest of the Antilles!
BESSIE.— I'm very impressed.
RITA.— I know some of your people believe that we were some sort of an American colony.
BESSIE.— And that wasn't true...
RITA.— Of course it wasn't true!
BESSIE.— Well baby, I ain't no expert on your history but I heard you would have never won the war against the Spanish til our Teddy took over.
RITA.— Theodore Roosevelt arrived in Cuba when the Spanish American War was practically over.
BESSIE.— You don't say so.
RITA.— Of course, victory was served to Mr. Roosevelt on a silver platter.
BESSIE.— Baby, who are you trying to kid?
RITA.— I'm not trying to kid anybody.
BESSIE.— Teddy set foot on your lil' island to...
RITA.— Our island isn't little!
BESSIE.— Okay baby, your big island...
RITA.— The largest of the Antilles.
BESSIE.— Alright, the largest of the Antilles.
RITA.— That's right!
BESSIE.— Okay, okay!...

RITA.— (*Gets up and lights a cigarette.*) We had our own idiosyncrasy. A national character...

BESSIE.— So we never influenced your country?

RITA.— Not at all... (*Pause.*) Well, a little... but we always preserved our customs. *Gets a fan out of her purse and begins to fan herself.*) Well, I don't know if you are staying but I'm leaving. (RITA *gets up and embarrassed tries to shake hands with* BESSIE.) It was a pleasure.

BESSIE.— Same here. (*Pause.*) Why you leaving so soon? Chile' don't ya wanna job?

RITA.— (*In a grandiose manner.*) I really wanted to try my wings again. I told you I've been retired for some time.

BESSIE.— Pardon me, madam.

RITA.— I'll see you around.

BESSIE.— Sure, sis. We make the same rounds. (RITA *tries to open the door and discovers* SHE *can not get out.* SHE *tries again and then, helplessly looks at* BESSIE.)

RITA.— It seems the door is stuck.

BESSIE.— (*Remains seated.*) To the right!

RITA.— What?

BESSIE.— Turn the door knob to your right!

RITA.— Oh... (*Tries again.*) *N*o, it won't open.

BESSIE.— (*Gets up and moves towards the door.*) Let me see. (*Turns the door knob to the right.*) This ain't funny. (*Turns the door knob to the left.*) Damn it!

RITA.— Let me try again. (*Turns the door knob first to the right and then to the left.*) No way. Oh, God! We are locked in!

BESSIE.— No shit! (*Goes to a window situated stage left and tries to open it but the window is also stuck.* BESSIE *stands with her face close to the window glass and begins to scream.*) Hey, you! There are two women locked in this office. The top floor. D'ya hear me? The top floor! We wanna get out!

RITA.— Must you be so loud?

BESSIE.— Sister, don't you understand that this is a fucking emergency?

RITA.— They'll never hear you! (*Pause.*) Where is the phone?

BESSIE.— I dunno.

RITA.— (*As* SHE *looks for the telephone.*) That's odd. There is no telephone. How come you didn't notice there wasn't any phone in this office?

BESSIE.— Why should I notice? I don't work in this office.

RITA.— Oh, God. What are we going to do?

BESSIE.— Didn't you have all the connections in Havana? Get your friends!

RITA.— We are stuck here! (*Runs to the window and presses her face *against the glass.*) Oh, God! There are gates covering the front of the window.

BESSIE.— (*Runs to the window and presses her face against the glass.*) Hey, you, out there, there are two women on the top floor. D'ya hear me?

RITA.— (*Losing her cool, begins to scream,.*) Do you hear me? Hey, you down there! We are locked on the top floor!

BESSIE.— D'ya hear me? You motherfuckers!

RITA AND BESSIE.— (*Together.*) Help! Help! Do you hear me? The top floor! (*Black out. Lights slowly fade in to establish an interval of ten minutes.* BESSIE *looking exhausted sits on a chair stage left.* RITA *sits on top of the desk and massages her right foot.*)

RITA.— It's getting darker. (*Pause.*)
Don't you think it's hotter than before?

BESSIE.— (*Gets up and takes a Dixie cup out of the dispenser.* SHE *fills it up with cold water, then soaks her handkerchief and proceeds to apply it to the back of her neck and forehead.*) Just do like the lil' birds do.

RITA.— (*Gets up and begins to pace back and forth.*) Why isn't this man here? He was due long ago. If he doesn't give us a job, the least he could do is unlock the door.

BESSIE.— (*Moves in front of the window.*) I tol'ya before. You ain't telling the boss what he's got to do.

RITA.— Well, isn't that a servile attitude. We are not in a damn plantation.

BESSIE.— I ain't. Others were.

RITA.— That's your problem. In my country it was very different.

BESSIE.— A nigguh' is a nigguh'...

RITA.— Oh, shut up! (*Goes to the water cooler and fills her hands with cold water that* SHE *splashes on her face.*) Did I tell you that I was once the star of the Palace Theatre in Paris?

BESSIE.— Oh, pardon moi, mademoiselle.

RITA.— I was the first Cuban to play at the Palace.

BESSIE.— You mean, you were the first Negro Cuban woman to play at the Palace.

RITA.— (*Ignores* BESSIE*'S remark.*) They consider me exotic. Even my accent was considered exotic.

BESSIE.— It must have been a long time ago, sis...

RITA.— Why do you have to make a social comment on everything I have to say? (*Pause.*) They loved me at the Palace. I was such a success that I was hired as a Folies Bergere headliner. You should have heard my rendition of "The Peanut Vendor." After all it was written especially for me... (*Pause.*) What do I care about what they think now.

BESSIE.— How come you didn't stay in Gay Paree?

RITA.— (*Nervously.*) Well, I had obligations... My children.
BESSIE.— Oh, you had children?
RITA.— Yes, I told you my husband who was a prominent lawyer, died very young.
BESSIE.— He left you a young widow.
RITA.— Yes, a young, helpless widow, with two young boys. (RITA *begins to hum The Merry Widow waltz.*)
BESSIE.— (*Sympathetically.*) It must have been hard to get ahead.
RITA.— Yes, it was. But when one has talent, exceptional talent, the doors will always eventually open.
BESSIE.— Talking about doors. What the hell are we going to do to get out of here?
RITA.— (*Restless.*) Oh, he has to come. He must come soon.
BESSIE.— I think we should try our own way out of here.
BESSIE.— (*Sarcastically.*) Don't you have any City Hall connections? By now they probably realize you have been missing and are coming to your rescue.
RITA.— Politicians?
BESSIE.— Why not? Don't the end justify the means?
RITA.— I've never got mixed up in politics.
BESSIE.— Always a lady.
RITA.— Always a lady. (*Lights fade out as a spotlight illuminates* RITA *who forcefully grabs an imaginary microphone.* BESSIE *freezes.*)
RITA.— (*As a young woman.*) I hold the President of Cuba responsible for the killing of my brother. Assassin! Your hands are dripping with my brother's blood. Hyena, murderous hyena. I spit on you! I spit on you! (RITA *struggles with two imaginary guards who are trying to drag her out of a radio station. The spotlight fades out on* RITA *as the lights increase in intensity.* SHE *speaks to* BESSIE *as if nothing has happened.*) (*Visibly nervous.*) I was so popular, I even had my own radio show.
BESSIE.— Chile', you've done everything.
RITA.— Everything within reason.
BESSIE.— I beg your pardon...
RITA.— I never mixed in politics.
BESSIE.— Honey, that's strange. You come from a troubled little island.
RITA.— I told you Cuba is not a little island! (*Pause.*) It is the largest in the Caribbean.
BESSIE.— Here we go again! (*Pause.*) I was never in Havana, but baby, I heard that it was the whorehouse of the Caribbean. Everything went on in that island of yours. (*Pause.*) What was that dictator's name?... (*Pause.*) Baptist?
RITA.— (*Corrects* BESSIE *but tries to hold her temper.*) No, Batista.

BESSIE.— Well, wasn't he the one who kept corruption going on your island?

RITA.— Sure, always with a little help from the president of your country.

BESSIE.— (*Laughs loudly.*) Oh, chile' you is funny!

RITA.— You are not seeing me in one of my better days. (*Begins to loosen up.*) In my radio program I kept the audience in stitches. My radio show could have run forever.

BESSIE.— And why didn't it?

RITA.— (*Nervously.*) Oh, well, my numerous contracts... (*Lights dim suddenly. A spotlight illuminates* RITA. BESSIE *freezes. The recorded voice of a radio announcer is heard over the loudspeakers.*)

RADIO ANNOUNCER'S VOICE.— It is with deep regret that we announce that due to Rita's illness, her program will be replaced by...

RITA.— (*Grabs an imaginary microphone.*) Liars! You fascist censors. You want to silence my voice. But no one, do you hear me, no one, is going to silence my voice. My voice is the voice of my people. Do you hear me? The voice of my people! (*Struggles with two imaginary policemen who are trying to take her away.*) Where are you taking me? (RITA *places her arms behind her back as if her hands were handcuffed. The recorded voice of two policemen are heard over the loudspeakers.*)

VOICE OF POLICEMAN # 1.— Open your mouth!

RITA.— (SHE *speaks with clenched teeth.*) Noooo!

VOICE OF POLICEMAN # 2.— Listen to the boss. Open your mouth!

RITA.— (*With clenched teeth.*) Noooo!

VOICE OF POLICEMAN # 1.— Open your mouth! Don't force me to use a tougher method.

VOICE OF POLICEMAN # 2.— (*Laughs.*) A little Castor Oil never killed anybody...

RITA.— (*With clenched teeth.*) Noooo!

VOICE OF POLICEMAN # 1.— Just a little laxative to clean your tongue. You'll never use a microphone to insult our President.

RITA.— I'll never shut up you bastards. Never!

VOICE OF POLICEMAN # 2.— You wanna bet? (*To* POLICEMAN # 1.) Are you ready boss?

VOICE OF POLICEMAN # 1.— Go ahead!

RITA.— (*With a voice choked by the laxative forced down her throat.*) Noooo! I'll never stop!... (*Lights suddenly fade in as the spotlight on* RITA *fades out.*) My voice... (SHE *coughs and grabs her throat.*)

BESSIE.— Anything wrong?

RITA.— Nothing... nothing. My throat is probably irritated. You know how it is. I have done a lot of singing in my life.

BESSIE.— (*Gets a small flask of liquor out of her purse.*) And a lot of talking, that's for sure... Would you like a shot of bourbon?

RITA.— Never touched a drop of liquor in my life. (*Pause.*) No liquor, no drugs.

BESSIE.— (*Pours some liquor into the flask's cap,.*) Well, I wish I could say the same thing about liquor. But you're right. Where can liquor take you? Nowhere! (*Lights gradually fade out. A spotlight illuminates* BESSIE. RITA *freezes. A young man's voice is heard over the loudspeakers.*)

YOUNG MAN'S VOICE.— Nowhere. That's where you're going. Come on woman, get hold of yourself!

BESSIE.— (*Playing very young and already feeling the liquor effect.*) Hush, honey. Gimme a break! You know I can give up drinking any time I want.

YOUNG MAN'S VOICE.— Sure, sure.

BESSIE.— (*As a young girl.*) Bessie is gonna be alright. She's gonna be alright tomorrow, tomorrow...

YOUNG MAN'S VOICE.— That's what you said yesterday. (*Pause.*) Who's getting you the booze?

BESSIE.— (*As a young girl.*) A kind soul...

YOUNG MAN'S VOICE.— A kind soul? Nobody, do you hear me? Nobody is gonna give you a singing job anywhere. You'll be banned from the whole damned state.

BESSIE.— (*As a young girl.*) Please baby, don't say mean things to Bessie. She's gonna be alright. I promise, she's gonna be alrights...

YOUNG MAN'S VOICE.— Do you think you can make the 10 o'clock show?

BESSIE.— Sure, sure.

YOUNG MAN'S VOICE.— I dunno... Maybe Ethel can fill in for you...

BESSIE.— (*As a young girl.*) That yellow bitch ain't goin' to take my place. I can manage. I always manage! (*Lights suddenly fade in as the spotlight fades out on* BESSIE.) (*To* RITA.) Nowhere... Nowhere, show business seems like the road to nowhere.

RITA.— Well, I don't know about you, but I still have a long way to go.

BESSIE.— Well sister, I'm glad that you're so optimistic.

RITA.— (*Wipes her brow with her handkerchief.*) Do you think he will be arriving soon?

BESSIE.— Hon', I don't know.

RITA.— How did you hear of this agent?

BESSIE.— I received a call.

RITA.— So did I. (*Pause.*) I hope we aren't going for the same part.

BESSIE.— Don't worry, honey. We ain't the same type.

RITA.— He shouldn't have set two appointments at the same time. No sense of privacy...

BESSIE.— Sister, you do put on some airs!
RITA.— Not at all. (*Pause.*) Gone are the days when producers knew how to deal with stars. I remember when Mr. Roxy and Mr. Shubert went to hear me sing in a benefit for the blind at the Plaza Hotel. They were so impressed with my talent, they offered me a contract on the spot.
BESSIE.— Roxy and Shubert? Honey, how old did you say you were?
RITA.— Don't mind that! I became one of the stars of the Shubert Follies. "An Evening in Spain." That was the name of my sketch.
BESSIE.— "An Evening in Spain"?
RITA.— That's right! Those were the days... But still I have faith that good taste some day will prevail on Broadway and my name will shine on the Great White Way again.
BESSIE.— Not with that accent...
RITA.— (*Interrupts her.*) What's wrong with my accent? All the great ones had an accent, Lupe Velez, Dolores del Rio... Oh, that bitch — Pardon my language, but she walked away with my part in the movie version of "Wonder Bar. "
BESSIE.— Baby, you're living in the past! What's wrong with you? Don't your read the trade papers? (BESSIE *grabs a newspaper from one of the side tables and waves it in front of* RITA*'S face.*) Look, just look, and try to find how many parts are open for middle age Negro female performers — never mind, for middle age Negro Latin performers with an accent. Go ahead, look!
RITA.— I don't read the trade papers. I deal directly with producers or agents.
BESSIE.— And this is why you're locked in with ol' Bessie in a second rate agent's office?
RITA.— Second rate! (*Pauses to look around the decadent office.*) Anyway, he called me! I didn't call him!
BESSIE.— Oh, brother!
RITA.— I don't understand why you are getting so upset. I come from a tradition of illustrious performers. We were no common minstrels.
BESSIE.— And what's wrong with being a minstrel? Lady, my grandfather was one of the most respected performers of his time. Oh, Lord, the adulation that man received from his fans...
RITA.— (*Sarcastically.*) Oh, I'm surprised they didn't try to lynch him.
BESSIE.— Who?
RITA.— The mob in front of the theatre.
BESSIE.— What the hell are you talkin' about?
RITA.— (*Takes a nail file out of her purse and begins to file her nails.*) I may come from a little country in the Caribbean but we heard about what happened in front of the theatres where your respected performers were playing.

BESSIE.— It didn't happen to my grandfather!

RITA.— I don't know about that... but it happened to a lot of others. You see, these things never occurred in my "little" island.

BESSIE.— I bet! Believe it or not my grandfather had quite a fan club.

RITA.— (*Places the nail file in her purse.*) I understand how bothersome fans can become. (*Pause.*) But we owe our careers to our adoring audiences. Don't we?

BESSIE.— Oh, will ya cut that shit out! (*Walks around the room and tries to open the door.*) It ain't fair! The Lord knows it ain't fair!

RITA.— Are you religious, Bessie?

BESSIE.— I've been, but I don't think this is the moment to talk about it. (*Stands in front of the window and screams at the top of her lungs.*) Anyone down there? There are two women suffocating up here! D'ya hear me? D'ya?

RITA.— (*Acting a bit distraught.*) I remember one of my teachers at the conservatory used to say that the place where one has a religious experience is the place of the hierophany... Hierophany, such a lovely sound.

BESSIE.— Woman, what are you talking about? Don't you understand that we're locked in this damn office? (*Begins to knock the window frame with both of her fists.*) Hey, d'ya hear me? D'ya hear me, you motherfuckers? (*Lights decrease on stage. A spotlight of great intensity illuminates downstage center. The light represents* THE AGENT. *THE AGENT'S VOICE is recorded on tape.* RITA *and* BESSIE *will speak to THE AGENT as if HE were standing under the spotlight.*)THE AGENT'S VOICE.— Did one of you ladies call me?

BESSIE.— Who are you?

RITA.— Oh, please whoever you are, get me out of here.

THE AGENT'S VOICE.— Ladies, please, relax. (*Pause.*) I'm The Agent.

RITA AND BESSIE.— (*Together as they adjust their dresses,.*) Oh, are you?

THE AGENT'S VOICE.— Yes, I am. I'm so sorry to be a little bit delayed, but I had to attend many, many auditions today. (*Pause.*) Oh, about the door... Well, it's being taken care of. (*Pause.*) Eventually. (*Softly.*) So, both of you ladies are singers?

RITA.— I am also an actress.

BESSIE.— She is. I mean, yes, I'm also an actress.

THE AGENT'S VOICE.— Well, well. (*Pause.*) To be honest with you. I'm interested in a singer.

RITA.— I am mainly a singer.

BESSIE.— Yes, I'm also mainly a singer.

THE AGENT'S VOICE.— Of course, I need a singer who can also act.

RITA.— Oh, I'm a trained actress who just happens to sing...

BESSIE.— I'm super trained, sir.

THE AGENT'S VOICE.— Really? I'm also interested in an actress-singer who can follow a complicated dance routine.

RITA.— What would you like to see? Ballet, jazz?...

BESSIE.— Tap, fox-trot?...

THE AGENT'S VOICE.— Well, I can see you have come prepared.

BESSIE.— You bet your sweet... (*Pause.*) I mean, I'm ready.

RITA.— What would you like me to do, sir?

THE AGENT'S VOICE.— For now, a song will do.

RITA.— Up tempo?...

BESSIE.— Perhaps some blues?...

THE AGENT'S VOICE.— I want to hear whatever you do best. Just start when you are ready and our pianist will follow you.

BESSIE.— Where is he?

THE AGENT'S VOICE.— Who?

BESSIE.— The pianist.

THE AGENT'S VOICE.— (*Impatient and cold.*) Don't worry! (*Softens his voice.*) Either one of you ladies who's ready, may start. (*Without giving* RITA *a chance,* BESSIE *moves stage center and begins to sing. The piano player accompanies her after* BESSIE *sings a few bars a cappella. From that point on, the rendition of the songs by the two singers becomes like a musical duel. Both singers alternate at coming in the middle of each other's songs and sometimes harmonizing with the lyrics of the following songs:.*)

BESSIE.— "Do nothin' Till You Hear from Me. "

RITA.— "Siboney. "

BESSIE.— "Nobody Knows You When You're Down and Out. "

RITA.— "Yours. "

BESSIE.— "You Don't Understand. "

RITA.— "Ay! Mama Ines. "

BESSIE.— "St. Louis Blues. "

RITA.— "The Peanut Vendor." (*The peak of their musical duel is reached as* BESSIE *attempts to sing "St. Louis Blues."* RITA *becomes almost frantic in her rendition of "The Peanut Vendor," but in a strange way, due to their expertise and passion the songs finally blend together as they reach the end.*)

THE AGENT'S VOICE.— Very nicely done.

RITA.— Did you enjoy it?

BESSIE.— Did ya'?

THE AGENT'S VOICE.— It was fine, fine. (*Pause.*) But to be frank Miss Bessie, isn't that the name?

BESSIE.— (*Humbly.*) Yes, sir!

THE AGENT'S VOICE.— Well, Bessie, most of your material is kind of slow... You know, depressing.

BESSIE.— But, Mr. Agent, I'm mainly a blues singer.

THE AGENT'S VOICE.— The blues is dead.
BESSIE.— The blues ain't dead! It will never die! (*Realizing* SHE *has lost her cool.*) I mean, I can learn a new repertory.
THE AGENT'S VOICE.— It will be useless.
BESSIE.— But sir, I assure you...
RITA.— (*Believing* SHE *can take advantage of the situation.*) Bessie, do not contradict Mr. Agent. The man knows what he's doing.
BESSIE.— (*To* RITA.) Oh, shut up!
THE AGENT'S VOICE.— And about you Rita...
RITA.— (*Eagerly.*) Yes, sir!
THE AGENT'S VOICE.— I think you have a lovely voice, but your material is too, too, how could I say it, too ethnic.
RITA.— Ethnic? I'm considered an exotic chanteuse!
THE AGENT'S VOICE.— Whatever you call it — it's out!
RITA.— Out? But what about Lupe Velez, Dolores del Rio?...
THE AGENT'S VOICE.— They are also out.
RITA.— Out?
BESSIE.— (*With a vengeance.*) Rita, do not contradict the man.
THE AGENT'S VOICE.— Anyway ladies, I only have one job open. (RITA *and* BESSIE *exchange looks.*)
BESSIE.— Well, Mr. Agent, I think that job should be filled by an American.
RITA.— The nerve!
THE AGENT'S VOICE.— I'm sorry, Bessie. Too dark and heavy.
BESSIE.— Dark and heavy?
RITA.— Sir, I'm slim and my skin is practically white. I can dye my hair blonde, maybe a wig would do. I could pass as Anglo...
THE AGENT'S VOICE.— It's useless.
BESSIE.— But, sir...
RITA.— Mr. Agent, I...
THE AGENT'S VOICE.— (*In a commanding and thunderous manner.*) Sit down*!* (RITA *and* BESSIE *meekly sit down.*) I understand you are both talented and special. Do you hear me? Special. (*Playing kind and understanding.*) You see, I would love to be able to use your special talents. (*Pause.*) But you should know that there are other people. They... You know... The very top people. They are putting some pressure on me. They know what the masses need. What the masses are clamoring for, what is marketable. Do you hear me? Marketable, and you ladies are not marketable anymore.
BESSIE.— Marketable?
RITA.— We are not marketable anymore?
THE AGENT'S VOICE.— That's right!
BESSIE.— Man, I need this job. What the hell I want my special talents for if I can't make a living?

RITA.— Sir, some arrangements could be made. Perhaps, I don't have to have top billing. I could also understudy the star of the show.

THE AGENT'S VOICE.— There is only one job open, and you ladies are not right for it.

BESSIE.— But what are we supposed to do.

THE AGENT'S VOICE.— Be patient ladies, just wait. If something else comes along I'll let you know.

RITA.— But...

THE AGENT'S VOICE.— (*Almost with a musically sweet but mechanical quality to his voice.*) Don't call me. I'll call you! (*The spotlight fades out as the lights increase in intensity.*)

BESSIE.— Hey, Mr. Agent! Where are you going?

RITA.— (*Helplessly.*) Please, Mr. Agent, wait!

BESSIE.— (*Furiously to* RITA.) D'ya see what you have done? If you hadn't been here I would have gotten that job! You had to spoil everything!

RITA.— What about me? I'm sure I had that job in my hands. You would have never been right for the part. They wanted someone with finesse.

BESSIE.— When are you going to cut that classy number out? I bet you have never been such a great lady of the theatre world. Tell me, where have you been that I've never seen your name in the papers?

RITA.— (*Very confused.*) I... well, I... I told you I even sang contemporary operas in my native...

BESSIE.— When, tell me when!

RITA.— Well, in 1956, I sang...

BESSIE.— 1956! Honey, what the hell are you talking about?

RITA.— (*Her confusion increases.*) I... I don't know. I just remember having this slight sore throat. (*Clutches her throat with both her hands.*) Leave me alone! (*Gets away from* BESSIE.) Don't make me talk! (*Pause.*) I saw my first light and gave my first sound with the birth of the Republic. I have witnessed many things. Of course, I knew they pretended to accept me. Hell! I made them accept me. Me, with the cinnamon skin, too light for a negro, too dark to pass. But I made them accept me! Me, with an overwhelming talent that two hundred whites couldn't match. Me, touring around the world with a basket of fruit on my head and yards of muslin ruffles hanging from my waist. Here comes the rumba dancer! Hang on to her train!!! Impersonator! I became an impersonator. A Latin woman impersonating the Latin image that was demanded and expected... (SHE *pauses but speaks with raving madness.*) Do you know that they called me the woman with the whip tongue? They wanted to silence me. They silenced my radio show but they couldn't cut my tongue out. My whip! How could I shut up? How could I witness the procession of presidents, dictators and politicians fucking up my poor country as if she were a whore and not speak up. You see, truth is ugly and they didn't want changes made, and I exposed the truth and truth exposed lies and liars. They wouldn't let me speak so changes could be made, but others will speak for me. I, I, foresee... (*Suddenly falls in a trance and speaks like an old Cuban Black spiritualist in a trance.*) I foresee great changes in my country — the whole island will be turned upside down... Upside down... Hmmm, baby. (*Rubs both of her hands.*) Upside down. (*Comes out of her trance-like state.*) Oh, I better stop talking.

BESSIE.— Sure, sister. You better stop talking.

RITA.— (*Recuperates strength and bursts with unexpected energy.*) And anyway, who are you to interrogate me? I've had enough persecution in my lifetime. (*Pause.*) Tell me, can you show me one, just one of the clippings of your recent successes?

BESSIE.— (*Nervously.*) Of course, I can!

RITA.— Come on, show it! Show it to me!

BESSIE.— (*Looks around.*) Where is my portfolio?

RITA.— Yes, find it, "sister. "

BESSIE.— I must have left in my car. (*Pauses for a second.*) Or, perhaps I left it in my dressing room when I was getting a shot of...

RITA.— A shot of what?

BESSIE.— I dunno. I don't remember

RITA.— I bet you don't remember the last day you sang in a club either.

BESSIE.— Sure, I remember. It was nineteen thirty... (*Stops to think.*)

RITA.— (*Mimicking* BESSIE.) Honey, where have you been all these years?

BESSIE.— (*Knowing* SHE *is losing ground.*) Oh, get lost! At least I ain't pretending I never encountered racism and my life was such a fucking marvelous fairy tale.

RITA.— I told you my experiences were completely different from yours.

BESSIE.— (*Grabs* RITA *by the shoulders and looks into her eyes.*) Listen, sister. Who the hell do you think you're fooling?

RITA.— (*Tries to hide away from* BESSIE's *inquisitive look.*) Why? Why should I dig in the disagreeable little incidents of my past?

BESSIE.— Disagreeable little incidents? Sister, those moments made you what you are. They are part of you.

RITA.— Leave me alone... (*Gets away from* BESSIE.) What about you? Have you told me everything? Do you know what truth is? All of those stories about your wonderful family and your grandfather being such a big Negro star in a Broadway theater. Tell me, were they true?

BESSIE.— (*Turns her back to* RITA *and begins to fidget nervously with her fingers.*) Of course they were... (*Pause.*) almost... (*Painfully.*) almost true.

RITA.— There is no such a thing as almost true. Truth is absolute.

BESSIE.— (*Like a wounded animal.*) Don't talk to me about absolutes. Absolute, nothing! One makes with life the best one can. When truth is painful, we have to rearrange the facts to make things easier to live with.

RITA.— (*Following* BESSIE *in circles.*) Come on Bessie. Let's hear the real story.

BESSIE.— What do you wanna hear? That I grew up in the red light district in Philadelphia. Or better yet, that I had to fight rats in a single room in New York's Hell's Kitchen. Wait, that I toured the Southern states with an all-White band and wasn't allowed to use the public dining room or the bathrooms... or better yet, that I went to Paris and they made me dance in the nude, shaking a bundle of golden bananas hangin' around my waist. What else you wanna hear? That I was a chorus girl at the Cotton Club and never made it to the downtown White clubs? Do you want more? Do you want me to call you baby, chile', sugah', honey, nigguh', sister... or would you like to hear my tearful rendition of a full-fledged Black spiritual... Talk about impersonations! What else you wanna hear? That my name is not Bessie, and the real story is that I'm a bastard, my name is Ethel. No, no, my name is Billie, no, no, my name is Josephine, and I was born in St. Louis, perhaps my real name is Ma, and I'm the one and only, Mother of the Blues... No, no, my name... I've got so many names that they have swollen my fat body. Fat accumulated for one hundred years. One hundred years draggin' my fat body through the American wasteland. Oh, baby, they wanted to kill my dreams, but no sonafabitch was goin' to do that because others like me will stand up and will dream them with me... (*The magnified sound of a gun shot is heard over the loudspeakers.*) No one, ya'hear me? No one will be able to stop the dreamers. (SHE *collapses in a chair.*)

RITA.— (*Sincerely moved.*) Would you like some water?

BESSIE.— I could use some.

RITA.— (*Moves in front of the water cooler and pushes the botton on top of the faucet several times.*) We ran out of water...

BESSIE.— Water... water... (*Lights fade out suddenly and a spotlight illuminates* BESSIE. RITA *freezes. The recorded voice of a nurse is heard over the loudspeakers.*)

BESSIE.— (*As a young girl.*) Can anyone gimme a glass of water? Nurse, I'm dying of thirst.

NURSE'S VOICE.— *Wh*at are you whimpering about, nigger?

BESSIE.— (*As a young girl.*) Water, please. I wanna some water...

NURSE'S VOICE.— You are not allowed to have any.

BESSIE.— (*As a young girl.*) An ice cube, please! I'm dying of thirst!

NURSE'S VOICE.— No way!

BESSIE.— (*As a young girl.*) Please, please. Oh, Lord! My leg hurts so!

NURSE'S VOICE.— Nigger, you are lucky that someone got you out of the crash. (*Pause.*) Bitch, who asked you to go out riding in a stolen car?

BESSIE.— (*As a young girl.*) Water, I wanna some water... (*Lights fade in as the spotlight on* BESSIE *fades out.* SHE *now speaks to* RITA.) Oh, I would give my life for a glass of water.

RITA.— (*Playfully.*) Cheer up! If you invite me for a drink, I'm willing to try whatever the hell you have in your flask.

BESSIE.— (*Sits down and opens her purse.*) That's a great idea, hon'... (*Takes out the flask and fills the paper cup in* RITA*'S hand with bourbon, then makes a toast.*) To the real truth!

RITA.— (*Also toasting.*) To the real truth! (THEY *both drink a large sip.*)

BESSIE.— No more lies from now on!

RITA.— No more lies. No siree! (THEY *both drink a second larger sip.*)

RITA.— You know Bessie, some of my stories were true.

BESSIE.— Oh, mine too...

RITA.— The rest...

BESSIE.— The rest...

BESSIE AND RITA.— (*Laughing together as* THEY *finish the drink.*) We rearrange them!

RITA.— (*Still laughing.*) A little. (*Pause.*) Do you know that my last love affair was a wrestler?

BESSIE.— No shit!

RITA.— That's right. He married me in the hospital.

BESSIE.— That ain't very romantic.

RITA.— But it was...

BESSIE.— We women are such suckers for romance. I think I have only fallen once for a man. Just once. But when I fell, I fell. (*Pause.*) My sweet, brown saxophone man. (*A saxophone solo is played through the rest of* BESSIE*'S monologue.*) I met him in St. Louis when I was thirteen... Imagine? Thirteen... I couldn't believe the man, playing on a street corner but proud as if he was performing in the swankiest of night clubs. His juicy lips caressed the mouthpiece and a tiny sliver of saliva, shining against the sunlight, hung from the side of his mouth. The sweetest sounds were coming out of that saxophone — or maybe were coming out of him... I dunno. His forehead was sweating and his pelvis palpitated and protruded while his fingers were tenderly pushing the keys. Yes, sir! I said to myself, if this man can play with me the way he plays with his saxophone, I have it made! I managed to get his attention — You know how flirtatious a child that age can be... He took me to his room and... (*Pause.*) To tell you the truth, he didn't play me as well as he played his saxophone... But he was the most tender man I have ever known. When he walked out on me, he wiped my tears with his hair — that's what I call animal instinct... My sweet, brown saxophone man... (*The saxophone solo stops.*)

RITA.— (*After a long pause.*) Do you think "The Agent" will ever call us again?

BESSIE.— (*Laughs.*) We tried so hard to please him...

RITA.— (*Laughs.*) Oh, God, did we put on a song and dance for him! (*Stops laughing.*)

Yes, we began our song and dance, long, long ago... (*As in a dream-like state but always aware that* BESSIE *is listening. A music-box melody plays through the entire monologue.*) Daddy, please let me do it! Let me be the captain of the ship. I want to be in charge. No one can turn the wheel the way I can. (Pause.) But daddy wouldn't let me... He smiled, twisting the ends of his moustache and adjusted the brown leather belt with the gold buckle — the one with his monogram engraved in the shape of an almond and then banged the ship's deck three times with his ivory cane... (*Imitates her father's voice.*) "A girl should never try to be the captain of a ship. A man should always be in charge... (*Pause.*) Although it is possible that a girl could do it as well as any man, she should never try, and never, ever let him know. Do you understand? (*Pause.*) Now, adjust the bows on your curls and don't get your beautiful white linen dress soiled. (*Pause.*) And don't forget, never, ever try to be the captain of a ship!!!" (*Smiles.*) But I knew as the ferry was approaching the Havana pier, that I wanted to be the captain of all the ships in my life and that I will never, ever, hide from any man that I could do it better than he could. (*Music stops.*)

BESSIE.— And where is your wrestler now?

RITA.— I don't know.

BESSIE.— What do you mean you don't know?

RITA.— You heard me. I remember up to that point.

BESSIE.— Well, I guess some people get amnesia when it comes down to marriage.

RITA.— No, it's a very strange feeling. It's as if everything had ended with that memory. Have you ever had that feeling? (*Pause.*) Where are you living now?

BESSIE.— Nowhere.

RITA.— Nowhere?

BESSIE.— Not that I remember. (*Pause.*) I travel a lot. In my last tour we went cross country and... (SHE *stops cold.*)
You know, I just remember being in a car, a used Packard. I can almost see the dusty license plates... 1937...

RITA.— 1937?

BESSIE.— Yes, nineteen thirty... Oh, Lord... Rita, honey, try to think. Think hard! After your wedding at the hospital, what happened?

RITA.— (*Closes her eyes and opens them again after a long pause.*) I don't remember.

BESSIE.— Come on. Let's try to think together. (*THEY stand next to each other with their eyes closed. After a brief moment THEY open their eyes.*)

RITA.— It can't be true.

BESSIE.— It must be a mistake. Anyway, why did we have to end up in this office.

RITA.— Why here of all places?

BESSIE.— I told ya' honey, it must be a mistake. (*Pause.*) What the hell do you think they keep in these files?

RITA.— Let's find out. (*Opens one of the drawers and pulls out a folder.* SHE *then reads the information aloud.*) Rainey, Ma, singer, born 1886, Columbus, Georgia. Died 1939, Rome, Georgia.

BESSIE.— (*Pulls out a folder and reads the information aloud.*) Smith, Clara, born 1894, Spartanburg, South Carolina, died 1935.

RITA.— (*In a frantic manner, opens another drawer, pulls out several folders and reads aloud.*) Waters, Ethel, born 1896, Chester, Pennsylvania, died 1977, Chatsworth, California. (*Opens another folder.*) Velez, Lupe, died... (*Opens another drawer and pulls out a folder.*) Del Rio, Dolores, died... (*Opens another drawer and pulls out a folder.*) Meller, Raquel, died...

BESSIE.— (*Rapidly going through the folders.*) Died 1934, died 1952, died 1928, died 1937!...

RITA.— (*Going through the folders as fast as* BESSIE.) Died 1922, died 1935, died 1944, died 1958!...

BESSIE.— Dead!

RITA.— I think it's true.

BESSIE.— Oh, no! We've got to get out of here. (*Runs to the window and then to the door.*) Still locked!

RITA.— Together we'll find a way out. Hold on sister. We are bursting the gates of heaven!

BESSIE.— (*Begins to hum "Sometimes I Feel Like a Motherless Child." After a few bars* SHE *is joined by* RITA. *The two women now sing and harmonize together to the end of the song.)*
The door opens by itself and a torrent of light shines through the door bathing RITA *and* BESSIE *who are finally set free.*

CURTAIN

THE END

TRASH

A MONOLOGUE

by

PEDRO R. MONGE RAFULS

For
those Cubans who escaped
during the Mariel exodus of 1980.
Especially to all those I met in
New York.

I wish to thank Laureano Corcés
and Miguel Falquez-Certain for
their valuable help.

Trash had a stage reading at Hunter College, MSA Studios, on February 10. 1995 with Tom Starace, directed by the author.

(*The present, day time. No scenery is necessary. Through mime the actor should indicate the presence of any object. He is in direct contact with the audience unless otherwise indicated. JOSÉ, Latin, mulatto, masculine, muscular. He has a St. Barbara tattoo which is visible to the audience. Barefoot, shirtless. He is boxing, punching the air, then he stops and faces the audience. He speaks English with a Spanish accent and has his particular grammatical constructions.*)

Hi! I am José... a lot of people call me Joe. I am not Joe, I am José. (*Talks while making boxing motions.*) If your name is William and you go to Puerto Rico you wouldn't like people calling you Guillermo. I don't like to be called Joe. (*Stops boxing. Serious.*) My real name is Jesús (*pronounced haSUS.*). I know some foreigners who wanted to sound American and changed their names to English names. I changed mine because people laugh at me when I tell them my real name... I am Jesus. Yes, that's it... and any time I say "I am Jesus" people laugh. No American is named Jesus. Why? That's a very common name in Latin American countries. (*PAUSE.*) I have another problem with my name. Some people call me Fidel when they find out that I am from Cuba. Isn't that ridiculous? Will you like to be called Bush? (*You may use the current president's name.*) Those people think that calling me Fidel is a great joke. (*Goes to where his sneakers and shirt are. Takes the sneakers. Sits in front of the audience and starts putting his sneakers on while he talks.*)

I'm a ***Marielito***. You know, a boat people. Everybody in this country is afraid of Cuban boat people. They said that we kill everybody and rape all the women. You heard a lot of stories about us. Remember the Fourth of July when that crazy man killed those people in the ferry that goes to the Statue of Liberty? And the other one who ran nude through St. Patrick's Cathedral and stabbed an old man? Not all boat people are bad. Castro put a lot of criminals and crazy people in the flotillas. They went to jails and mental hospitals and pulled prisoners out and sent them here in the boats, but most of us wanted to be free when we decided to come to this country. I couldn't live in Cuba anymore. Cuba is like a big hell! It's not even easy to go to your girlfriend's house. (*Remembers.*) I had a nice girl back there. Nedy; she is beautiful, man. I keep thinking about her after all these years. (*Starts boxing again. Talks while making violent motions, as if in the climax of a match. Wants to forget about his girlfriend.*)

I went to visit Nedy everyday. I ran from work to her house. (*Feels he must explain.*) You see, I worked in a store for foreigners. Those who were invited to visit Cuba. Those stores have everything Cubans can dream of. They trusted me. I had dreams over there. Nedy and I dreamed together: (*Stops boxing. Remembers.*) I wanted to go to finish school and marry Nedy. We will have a house near the beach and twelve children: a dozen. Don't laugh. It's true. (*Wakes up.*) Then, something happened that everyone was wishing to happen. The chance to get out of the country and be a free human being. No one was ready when it finally happened: The takeover of the Peruvian Embassy, and there I was. That's how I got to came to this country. People don't understand Castro's ways. They think that he behaves like the Americans, and that's a big mistake. But do you think that one of the White House experts cares for what I have to say? Noo! Anyway, I'm not going to talk about American foreign policy. It's not my business, man! I'm proud of being a Cuban. (*Pause.*) I am also proud of being a Marielito. You can see how boat people are doing in Miami and New Jersey. They're doing good. Like my buddy Roberto; you see, we came together to this country. He stayed in Miami and started to work in a mirror factory; he learned the trade and he opened his own business. He's doing good, and now he even has four guys working for him. (*He sits.*) D'you know why I speak English well? Because the first thing I did when I came to this country was to go to school. I had good teachers. My grammar teacher was Desi Arnaz and my American literature teacher was Charo. Do you know them? That's a joke! Let's be serious. Do you know how the Cubans call Fidel? *El caballo*. The horse. We call *caballo* to someone who is the most powerful, the best in everything. *Eh, tú, tú eres un caballo*. It means: Hey, you are a horse. A foreign language is not an easy thing to learn. It hasn't been easy for me. (*Pause.*) I came here and didn't understand a thing. If you asked me what my name was, I smiled and said yes and moved my head up and down with a smile on my face. If you asked me where did I live, I smiled and said yes. It was my yes-period of time (*Thinks.*)

Some people said they didn't believe Castro but they believed we were all criminals as he had said. I was no criminal in Cuba. I haven't been a criminal anywhere. Some people tried to take advantage of us. Not all of course. I remember the first job I got. I had to fix roofs with that sticking tar for two dollars and twenty five cents per hour. I had to spend almost every penny I made on transportation and didn't have any left to buy food. Smart people, they are! They paid us less money than they were supposed to, by law, and abused us anyway they could. You know is hard to come here from a Communist country. A Communist society is very different from the American way of life. Over there, you don't have anything. When we came here, the American government put us in camps; you know, Army camps. Once you got there, you were interrogated to find out whether you were a criminal or not. You had to find a sponsor. Only a sponsor can take us out of the camp. We were desperately looking for sponsors so we could take the last step to freedom. My aunt Felicia, my mother's aunt, sponsored me and took me to her home. She was nice but she died soon. Her son didn't help me and there I was, out in the street, with no trade, nothing. It wasn't easy... We were solicited for sex at the camp. Outside people used to come to see what they could get. You know that we Caribbean people are know to offer big (*Discreetly touching his penis.*) pleasure. You know what I mean? Women were sponsoring us, helping us out. (*Imitating.*) "I help you to make a good life in the U. S. You'll see, we'll be good friends." Well, to tell you the truth, some of us did anything in order to survive. D'you know how we call homosexuals in Cuba and Puerto Rico? We call them patos. Ducks. (*Realizes.*) I think we love to identify people with animals. In the Dominican Republic they call "tigers" those who you call hustlers. Well, I won't mention any other animal 'cause I'll end up mentioning the whole zoo. Do you think a psychiatrist will be interested in doing a research on this subject? (*Transition. Angry at himself.*) Humans are animals, man; we're animals but not beasts. There's a difference. Animals don't do what beasts do: horrible things. (*Pause. Starts throwing punches.*)

The truth is, I wanted to start a new life in this country. I came here very young. I wanted to learn English and go to college. That's why I stayed in New York because I was told that was easier here, but no way. Every door was closed for me. I tried to study but didn't have any income. Then I tried to work but didn't have any experience and didn't speak any English, either. Welfare could've solved my life but welfare is not good. It doesn't let you advance in life. It kills your drive to do positive things. I was forced to live in slums, surrounded by alcohol, drugs and prostitution. Kids stayed up late at night sipping beer and snorting coke. But I kept my distance. Honest. That's the truth. (*Stops punching. Goes back in time.*) That day I went to Nedy's house. We were talking in the frontyard, trying to make out when nobody was looking. I loved that woman. Then Roberto came running. (*Back in time, he speaks as if he is Roberto and himself.*) "Jesús (*pronounced haSUS.*) They went nuts; they're letting everybody go, leave Cuba." " What are you talking about?" "Swear to God; some guys barged in the Embassy of Perú and asked for political asylum." "So what?" "Well, Fidel made one of his big-shot speeches and said that everyone who wanted to leave is free to go. He said Cubans are happy with his government, so he said he knows no one is leaving." "And then what happened?" (*Back to the present.*) There were more than 8,000 people inside the embassy in less than three hours. I ran out with Roberto. Nedy was so nervous because she was afraid and she didn't want to come. "Don't go," she says, but no way. I had to go because that was the only chance I had to get out of Cuba. It was hard inside the Embassy; women, children, everybody was there and we couldn't move.

Thank God they let us go! It isn't easy to leave the country where you were born. I had to leave my mother, and Nedy. If you're against something you try to earn your rights. Being alone out here doesn't excuse you for being bad. Here, I went to school. (*Very frustrated.*) But for one year only. Race relations and life for a minority person have gone from bad to worse in the last years. It's not easy. That's when I pray. Yeaah. I pray. I was born to a good family. My family taught me to respect God and religion. I get so confused when I find out bad people in the church. (*Pointing to his tattoo of St. Barbara.*) She's my mother in Heaven. I have faith. I ask her for help, for guidance. I ask her what to do when I don't know what else to do. She has given me good advice. Suddenly I started to realize that I had to go to Miami and talk to my buddy Roberto. That he would give me a job and help me to put my life together; I thought that maybe I can get a visa for Nedy through the American Red Cross and bring her here and marry her. (*From now on, he will forget the audience. He talks to himself. He acts accordingly. Sometimes, as if in a trance...*)

I went to Brooklyn to see my friend Carlos. I wanted to say good-bye to him. We had a couple of beers, we talked about friends, girls.

You know. We had a good time. I told him that I was leaving. It was late and it's not good to be out in the street. I don't want problems, that's not what I'm looking for. I had a gun I had bought for my own protection, but only because you need one in a city like New York. If it's O. K. for drug dealers, it must be O. K. for me. So I was waiting for the bus that takes me to the subway station. The bus stop is on a deserted dark street. A van passed by me but I didn't pay any attention until it passed by a second time. A man was looking straight at me. I immediately knew what he was looking for. To have a good time with a young, black guy. It wasn't the first time. He was white in his late forties, and fat. It didn't bother me but I wasn't interested. He went around the corner and came back again. He stopped the van in front of me and asked me: "Is this Brooklyn?" What a stupid way to start a conversation. "Yes," I said, " but I don't know anything else about the neighborhood." He insisted. God, why did he think he had the right to insist? Didn't he see I wasn't interested? He got off the van and came to me. And here he is, standing next to me. He smiled at me and I smiled right back but moved away from him. He was wearing this white shirt with no collar and black pants. He said: "I like you." "Thank you very much but I am waiting for the bus." "Oh, I can give you a ride anywhere you like. To my apartment for a drink. It's not that late. I have porno movies." Who told him I liked porno movies? But I understood and I was nice. "Thank you but I'm going home." "Are you Puerto Rican?" "No." "You're not? Where are you from then?" "Cuba." "Oh, Cubans are good people. Very handsome men," and then he started talking to me and he keeps talking and talking. He didn't leave me alone. He offered me fifty bucks if I let him give me a blow job. I didn't want to do it. It's true that I had done that for money when I first was alone after my aunt died, but not anymore. I am afraid of AIDS. Besides I quit after I did it for a while because that's not my preference. (*As if in a trance.*) And the man kept insisting and the bus didn't come and he offered me sixty dollars. I remembered I didn't have enough money to get by the first days in Miami. (*He gave up his internal struggle.*) So I went inside the van as he wanted me to. (*Pause. It seems like it happened a hundred years ago...*) He insisted I had to be completely naked. (*Instinctively he goes for the T-shirt and puts it on.*) I didn't want to at first but I remember how he insisted when he got me in the van and first I only had one idea on my mind: I wanted to get done with it and leave. I was naked now and he started to touch me all over. I could feel all the big pleasure he was having while touching my balls. He started blowing. He knew how to give a head, let me tell you. I felt guilty at the beginning because I had promised myself I was never going to do this again and there I was, feeling a lot of pleasure. And I came! He enjoyed that. He rubbed my dick around his face, still licking it. He really loved to feel the sperm on his face. I said: "It's over. Take me to the train station. Pay me," and I pushed him away. Gently. That's when he asked me for more. "Come on, man. I'm not a machine." He insisted for more and I said to myself, This man is too much. Too vicious. He said: "I am going to pay you sixty dollars. I have the right to ask you. Latins are so proud. I'm paying you." "Look man," I said, "that wasn't the deal. Pay me and go." "Why should I pay you so much for something you also enjoyed". Of course I liked it, how else was I going to get a hard-on. That's not the point. And I started pulling my pants up. I already had my T-shirt on and he struggled, trying to take my pants off. He tore my T-shirt off. I pushed him away but he insisted again. That's when he felt my gun. He started screaming. I pulled it out of my pocket because I thought it was a good idea to scare him, get my money and keep him away from me. But he kept screaming trying to take the gun from me. We struggled and I shot him. (*Lights go down abruptly.*) A second shot hit him on the leg. He held his hands to his face, blinking his ice-blue eyes as if a helmet strap had frozen his expression. Frightened and humbled. He didn't want to die. But he knew he would. He cried. Sure, we both cried. He wanted to say something, but no words came. (*Desperately.*) I don't want to talk about that right now... It's too painful. I can't do it... I can't begin to understand... (*Pause.*) I am not willing to make any explanation of why he... me? fired. (*Thick bars coming from nowhere surround him. He is in jail...*) This is something you read in the papers, but you never think it can happen to you. It was in the paper the next day. He was a priest. (*Amazed.*) He didn't pray when he knew those were his last minutes in life. He didn't even mention God. How can he die like that? How can a priest look for sex? I'm sure God weeps when he sees what happened to me. Who will believe a Marielito? He ruined my dreams. My lawyer told me to stop lying for my own good. He said that he can't make a good defense because I gave the police a false name. He said I was probably lying about my name because I didn't want them to find out about my crimes in the past. Who will believe that was something missing to fulfill his nights? The papers said he had a twenty-year career as a good priest. That his parishioners loved him because of his exemplary life. At the funeral Mass the bishop said, "This attack is something you would only expect from beasts, not from humans." That's a horrible thing to say. Am I a beast? How can I ask Nedy to understand? We think we can control our destiny... and then something like this happens, death comes, pain and suffering come. And then we know in a flash... that we can't control our lives. (*His eyes swell with tears.*) I am very far from my country. I got nervous, I pulled the gun, and he started to push me around. I told him I had a gun and he grabbed my hand and the gun went off. Boom. Boom. What am I going to do now?

CURTAIN

Antilles Fruit (1980). © Poublé.

REFLEXIONES DE LEANDRO SOTO

EL POR QUÉ DEL TEATRO VISUAL Y EL PAPEL DE LO AFROCUBANO

Para mí, teatro es imagen. Entiendo por "imagen" el resultado de diferentes lenguajes escénicos que al coincidir en tiempo y espacio crean un espacio único de comunicación con el espectador. Uso la palabra "imagen" en un sentido muy cercano al que le otorgaba José Lezama Lima cuando hablaba del concepto de **La Imago**. Lo visual para mí es muy importante, soy un artista plástico, y es a partir de lo visual que se estructura en mi teatro la representación escénica. Pero una "imagen teatral" es algo recibido por nuestros centros de percepción superior, es un misterio a develar, como lo es la poesía. Para lograr esto trabajo bajo el concepto de que cada elemento tiene su propia partitura a seguir. Mi intención es ir tejiendo, creando así una simultaneidad de lenguaje donde el sentido total florece, a veces como resultado de la contradicción, o de la disparidad de los mismo; todo unido por lo poético, es decir lo que se quiere transmitir. Por ejemplo, en *E-Motions/E-Mociones* el personaje de Ono No Komachi, basado en la heroína maldita del teatro Noh del Japón, usa una máscara roja original de Tabasco, México, del área Maya-chol que representa a una mujer india; el vestuario, es un kimono de papel periódico que tiene que hacerse con el diario local donde se presenta el "performance", el telón de fondo representa una ciudad, cualquier ciudad, en este caso particular se representa en blanco y plata el malecón de La Habana, sobre negro. La música es original del Japón y está cantada por una voz femenina al estilo de las canciones de lamento medieval. Lo que el personaje hace a nivel de movimiento es danzar su memoria alternando la juventud y la vejez de su vida en una secuencia libre de movimientos donde el danzante tiene libertad de improvisar. Para dar la intemperie y el abandono a que está sometido el personaje, se usa un efecto de lluvia o nieve dejando caer cientos de pequeños fragmentos de papel plateado. Todo esto no tendría sentido dentro de lo cubano, sin el ritual de comienzo donde "se pide permiso" para usar las máscaras y donde se le pide a los espíritus guardianes "que dejen pasar al muerto chino, pa' que se exprese, pa' que revele su alma, pa' darle luz". Este espíritu representa dentro de lo cubano a esa parte nuestra que se ha nutrido y se nutre aún de la influencia asiática.

Otro elemento importante para mí es el sentido del humor. Yo uso este elemento como una vía de conexión directa con el espectador y como elemento intelectual de distanciamiento y reflexión. Para hacer reír hay que convocar a la inteligencia del espectador, a sus contradicciones esenciales. En el personaje de "la negra" en "Los espíritus me están llamando" se ve a una apetevisa, una sacerdotisa de la religión yoruba que quiere estar sola y relajada, tranquila en su casa y disfrutar de una tarde tropical. Ella posiblemente quiere imitar a las nostálgicas señoritas blancas de espíritu romántico "tarde en la siesta", colección del Museo Nacional de Bellas Artes de Cuba a las cuales sirve. Lo risible es que al convocar el relajamiento, los espíritus de los Orishas la poseen y la hacen bailar en contra de su propia voluntad. La música de tambores que oímos los espectadores, un **Oro** seco, está dentro de su mente, pues ella no vive en un pasado, ella vive aquí ahora mismo con toda su cultura que está en su cuerpo. Es increíble ver el proceso de apropiación que las culturas africanas en Cuba hicieron con toda la naturaleza y el medio ambiente. Lo africano no es nostálgico de ningún pasado, lo africano se apropia del presente, sólo vive en el momento. Visualmente el personaje toma posturas que van en la contradicción estiramiento-relajación, posesión y conciencia del trance. La escenografía en este momento juega un papel importante: la luz ilumina su trono, una escultura de corte simbólico que le sirve de asiento y que muestra su realeza interior a pesar de sus contradicciones exteriores en su conducta imitativa. Todos los personajes de *E-Motions* danzan dentro de un límite, el círculo mágico pintado en el suelo del escenario y cada personaje que aparece redefine el espacio y los objetos a su alrededor de una nueva manera. Esto es lo que llamo un movimiento en el sentido poético, en la lectura; que provoca un movimiento en la percepción e interpretación de la escena. A nivel visual y de concepto, mis maestros para las instalaciones han sido los plantes y arreglos de los santeros, en Cuba y fuera de Cuba. He observado que el concepto aglutinador del Orisha puede hacer convivir los materiales y los objetos más dispares del mundo, algo tan extremo desde el punto de vista estético que deja pequeño al concepto de Bertold Brecht "de exagerar la mezcla para aumentar el interés por el lenguaje". Las combinaciones visuales-conceptuales nacidas alrededor de una instalación para un Orisha me han permitido a mí en Buffalo, Nueva York, apropiarme de las Cataratas del Niágara de una manera bien diferente a como lo hiciera Heredia, el primer poeta del exilio cubano, en el siglo pasado. El pedía ver palmeras reales en medio de las cascadas (traer a Changó, Dios guerrero del Fuego), yo sencillamente le hablé a Ochún y las aguas del Niágara me revelaron su presencia de espíritu de vida y amor, pues ella rige sobre los ríos, ¿no estoy acaso yo ahora más cerca que nunca de la Diosa, Venus, Afrodita, Parvati, Virgen de la Caridad del Cobre?

La cultura cubana, como señala la Dra. Grisel Pujalá en su ensayo para la presentación de *E-Motions/E-Mociones* en el Centro para las Artes de la Universidad de Nueva York en Buffalo, es multicultural por esencia. La cultura cubana fue y es un caldero de presión donde todo lo que cae se procesa rápido. Es mi criterio que es el elemento aglutinador y apropiativo de la cultura afrocubana, lo que sirve de basamento al multiculturalismo al que pertenecemos por idiosincrasia los cubanos. *E-Motion*s no es sólo un reflejo de esto como actitud, sino también de una estética consciente donde todas las culturas pueden integrarse desde el valor humano y espiritual. *E-Motions* como concepto escénico clama más por la reconciliación cultural que por la división de lo mío y lo tuyo; por la verdad universal en lo particular de cada expresión, por el reconocimiento de que las emociones nos mueven —E:dirección, moción: movimiento, aquello que nos hace mover hacia algún propósito. Es un ejercicio del lenguaje universal de las imágenes que hablan a la siquis, de las metáforas teatrales, "porque la palabra se presta a malos entendidos". *E-Motions* es también el resultado de algo más allá que un libro: una danza, un tambor, un enigma, un poema, un refrán, un ritmo, una emoción.

Poster (1991). © Poublé.

E-MOTIONS/E-MOCIONES

OBRA EN TRES ACTOS

de

LEANDRO SOTO

E-Motions / E-Mociones.

GLOSARIO

ABAKUÁ: Culto de la Sociedad Secreta Abakuá que muestra el sincretismo entre las religiones traídas a Cuba por los esclavos y la religión Católica. El ritual de este culto es bastante complejo y elaborado y se caracteriza por la mezcla de creencias, filosofías, condiciones sociales culturales y artísticas. Sus fieles pueden ser negros o blancos. El vocablo abakuá se refiere también a la lengua sagrada de los ñáñigos.

ABASÍ: Los ñáñigos lo identifican con Dios creador, el Espíritu Supremo. Durante las ceremonias secretas de los ñáñigos se le sacrifica un chivo y se le representa por medio de un crucifijo.

ACHÉ: Virtud o poder mágico concedido a los orishas lucumíes. También significa tener gracia.

ADDODIS: Afeminados.

AFROCUBANO: Se refiere a los esclavos de segunda generación. También se usaba durante la colonia el vocablo criollo.

AGALLÚ: Orisha que se identifica en santería con San Cristóbal. Esta divinidad es el dueño del río y se representa como un marinero. Se le considera en algunas leyendas como el padre de Changó y está muy vinculado a este poderoso orisha. Sus colores emblemáticos son el rojo y el verde.

ALAFIA: Palabra que se emplea en el sistema adivinatorio de los cocos en la Regla de Ocha. Puede significar que todo marcha bien cuando se emplea en los ritos ñáñigos.

ÁNIMA SOLA: Ánima en pena o purgatorio. El temido orisha Eleguá, guardián de las puertas, las encrucijadas, los caminos y la vida, se identifica también con el Ánima Sola.

BABALAO: Palabra yoruba que se refiere al sacerdote máximo en santería que es el responsable de mantener el culto de Orula y la compleja mitología de Ifá.

BABALOCHA: Santero o sacerdote de la Regla de Ocha.

BABALORICHA: Una sacerdotisa de la Regla de Ocha.

BABALÚ-AYÉ: Orisha que se considera el dueño de las enfermedades, especialmente la viruela y la lepra. Babalú-Ayé se identifica en santería con San Lázaro cuya iconografía católica es la de un anciano todo llagado que se apoya en unas muletas. Su color emblemático es el púrpura o morado.

BATÁ: Nombre que se le da a los tres tambores sagrados de la santería: Iyá, Okónkolo, Itótele.

BEMBÉ: Fiesta afrocubana muy popular. Ocasión festiva en que se baila en honor de los orishas del panteón yoruba.

BESSIE SMITH: Nace en Chattanooga, TN el 15 de abril de 1894 y muere el 26 de septiembre de 1937 en Clarksdale, MS. Bessie Smith es una de las cantantes más importantes de "blues" que influyó profundamente el "jazz". Actuó en varias ocasiones con Louis Armstrong, Charlie Green, Joe Smith and Tommy Ladnier.

BILONGO: Vocablo que significa hechizo o brujería que puede causar daño físico o mental. Su etimología es posiblemente yoruba.

BONGÓ: Tambor afrocubano gemelo de procedencia africana. Instrumento indispensable en las Congas, Rumbas y otros bailes de gran ritmo.

BOZAL: Se refiere al esclavo traído a Cuba en el siglo XIX para trabajar en las plantaciones e ingenios de azúcar. Este esclavo también se conoce con el nombre de "esclavo de nación" y tenía dificultad para expresarse en español. Criollo es el término que se usaba para el esclavo nacido en Cuba.

CABILDO: Institución establecida por los españoles en sus colonias donde se agrupaban esclavos negros de un mismo origen tribal. El cabildo jugó un papel muy importante en la preservación del acervo cultural, religioso y musical africano en Cuba.

CARABALÍ: Grupo étnico de la región de Calabar en la costa occidental del continente africano.

CALESERO: Conductor de una calesa o carruaje tirado por caballos.

CEIBA: Árbol sagrado en la mitología afrocubana que también se conoce con el nombre de iroko.

CIMARRÓN: Nombre que se le da al esclavo que se escapaba al monte.

COMPARSA: Baile popular y callejero que un grupo de negros esclavos y libertos salían a bailar el día de Reyes, especialmente en La Habana y Santiago de Cuba.

CONGA: Un grupo de músicos y bailadores ambulantes que acompañan la comparsa o baile donde predomina la música de instrumentos de percusión. La conga tuvo su origen en África.

CHANGÓ: Poderoso y caprichoso orisha del panteón yoruba a quien se le identifica con el trueno, el fuego, la guerra, los tambores y la virilidad. Su esposa legítima es la diosa Obá y sus amantes las diosas Oyá y Ochún. Su genealogía es un poco confusa. Algunas leyendas mencionan que sus padres fueron Agayú y Yemayá; otras, indican que fueron Obatalá y Yemmú. Changó asume el nombre de Olofin en uno de sus avatares. Changó es uno de los orishas más populares en Cuba y en el sincretismo religioso de la santería se le identifica con Santa Bárbara. Sus colores emblemáticos son el rojo y el blanco. La palma real es su árbol sagrado.

CHIVO: Especie de cabra que se usa en la ceremonia secreta de iniciación de los ñáñigos.

DIABLITO: Bailador pintorescamente vestido que aparece por las calles con su cabildo o asociación el Día de Reyes dando saltos y haciendo pantomimas. El diablito también se conoce con el nombre de Ireme y puede ser un sacerdote de la Sociedad Secreta Abakuá.

DESPOJO: Acto de purificación o limpieza por los creyentes de las religiones africanas arraigadas en Cuba.

DILOGÚN: El Oráculo de los Caracoles en la Regla de Ocha...

EBÓ/EMBÓ: Suele ser un sacrificio u ofrenda al orisha o un trabajo o sortilegio en santería.

ECHÚ: También se conoce en Cuba como Echó y representa el mal y la ambigüedad. Echú es el genio del mal, el diablo en la santería. A veces se manifiesta en uno de sus caminos como un niño travieso y caprichoso en quien no se puede confiar. Sus colores emblemáticos son el negro y el rojo.

ECOBIO: En lengua ñáñiga se refiere a un amigo. Sinónimo de ecobio son los vocablos abanakué y monina.

ECUÉ: Uno de los hijos de Abasí, dios creador de los Abakuá. Se le identifica en Cuba con Jesucristo.

ELEGUÁ/ELEGGUÁ: Es uno de los más importantes y temidos orishas del panteón lucumí; es el mensajero de los dioses y posee la llave del destino. El pícaro, travieso y caprichoso Eleguá es el dueño de los caminos y el guardián de las puertas. Eleguá puede aparecer en la Regla de Ocha como Echú. Se le identifica en el sincretismo afrocubano con el Niño de Atocha, San Roque, San Antonio y el Ánima Sola. Sus colores emblemáticos son el negro y el rojo.

EWE: Monte, hierbas.

GÜEMILERE: Ceremonia sagrada en santería para venerar a los orishas. En esta ceremonia es cuando se tocan los tambores sagrados Iyá, Okónkolo, Itótele.

IBEYIS: Los mellizos o jimaguas llamados Taebo y Kainde, hijos de Changó y Ochún. Se identifican en la santería con San Cosme y San Damián. El color emblemáticos de estos orishas niños es el rojo.

ICÚ/IKÚ: Orisha que personifica la muerte.

IFÁ: Orisha de la adivinación, el dueño del ayer, el hoy y el mañana. Sólo Ifá puede servir de guía; él es el consejero de los dioses y los hombres.

IROKO: Vocablo de procedencia yoruba que se refiere a la ceiba, árbol sagrado en la santería.

LUCUMÍ: El nombre de los esclavos yorubas traídos a Cuba. También se refiere al idioma yoruba.

MAFEREFUN: Encomendarse, alabar, dar gracias.

OBÁ: En la mitología yoruba es una de las diosas fluviales. Obá es considerada en la santería la principal esposa de Changó. La esposa fiel e ideal que Changó respeta pero no ama. Se le identifica en la santería con la Virgen del Camino o Santa Catalina de Siena. Su color emblemático es el lila.

OBATALÁ: El representante más importante de Olodumare. Tiene el título de Eleda, el hacedor. Este orisha es el dios de la paz, la pureza, el creador del universo y el comienzo de la vida. Obatalá es el jefe de todos los orishas. Se le identifica en la mitología afrocubana con la Virgen de las Mercedes. Su color emblemático es el blanco.

OCHÚN: La diosa del amor. La Venus lucumí es uno de los orishas más populares y queridos en la santería. A esta diosa le gustan mucho los bailes y las fiestas. La zalamera y sensual Ochún conquista al temido Ogún con sus coqueterías. Ochún, la diosa de las aguas dulces, es también la patrona de los enamorados y la amante preferida de Changó. Sus creyentes la llaman cariñosamente Cachita y la identifican con la Virgen de la Caridad del Cobre, patrona de Cuba. Su color emblemático es el amarillo.

OCHOSÍ: El dios de la cacería que vive monte adentro. Su símbolo es una flecha de metal. Este orisha está muy vinculado a Ogún, dios de los metales, y a Osaín, el dios de las plantas silvestres. Este cazador diestro es amigo y ayudante de Obatalá. Ochosí se identifica en la santería con San Norberto y su color emblemático es el violeta.

OCULÉ MAYÁ: De la frase yoruba **OCUELÉ MAYÁ** que en la santería se usa para saludar a la diosa Yemayá; significa: ¡Salve, Yemayá!

OGÚN: Poderoso orisha del panteón yoruba. El dios del hierro y todos los metales. Ogún es un guerrero impulsivo en su lucha eterna contra su hermano Changó. Este orisha es el patrón de los herreros, soldados, carniceros y cazadores. Se le sincretiza en la santería con San Miguel Arcángel y San Pedro porque se cree que a veces abre los caminos como Eleguá. El verde, el negro y el morado son sus colores emblemáticos.

OLODUMARE: El Ser Supremo en el panteón yoruba. Simboliza todas las cosas del cielo y la tierra. Olodumare controla el destino de todos los hombres. También se le conoce con el nombre de Olorún y Olofi. Se le identifica en la santería con Jesucristo, el Dios Padre y con el Santísimo Sacramento.

OLOKUN: La diosa del fondo del mar que se manifiesta como una divinidad andrógina. Según indica Lydia Cabrera en su libro *Yemayá y Ochún*, esta diosa puede ser una de las manifestaciones de Yemayá, la Yemayá más vieja, la masculino que es mitad hombre y mitad pez. Es una divinidad temida a quien hay que tener encadenada en el fondo del mar. El azul oscuro es su color emblemático.

ORISHA/ORICHA: Santo. Deidad en el culto lucumí.

ORÚNMILA: El mensajero de Obatalá y el secretario y mayordomo de Olofi, el Ser Supremo en la cosmogonía yoruba. Según el mito, Orúnmila (Orula) es el conocedor de todos los secretos de la Regla de Ocha y uno de los dueños de los Cuatro Vientos junto con Oyá, Eleguá y Obatalá. Orúnmila es el orisha de los oráculos que controla el destino de los hombres. Se le identifica en la santería con San Francisco y sus colores emblemáticos son el verde y el amarillo.

OSAÍN: Orisha que se dice nació de la tierra y es el dueño de las plantas silvestres y hierbas medicinales. Es el curandero y médico natural por excelencia debido a sus conocimientos del monte. Osaín pertenece a todos los lucumíes porque es el mismo monte de donde mana toda vida.

OYÁ: La diosa guerrera, la compañera inseparable de Changó. Oyá también se conoce con el nombre de Yansan y se le considera la diosa de las centellas, las tempestades y el viento. Su culto está relacionado con los muertos porque a ella también se le considera la dueña de los cementerios. Se le identifica en santería con la Virgen de la Candelaria y sus colores emblemáticos son el blanco y el del vino tinto.

RITA MONTANER: Nace el 20 de agosto de 1900 en el pueblo de Guanabacoa y muere de cáncer en La Habana el 17 de abril de 1958. Una de las voces más representativas de la canción cubana e ídolo del teatro lírico cubano.

SANTERÍA: Nombre de la Regla de Ocha en Cuba. Un sistema de culto en que se adora el santo en la creencia sincretizadora entre la religión africana y la católica.

SANTERO: Nombre que se le da al babalocha o sacerdote del culto lucumí en Cuba.

SESERIBÓ: El tambor sagrado de los ñáñigos donde está la potencia abstracta Ecué.

SUBIRSE EL SANTO: En la santería significa cuando el orisha baja y toma posesión del creyente.

YEMAYÁ: Un poderoso y muy importante orisha del panteón yoruba. Cabeza de esta religión junto a Obatalá. Yemayá es la diosa de las aguas salobres y de la maternidad. Es la madre tierra. Debido a su popularidad, son muchos sus avatares. Se le identifica en la santería con la morena Virgen de Regla. Su color emblemático es el azul claro.

YORUBA: Región y cultura de la Costa de Guinea en la actual república de Nigeria.

BIBLIOGRAFÍA

(Se excluyen por lo general, en esta bibliografía selecta, las obras citadas en la introducción y los textos seleccionados para esta antología crítica.)

Alvárez Borland, Isabel. *Cuban-American Literature of Exile: From Person to Persona*. Charlottesville, VA: University of Virginia Press, 1998.

Aparicio, Frances R., and Susana Chávez-Silverman (Eds.) *Tropicalizations: Transcultural Representations of Latinidad*. Hanover: University Press of New England, 1997.

Artaud, Antonin. *El teatro y su doble*. (Trad. Enrique Alonso y Francisco Abelenda.) Buenos Aires: Sudamericana, 1964.

Barnet, Miguel. *La fuente viva*. La Habana: Editorial Letras Cubanas, 1983.

Bascom, William. *Shango in the New World*. Austin, Texas: The University of Texas Press, 1972.

—. "The Relationship of Yoruba Folklore to Divinity." *Journal of American Folklore*. LVI, 220, 1943:127-131.

Campa, Román V. de la. *José Triana: Ritualización de la sociedad cubana*. Minneapolis: Ideologies and Literatures, 1979.

Cabrera, Lydia. *Anaforuana: Ritual y símbolos de la iniciación en la Sociedad Secreta Abakuá*. Madrid: Ediciones R, 1975.

—. *El monte*. Miami: Ediciones Universal, 1975.

—. *Yemayá y Ochún: Kariocha, Iyalorichas y Olorichas*. Miami: Ediciones Universal, 1974.

Camnitzer, Luis. *New Art of Cuba*. Austin: University of Texas Press, 1993.

Carpentier, Alejo. *La música en Cuba*. La Habana: Editorial Letras Cubanas, 1978.

Castellanos, Isabel y Jorge Castellanos. *Cultura afrocubana*. Vol. IV. Miami: Ediciones Universal, 1994.

Cortina, Rodolfo J. *Cuban American Theater*. Houston: Arte Público, 1991.

Coulthard, George R. *Raza y color en la literatura antillana*. Sevilla: Escuela de Estudios Hispanoamericanos, 1958.

Cross Sandoval, Mercedes. *La religión afrocubana*. Madrid: Plaza Playor, 1975.

Cuervo Hewitt, Julia. *Aché, presencia africana*. New York: Peter Lang, 1988.

De Costa, Miriam (Ed.). *Blacks in Hispanic Literature: Critical Essays*. Port Washington, New York: Kennikat Press, 1976.

Díaz Ayala, Cristóbal. *Música Cubana: Del Areyto a la Nueva Trova*. San Juan, Puerto Rico: Editorial Cubanacan, 1981.

Dworkin y Méndez, Kenya C. "From Factory to Footlights: Original Spanish-language Cigar Worker Theatre in Ybor City and West Tampa, Florida." *Recovering the U. S. Hispanic Literary Heritage*. Vol. III. Houston: U. of Houston Press, 1998, (De próxima publicación.)

Escarpanter, José A. *José Triana*. Madrid: Editorial Verbum, 1991.

—. "*Las hetairas habaneras*: una parodia cubana." Prologue to Corrales, José and Manuel Pereiras. *Las hetairas habaneras(una melotragedia cubana)*. Honolulu: Editorial Persona, Serie Teatro, 1988, 5-9.

—. "Veinticinco años de teatro cubano en el exilio." *Latin American Review*. 1986, 57-66.

Espinosa Domínguez, Carlos. (Ed.) *Teatro cubano contemporáneo: antología*. Madrid: Centro de Documentación Teatral/Fondo de Cultura Económica, 1992.

Febles, Jorge y Armando González-Pérez. *Matías Montes Huidobro: Acercamientos a su obra literaria*. Lewiston, New York: The Edwin Mellen Press, 1997.

Foster, David William... *Cuban Literature: A Research Guide*. New York: Garland Press, 1985.

González-Cruz, Luis F. y Francesca M. Colecchia (Eds. y Trads.) *Cuban Theater in the United States: A Critical Anthology*. Tempe, Arizona: Bilingual Press, 1992.

González-Pérez, Armando. *Acercamiento a la literatura afrocubana*. Miami: Ediciones Universal, 1994.

Jackson, Richard. *Black Writers in Latin America*. Albuquerque: University of New Mexico Press, 1979.

—. *The Black Image in Latin American Literature*. Albuquerque: University of New Mexico Press, 1976.

Kanellos, Nicolás (Ed.) *Hispanic Theatre in the United States*. Houston: Arte Público Press, 1984.

Lachatañaré, Rómulo. *Manual de santería: el sistema de cultos "lucumís"*. La Habana: Editorial Cultural, S. A., 1948.

—. *¡Oh, mío Yemayá!* Cuba: Editorial el Arte, 1938.

Leal, Rine. *Breve historia del teatro cubano.* La Habana: Editorial Letras Cubanas, 1980.
—. *El teatro bufo, siglo XIX*. La Habana: Editorial Arte y Literatura, 1975.
Lima, Robert. "The Orisha Changó and Other Deities in Cuban Drama." *Latin American Theater Review*. XXIII, 1990, 33-42.
Luis, William. *Dance Between Two Cultures: Latino Caribbean Literature Written in the United States*. Nashville, TN: Vanderbilt University Press, 1998.
—. *Literary Bondage: Slavery in Cuban Narrative*. Austin: University of Texas Press, 1970.
—, (Ed.). *Voices from Under: Black Narrative in Latin America and the Caribbean*. Westport: Greenwood Press, 1984.
Lyday, Leon F. y George W. Woodyard (Eds.) *Dramatists in Revolt: The New Latin American Theatre*. Austin, Texas: University of Texas Press, 1976.
Manzor-Coats, Lillian. "Who are You Anyway?: Gender, Racial and Linguistic Politics in U. S. Cuban Theater." En: Monge-Rafuls, Pedro R., editor. *Lo que no se ha dicho*. New York: Ollantay Press, VI, 1994, 10-30.
—. "Performative Identities: Scenes Between Two Cubas." En: Behar, Ruth, editor. *Bridges to Cuba/ Puentes a Cuba*. Ann Arbor, Michigan: The University of Michigan Press, 1998, 253-266.
Martiatu Terry, Inés. "María Antonia: wa-ni-ilé,re de la violencia." *Centro de Investigación y Desasrrollo de las Artes Escénicas*. III, 1984, 35-44.
Martín Jr., Manuel. "The Development of Hispanic American Theater in New Yor City from 1960 to the Present." *Ollantay, V*, 1998: 11-37.
Martínez Furé, Rogelio. *Diálogos imaginarios*. La Habana: Editorial Arte y Literatura, 1979.
Monge Rafuls, Pedro R. (Ed.). *Lo que no se ha dicho*. Jackson Heights, New York: Ollantay Press, 1994.
Montes Huidobro, Matías. *Persona, vida y máscara en el teatro cubano*. Miami: Ediciones Universal, 1973
Moreno Fraginals, Manuel. *El ingenio, complejo económico social cubano del azúcar*, (3 tomos).) La Habana: Editorial Ciencias Sociales, 1978.
Mullen, Edward J. *Afro-Cuban Literature. Critical Junctures*. Westport, CT: Greenwood Press, 1998.
Nigro, Kirsten. *Palabras más que comunes: ensayos sobre el teatro de José Triana*. Boulder: The Society of Spanish & Spanish American Studies, 1994.
Ortiz, Fernando. *Africanía de la música folklórica de Cuba*. La Habana: Editora Universitaria, 1965.

—. *Cuban Counterpoint. Tobacco and Sugar*. New York: Knopf, 1947.
—. "La música religiosa de los yorubas entre los negros cubanos." *Estudios Afrocubanos*, V, 1940-1946, 15-34.
Palls, Terry L. "Annotated Bibliographical Guide to Study of Cuban Theatre After 1959." *Modern Drama*. XXI (December 1979): 391-408.
—. "El carácter del teatro cubano contemporáneo." *Latin American Theater Review* (Summer 1980): 51-58.
Paquette, Robert L. *Sugar is made with Blood*. Middletown, CT.: Wesleyan University Press, 1988.
Pérez Firmat, Gustavo. *Life on the hyphen: the Cuban American way*: Austin: University of Texas Press, 1994.
—. *The Cuban Condition: Translation and Identity in Modern Cuban Literature*. London: Cambridge University Press, 1989.
Rivero, Eliana S. "Cubanos y Cubano-Americanos: Perfil y presencia en los Estados Unidos." *Discurso literario* 7, 1989: 81-101.
—. "(Re)Writing Sugarcane Memories." In *Paradise Lost or Gained? The Literature of Hispanic Exile*, ed. Fernando Alegría and Jorge Ruffinelli, 164-183. Houston: Arte Público, 1990.
Rodríguez-Sardiñas, Orlando. "Texto del teatro cubano contemporáneo en el contexto revolucionario." En: Gutiérrez de la Solana, Alberto y Elio Alba-Buffill, editores. *José Cid*. New York: Senda Nueva de Editores, 1981, 125-137.
Sánchez-Grey Alba, Esther. "El teatro cubano del exilio." *Círculo*, XVI, 1987: 121-129.
Schulman, Ivan y Evelyn Picón Garfield. *Autobiography of a Slave*. Detroit: Wayne State University Press, 1991.
Skinner, Eugene R. "Research Guide to Post-Revolutionary Cuban Drama." *Latin American Theatre Review* VII (Spring 1974): 59-68.
Taylor, Diana. *En busca de una imagen: ensayos críticos sobre Griselda Gambaro y José Triana*. Canadá: Girold Books, Inc., 1989.
Tolón. Edwin T. *Teatro lírico popular de Cuba*. Miami: Ediciones Universal, 1973.
Watson-Espener, Maida. "Etnicity and the Hispanic American Stage: The Cuban Experience." En: *Hispanic Theatre in the United States*. Editor Nicolás Kanellos. Houston: Arte Público Press, 1984: 34-44.
Willis, Susan "Crushed Geraniums: Juan Francisco Manzano and the Language of Slavery." En: Davis, Charles T. y Louis Gates, Jr., editores. *The Slave's Narrative*. New York: Oxford University Press, 1985, 199-224.
Woodyard, George. "Perspectives in Cuban Theater." *Revista/Review Interamericana* IX (1979): 41-49.

Este libro se terminó de imprimir
el día 8 de septiembre de 1999,
Festividad de la Virgen de la Caridad
del Cobre, Patrona de Cuba.

editorial **BETANIA**

Apartado de Correos 50.767
Madrid 28080, ESPAÑA
Teléf. 91-314-55 55 — e-mail: ebetania@teleline.es

CATÁLOGO

- **COLECCIÓN BETANIA DE POESÍA. Dirigida por Felipe Lázaro:**

– *Para el amor pido la palabra,* de Francisco Alvarez-Koki, 64 pp., 1987. ISBN: 84-86662-00-1. PVP: 300 ptas. ($ 6.00). **Agotado.**
– *Piscis,* de José María Urrea, 72 pp., 1987. ISBN: 84-86662-03-6. PVP: 300 ptas. ($ 6.00). **Agotado.**
– *Acuara Ochún de Caracoles Verdes (Poemas de un caimán presente) Canto a mi Habana,* de José Sánchez-Boudy, 48 pp., 1987. ISBN: 84-86662-02-08. PVP: 300 ptas. ($ 6.00).
– *Los muertos están cada día más indóciles,* de Felipe Lázaro. Prólogo de José Mario, 40 pp. 1987. ISBN: 84-86662-05-2. PVP: 300 ptas. ($ 6.00). **Agotado.**
– *Oscuridad Divina,* de Carlota Caulfield. Prólogo de Juana Rosa Pita, 72 pp., 1987. ISBN: 84-86662-08-7. PVP: 400 ptas. ($ 6.00).
– *El Cisne Herido y Elegía,* de Luis Ayllón Carrión y Julia Trujillo. Prólogo de Susy Herrero, 208 pp., 1988. ISBN: 84-86662-13-3. PVP: 700 ptas. ($ 9.00).
– *Don Quijote en América,* de Miguel González. Prólogo de Ramón J. Sender, 104 pp.,1988. ISBN: 84-86662-12-5. PVP: 500 ptas. ($ 8.00). **Agotado.**
– *Palíndromo de Amor y Dudas,* de Benita C. Barroso. Prólogo de Carlos Contramaestre, 80 pp.,1988. ISBN: 84-86662-16-8. PVP: 500 ptas. ($ 8.00).
– *Transiciones,* de Roberto Picciotto, 64 pp., 1988. ISBN: 84-86662-17-6. PVP: 400 ptas. ($ 6.00).
– *La Casa Amanecida,* de José López Sánchez-Varos, 72 pp., 1988. ISBN: 84-86662-18-4. PVP: 600 ptas. ($ 6.00).
– *Trece Poemas,* de José Mario, 40 pp., 1988. ISBN: 84-86662-20-6. PVP: 1.000 ptas. ($ 10.00). **Agotado.**
– *Retorno a Iberia,* de Oscar Gómez-Vidal. Prólogo de Rafael Alfaro, 72 pp., 1988. ISBN: 84-86662-21-4. PVP: 400 ptas. ($ 6.00).
– *Acrobacia del Abandono,* de Rafael Bordao. Prólogo de Angel Cuadra, 40 pp.,1988. ISBN: 84-86662-22-2. PVP: 400 ptas. ($ 6.00).
– *De sombras y de sueños,* de Carmen Duzmán. Prólogo de José-Carlos Beltrán,112 pp.,1988. ISBN: 84-86662-24-9. PVP: 500 ptas. ($ 8.00).
– *La Balinesa y otros poemas,* de Fuat Andic, 72 pp., 1988. ISBN: 84-86662-257. PVP: 400 ptas. ($ 6.00).
– *No hay fronteras ni estoy lejos,* de Roberto Cazorla, 64 pp., 1989. ISBN: 84-86662-26-5. PVP: 400 ptas. ($ 6.00). **Agotado.**
– *Leyenda de una noche del Caribe,* de Antonio Giraudier, 56 pp., 1989. ISBN: 84-86662-29-X. PVP: 400 ptas. ($ 6.00).
– *Vigil/Sor Juana Inés/Martí,* de Antonio Giraudier, 56 pp., 1989. ISBN: 84-86662-28-1. PVP: 400 ptas. ($ 6.00).
– *Bajel Ultimo y otras obras,* de Antonio Giraudier, 120 pp., 1989. ISBN: 84-86662-30-3. PVP: 500 ptas. ($ 8.00).
– *Equivocaciones,* de Gustavo Pérez Firmat, 56 pp., 1989. ISBN: 84-86662-32-X. PVP: 400 ptas. ($ 6.00).

- *Altazora acompañando a Vicente,* de Maya Islas, 56 pp., 1989. ISBN: 84-86662-27-3. PVP: 400 ptas. ($ 6.00).
- *Hasta el Presente (Poesía casi completa),* de Alina Galliano, 336 pp., 1989. ISBN: 84-86662-33-8. PVP: 1.500 ptas. ($ 20.00).
- *No fue posible el sol,* de Elías Miguel Muñoz, 64 pp., 1989. ISBN: 84-86662-34-6. PVP: 400 ptas. ($ 6.00).
- *Hermana,* de Magali Alabau. Prólogo de Librada Hernández, 48 pp., 1989. ISBN: 84-86662-35-4. PVP: 400 ptas. ($ 6.00).
- *Blanca Aldaba Preludia,* de Lourdes Gil, 56 pp., 1989. ISBN: 84-86662-37-0. PVP: 400 ptas. ($ 6.00).
- *El amigo y otros poemas,* de Rolando Campins, 64 pp.,1989. ISBN: 84-86662-39-7. PVP: 400 ptas. ($ 6.00).
- *Tropel de Espejos,* de Iraida Iturralde, 56 pp., 1989. ISBN: 84-86662-40-0. PVP: 400 ptas. ($ 6.00).
- *Calles de la Tarde,* Antonio Giraudier, 88 pp., 1989. ISBN: 84-86662-42-7. PVP: 500 ptas. ($ 8.00).
- *Sombras Imaginarias,* de Arminda Valdés-Ginebra, 40 pp., 1989. ISBN: 84-86662-44-3. PVP: 400 ptas. ($ 6.00).
- *Voluntad de vivir manifestándose,* de Reinaldo Arenas, 128 pp., 1989. ISBN: 84-86662-43-5. PVP: 1.000 ptas. ($ 10.00).
- *A la desnuda vida creciente de la nada,* de Jesús Cánovas Martínez. Prólogo de Joaquín Campillo, 112 pp. 1990. ISBN: 84-86662-50-8. PVP: 800 ptas. ($ 8.00). **Agotado.**
- *Sabor de tierra amarga,* de Mercedes Limón. Prólogo de Elías Miguel Muñoz, 72 pp., 1990. ISBN: 84-86662-51-6. PVP: 800 ptas. ($ 8.00).
- *Delirio del Desarraigo,* de Juan José Cantón y Cantón, 48 pp., 1990. ISBN: 84-86662-52-4. PVP: 700 ptas. ($ 6.00).
- *Venías,* de Roberto Valero, 128 *pp.,* 1990. ISBN: 84-86662-54-0. PVP: 1.000 ptas. ($ 10.00).
- *Osadía de los soles truncos/Daring of the brief suns,* de Lydia Vélez-Román (traducción: Angela McEwan), 96 pp., 1990. ISBN: 84-86662-56-7. PVP: 800 ptas. ($ 8.00) (**Edición Bilingüe**).
- *Noser,* de Mario G. Beruvides. Prólogo de Ana Rosa Núñez, 72 pp., 1990. ISBN: 84-86662-58-3. PVP: 800 ptas. ($ 8.00).
- *Oráculos de la primavera,* de Rolando Camozzi Barrios. 56 pp., 1990. ISBN: 84-86662-65-1. PVP: 800 ptas. ($ 8.00).
- *Poemas de invierno,* de Mario Markus. 64 pp., 1990. ISBN: 84-86662-60-5. PVP: 800 ptas. ($ 8.00).
- *Crisantemos/Chrysanthemums,* de Ana Rosa Núñez. Prólogo de John C. Stout. Traducción: Jay H. Leal, 88 pp., 1990. ISBN: 84-86662-61-3. PVP: 1.000 ptas. ($ 10.00) (**Edición Bilingüe**).
- *Siempre Jaén,* de Carmen Bermúdez Melero. Prólogo de Fanny Rubio, 96 pp.,1990. ISBN: 84-86662-62-1. PVP: 1.000 ptas. ($ 10.00).
- *Vigilia del Aliento,* de Arminda Valdés-Ginebra, 40 pp., 1990. ISBN: 84-86662-66-4. PVP: 600 ptas. ($ 6.00).
- *Leprosorio (Trilogía Poética),* de Reinaldo Arenas, 144 pp., 1990. ISBN: 84-8662-67-2. PVP: 1.500 ptas. ($ 15.00).
- *Hasta agotar el éxtasis,* de María Victoria Reyzábal, 64 pp., 1990. ISBN: 84-86662-69-9. PVP: 800 ptas. ($ 8.00).
- *Alas,* de Nery Rivero, 96 pp., 1990. ISBN: 84-8662-72-9. PVP: 1.000 ptas. ($ 10.00).

- *Cartas de Navegación,* de Antonio Merino, 80 pp., 1990. ISBN: 84-86662-761. PVP: 1.000 ptas. ($ 10.00).
- *Inmanencia de las cenizas,* de Inés del Castillo, 40 pp., 1991. ISBN: 84-86662-70-2. PVP: 600 ptas. ($ 6.00).
- *Un caduco calendario,* de Pancho Vives, 48 pp., 1991. ISBN: 84-86662-38-9. PVP: 1.000 ptas. ($ 10.00).
- *Polvo de Angel,* de Carlota Caulfield *(Polvere d'Angelo,* traduzione di Pietro Civitareale; *Angel Dust,* Translated by Carol Maier), 64 pp., 1991. ISBN: 84-86662-41-9. PVP: 800 ptas. ($ 8.00) (**Edición Trilingüe**).
- *Las aristas desnudas,* de Amelia del Castillo, 80 pp., 1991. ISBN: 84-86662-74-5. PVP: 1.000 ptas. ($ 10.00).
- *A la desnuda vida creciente de la nada,* de Jesús Cánovas Martínez. Prólogo de Joaquín Campillo, 112 pp., 1991. ISBN: 84-86662-75-3. PVP: 1.000 ptas. ($ 10.00) (**2.ª edición**).
- *Andar en torno,* de Pascual López Santos, 72 pp., 1991. ISBN: 84-86662-788. PVP: 800 ptas. ($ 8.00).
- *El Bristol,* de Emeterio Cerro, 56 pp., 1991. ISBN: 84-86662-77-X. PVP: 800 ptas. ($ 8.00).
- *Eclipse de Mar,* de Josep Pla i Ros. Prólogo de José-Carlos Beltrán, 96 pp., 1991. ISBN: 84-86662-79-6. PVP: 800 ptas. ($ 8.00).
- *El Balcón de Venus,* de Rafael Hernández Rico. Prólogo de Rafael Soto Vergés.104 pp., 1991. ISBN: 84-86662-81-8. PVP: 1.000 ptas. ($ 10.00).
- *Introducción y detalles,* de Javier Sánchez Menéndez, 48 pp., 1991. ISBN: 84-86662-82-6. PVP: 800 ptas. ($ 8.00).
- *Sigo zurciendo las medias de mi hijo,* de Arminda Valdés-Ginebra, 56 pp., 1991. ISBN: 84-86662-80-X. PVP: 800 ptas. ($ 8.00).
- *Diálogo con el mar,* de Vicente Peña, 40 pp., 1991. ISBN: 84-86662-83-4. PVP: 600 ptas. ($ 6.00).
- *Prohibido fijar avisos,* de Manuel Cortés Castañeda. Prólogo de Esperanza López Parada. 88 pp., 1991. ISBN: 84-86662-85-0. PVP: 1.000 ptas. ($ 10.00).
- *Desde los limites del Paraiso,* de José M. Sevilla, 64 pp., 1991. ISBN: 84-86662-86-9. PVP: 800 ptas. ($ 8.00).
- *Jardín de Romances y Meditaciones,* de Carmen Velasco. Prólogo de Angeles Amber. 88 pp., 1991. ISBN: 84-86662-89-3. PVP: 900 ptas. ($ 9.00).
- *Mosaicos bajo la hiedra,* de Amparo Pérez Gutiérrez. Prólogo de Julieta Gómez Paz. 80 pp., 1991. ISBN: 84-86662-88-5. PVP: 1.000 ptas. ($ 10.00).
- *Merla,* de Maya Islas. Traducción Edgar Soberon 112 pp., 1991. ISBN: 84-86662-93-1. PVP: 1.000 ptas. ($ 10.00) (**Edición Bilingüe**).
- *Hemos llegado a Ilión,* de Magali Alabau, 40 pp.. 1991. ISBN: 84-86662-915. PVP: 800 ptas. ($ 8.00).
- *Cuba, sirena dormida,* de Evelio Domínguez, 224 pp., 1991. ISBN: 84-86662-97-4. PVP: 1.275 ptas. ($ 15.00).
- *La novia de Lázaro,* de Dulce María Loynaz, 48 pp., 1991. ISBN: 84-8017-000-X. PVP: 800 ptas. ($ 8.00). **Premio Cervantes 1992.**
- *Mayaland,* de Robert Lima, 64 pp., 1992. ISBN: 84-8017-001-8. PVP: 1.000 ptas. ($ 10.00) (**Edición Bilingüe**) .
- *Vértices de amores escondidos,* de Francisco de Asís Antón Sánchez. Prólogo de Carlos Miguel Suárez Radillo, 56 pp., 1992. ISBN: 84-8017-0034. PVP: 800 ptas. ($ 8.00).
- *Poemas irreparables,* de Pascual López Santos, 48 pp., 1992. ISBN: 84-8017-005-0. PVP: 800 ptas. ($ 8.00).

- *Hermana/Sister,* de Magali Alabau. Prólogo de Librada Hernández, 80 pp., 1992. ISBN: 84-86662-96-6. PVP: 1.000 ptas. ($ 10.00) (**Edición Bilingüe**).
- *Tigre Sentimental,* de Carlos Hugo Mamonde. Prólogo de Leopoldo Castilla, 48 pp., 1993. ISBN: 84-8017-010-7. PVP: 800 ptas. ($ 8.00).
- *Desde la Soledad del Agua,* de Rafael Bueno Novoa, 64 pp., 1993. ISBN: 84-8017-009-3. PVP: 800 ptas. ($ 8.00).
- *Piranese,* de Pierre Seghers. Traducción de Ana Rosa Núñez, 80 pp., 1993. ISBN: 84-8017-014-X. PVP: 1.000 ptas. ($ 10.00) (**Edición Bilingüe**).
- *La Luz Bajo Sospecha,* de Pancho Vives, 88 pp., 1993. ISBN: 84-8017-013-1. PVP: 1.000 ptas. ($ 10.00).
- *La Maruca Bustos,* de Emeterio Cerro, 56 pp., 1993. ISBN: 84-8017-018-2. PVP: 800 ptas. ($ 8.00).
- *Una como autobiografía espiritual,* de Emilio M. Mozo, 80 pp., 1993. ISBN: 84-8017-019-0. PVP: 1.000ptas. ($ 10.00).
- *Huellas Imposibles (poemas y pensamientos),* de José María Urrea, 88 pp., 1993. ISBN: 84-8017-023-9. PVP: 800 ptas. ($ 8.00).
- *Confesiones eróticas y otros hechizos,* de Daína Chaviano, 72 pp., 1994. ISBN: 84-8017-022-0. PVP: 1.000 ptas. ($10.00). **Premio de Novela "Azorín" 1998.**
- *Cuaderno de Antinoo,* de Alberto Lauro, 56 pp., 1994. ISBN: 84-8017-015-8. PVP: 800 ptas. ($ 8.00).
- *Los Hilos del Tapiz,* de David Lago González. Prólogo de Rolando Morelli, 80 pp., 1994. ISBN: 84-8017-006-9. PVP: 1.000 ptas. ($ 10.00).
- *Señales para hallar ese extraño lugar en el que habito,* de Osvaldo R. Sabino 128 pp., 1994. ISBN: 84-8017-020-4. PVP: 1.000 ptas. ($10.00).
- *El Duende de Géminis,* de Mario Angel Marrodán, 56 pp., 1994. ISBN: 84-8017-025-5. PVP: 800 ptas. ($ 8.00).
- *Erase una vez una anciana,* de Pancho Vives, 48 pp., 1994. ISBN: 84-8017-027-1. PVP: 800 ptas. ($ 8.00).
- *Andarivel,* de Juan Antonio Cebrián, 56 pp., 1994. ISBN: 84-8017-034-4. PVP: 800 ptas. ($ 8.00).
- *La Nostalgia del Edén,* de Rolando Vera Portocarrero. Prólogo de Alfredo Villaverde, 160 pp.,1994. ISBN: 84-X017-030-1. PVP: 1.500 ptas. ($ 15.00).
- *Psicalgia/Psychalgie,* de Juan José Cantón y Cantón. Traducción: María Angeles Fernández Riera, 88 pp., 1994. ISBN: 84-8017-035-2. PVP: 1.200 ptas. ($ 10.00) (**Edición Bilingüe**).
- *Alma secreta,* de Ernesto Escudero, 112 pp., 1994. ISBN: 84-8017-036-0. PVP: 1.000 ptas. ($ 10.00).
- *Entero Lugar,* de Laura Ymayo Tartakoff, 88 pp., 1994. ISBN: 84-8017-037-9. PVP: 1.000 ptas. ($ 10.00).
- *Kyrie Eleison,* de Jesús Cánovas, 120 pp., 1994. ISBN: 84-8017-041-7. PVP: 1.000 ptas. ($ 10.00).
- *Las Horas Hermosas,* de Raúl Pérez Cobo, 48 pp.,1994. ISBN: 84-8017-042-5. PVP: 800 ptas. ($ 8.00).
- *Mujer de Cal y Cemento,* de Nancy Hernández Quintana, 80 pp., 1995. ISBN: 84-8017-045-X. PVP: 1.000 ptas. ($ 10.00).
- *Cavidad,* de Ignacio Cabrera Más. Prólogo de Jorge Valls, 112 pp., 1995. ISBN: 84-8017-046-8. PVP: 1.000 ptas. ($ 15.00).
- *Tiempo de elegías,* de Luis Ramoneda. Prólogo de César Aller, 56 pp., 1995. ISBN: 84-8017-047-6. PVP: 800 ptas. ($ 8.00).

- *Por el borde de mis deseos,* de Luis Frayle Delgado, 56 pp., 1995. ISBN: 84-8017-048-4. PVP: 800 ptas. ($ 8.00).
- *La luna se balancea,* de Gen-Möra, 64 pp., 1995. ISBN: 84-8017-051-4. PVP: 1.000 ptas. ($ 10.00).
- *Temperamentales,* de Ileana Peralta, 112 pp., 1995. ISBN: 84-8017-056-5. PVP: 1.000 ptas. ($ 10.00).
- *Heridas del silencio,* de Ana Isabel Jiménez López, 72 pp., 1996. ISBN: 84-8017-064-6. PVP: 1.000 ptas. ($ 15.00).
- *Poemas a ese otro amor,* de Víctor Monserrat. Prólogo de José Infante, 88 pp., 1996. ISBN: 84-8017-057-3. PVP: 1.000 ptas. ($ 10.00).
- *Desencuentros,* de Víctor Monserrat. Prólogo de Pedro Monserrat, 56 pp., 1996. ISBN: 84-8017-060-3. PVP: 800 ptas. ($ 8.00).
- *Memoria de mí,* de Orlando Rossardi, 72 pp., 1996. ISBN: 84-8017-058-1. PVP: 1.000 ptas. ($ 10.00).
- *Rockason con Virgilio Piñera,* de Santiago Méndez Alpízar, 40 pp., 1996. ISBN: 84-8017-069-7. PVP: 1.000 ptas. ($ 10.00).
- *Cuestión de luz. Sonetos,* de Antonio Sánchez Font, 80 pp., 1996. ISBN: 84-8017-072-7. PVP: 1.000 ptas. ($ 10.00).
- *La sal de las brujas,* de Juana Goergen, 64 pp., 1997. ISBN: 84-8017-075-1. PVP: 1.000 ptas. ($ 10.00).
- *Símpatos,* de Víctor Monserrat, 88 pp., 1997. ISBN: 84-8017-076-X. PVP: 1.000 ptas. ($ 10.00).
- *Sin una canción desesperada,* de Mario G. Beruvides. Prólogo de Anita Arroyo, 48 pp., 1997. ISBN: 84-8017-070-0. PVP: 1.000 ptas. ($ 10.00).
- *Meditaciones para después del desayuno,* de Miguel Ortega Isla. Prólogo de José López Rueda, 64 pp. 1997. ISBN: 84-8017-081-6. PVP: 1.000 ptas. ($ 10.00).
- *Poesía desde el Paraíso,* de Orlando Fondevila, 64 pp., 1997. ISBN: 84-8017-082-4. PVP: 1.000 ptas. ($ 10.00).
- *Vísperas del gozo,* de Diego López Estrems. Prólogo de Antonio Lastra, 48 pp., 1997. ISBN: 84-8017-083-2. PVP: 1.000 ptas. ($ 10.00).
- *Majagua,* de Francisca González Domínguez, 64 pp., 1998. ISBN: 84-8017-084-0. PVP: 1.000 ptas. ($ 10.00).
- *La resaca del Absurdo (Confusos recuerdos de la Isla de la Siguaraya y sus consecuencias),* de David Lago González. Prólogo de Carlos Victoria, 64 pp., 1998. ISBN: 84-8017-090-5. PVP: 1.000 ptas. ($ 10.00).
- *Sobre el trazado malva de los signos,* de María Huidobro, 88 pp., 1998. ISBN: 84-8017-089-1. PVP: 1.000 ptas. ($ 10.00).
- *Los espejos del tiempo,* de Ana María Dicenta, 64 pp., 1998. ISBN: 84-8017-094-8. PVP: 1.000 ptas. ($ 10.00).
- *La última ola (Poemas),* de María Huidobro, 88 pp., 1998. ISBN: 84-8017-096-4. PVP: 1.000 ptas. ($ 10.00).
- *Hombre familiar o Monólogo de las Confesiones,* de Ismael Sambra. Prólogo de Guillermo Rodríguez Rivera, 88 pp, 1999, ISBN: 84-8017-098-0. PVP: 1.000 ptas. ($ 10.00).
- *Espinas de sal,* de Gen-Möra. Prólogo de Pepe Bárcenas e Isabel Álvarez Villamil, 64 pp, 1999, ISBN: 84-8017-102-2. PVP: 1.000 ptas. ($ 10.00).
- *Desorden de Lunas,* de Clara Díaz Pascual. Prólogo de Pedro Shimose, 72 pp, 1999, ISBN: 84-8017-105-7. PVP: 1.000 ptas. ($ 10.00).

- *La traición de Caín (Todos los cubanos hemos sido Abeles)*, de Leonel Morejón Almagro. Prólogo de Carlos Alberto Montaner, 64 pp, 1999, ISBN: 84-8017-103-0. PVP: 1.000 ptas. ($ 10.00). Coedición con la Fundación Hispano Cubana.
- *Juan de la Cruz más cerca*, de José Puga Martínez, 600 pp, 1999, ISBN: 84-8017-107-3. PVP: 2.500 ptas. ($ 20.00).
- *El viento gime*, de Yolanda González. Prólogo de Pablo Antonio Cuadra, 64 pp, 1999, ISBN: 84-8017-106-5. PVP: 1.000 ptas. ($ 10.00).
- *De Cosas Sagradas*, de Orlando Fondevila, 64 pp, 1999, ISBN: 84-8017-110-3. PVP: 1.000 ptas. ($ 10.00). Coedición con la Fundación Hispano Cubana.
- *Cuerpo divinamente humano*, de León de Hoz. Prólogo de César López, 80 pp, 1999, ISBN: 84-8017-109-X. PVP: 1.000 ptas. ($ 10.00).

• COLECCIÓN ANTOLOGÍAS:

- *Poetas cubanos en España*, de Felipe Lázaro. Prólogo de Alfonso López Gradoli, 176 pp, 1988, ISBN: 84-86662-06-0. PVP: 1.000 ptas. ($ 15.00). **Agotado.**
- *Poetas cubanos en Nueva York*, de Felipe Lázaro. Prólogo de José Olivio Jiménez, 264 pp, 1988, ISBN: 84-86662-11-7. PVP: 1.500 ptas. ($ 20.00). **Agotado.**
- *Antología breve: Poetas cubanas en Nueva York/A Brief Anthology: Cuban Women Poets in New York*, de Felipe Lázaro. Prólogo de Perla Rozencvaig, 136 pp, 1991, ISBN: 84-86662-73-7. PVP: 1.500 ptas. ($ 15.00) (**Edición Bilingüe**).
- *Trayecto contiguo (Última poesía)*. Prólogo de Sagrario Galán, 160 pp, 1993, ISBN: 84-8017-012-3. PVP: 1.000 ptas. ($ 15.00)
- *Literatura Revolucionaria Hispanoamericana (Antología)*, de Mirza L. González, 488 pp., 1994, ISBN: 84-8017-026-3. PVP: 2.000 ptas. ($ 25.00)
- *Poesía Cubana: La Isla Entera*, de Felipe Lázaro y Bladimir Zamora, 392 pp., 1995. ISBN: 84-8017-040-9. PVP: 2.000 ptas. ($ 20.00)
- *Herejías Elegidas (Antología poética)* , de Raúl Rivero. Prefacio y Prólogo de José Prats Sariol, 184 pp., 1998. ISBN: 84-8017-086-7. PVP: 2.000 ptas. ($ 20.00). Coedición con la Fundación Hispano Cubana.
- *Presencia Negra: Teatro Cubano de la Diáspora*, de Armando González-Perez. Prólogo de José A. Escarpanter. Prefacio de Kenya C. Dworkin y Méndez, 320 pp, 1999, ISBN: 84-8017-111-1. PVP: 2.000 ptas. ($ 20.00).
- *Humano acento (Antología poética)*, de Isel Rivero (en preparación).

• COLECCIÓN DE ARTE:

- *José Martí y la pintura española*, de Florencio Gacía Cisneros, 120 pp, 1987, ISBN: 84-86662-01-X. PVP: 800 ptas. ($ 10.00). **Agotado.**
- *Ensayos de Arte*, de Waldo Balart, 136 pp, 1993, ISBN: 84-8017-017-4. PVP: 1.000 ptas. ($ 10.00)

• COLECCIÓN ENSAYO:

- *Los días cubanos de Hernán Cortés y su lucha por un ideal*, de Angel Aparicio Laurencio, 48 pp. , 1987. ISBN: 84-86662-09-5. PVP: 500 ptas. ($ 6.00).
- *Desde esta Orilla: Poesía Cubana del Exilio*, de Elías Miguel Muñoz, 80 pp. 1988. ISBN: 84-86662-15-X. PVP: 800 ptas. ($ 10.00).

- *Alta Marea. Introvisión crítica en ocho voces latinoamericanas: Belli, Fuentes, Lagos, Mistral, Neruda, Orrillo, Rojas, Villaurrutia,* de Alicia Galaz-Vivar Welden, 120 pp. 1988. ISBN: 84-86662-23-0. PVP: 900 ptas. ($ 12.00).
- *Novela Española e Hispanoamericana Contemporánea: temas y técnicas narrativas,* de María Antonia Beltrán-Vocal, 504 pp. , 1989. ISBN: 84-86662-46-X- PVP: 2.000 ptas. ($ 25.00).
- *Poesías de J. F. Manzano, esclavo en la isla de Cuba,* de Adriana Lewis Galanes, 128 pp. , 1991. ISBN: 84-86662-92-3. PVP: 1.500 ptas. ($ 15.00).
- *El Ranchador de Pedro José Morillas,* de Adriana Lewis Galanes, 56 pp. 1992. ISBN: 84-86662-94-X. PVP: 1.000 ptas. ($ 10.00) .
- *El discurso dialógico de* La era Imaginaria *de René Vázquez Díaz,* de Elena M. Martínez, 104 pp. , 1992. ISBN: 84-86662-87-7. PVP: 1.000 ptas. ($ 10.00).
- *Cuba: País Olvidado,* de Sergio Heredia Corrales, 228 pp. , 1994. ISBN: 848017-039-5. PVP: 2.000 ptas. ($ 20.00).
- *Francisco Grandmontagne, un noventayochista olvidado, de Argentna a España,* de Amalia Lasarte Dishman, 152 pp. , 1995. ISBN: 84-8017-029-8. PVP: 1.000 ptas. ($ 10.00).
- *Cuba: El abrazo imposible. Cartas a Alde,* de Mari Paz Martínez Nieto. Prólogo de Pío E. Serrano, 256 pp., 1995. ISBN: 84-8017-053-0. PVP: 1.500 ptas. ($ 15.00).
- *Erotomanías y otros derivados,* de Pedro Molina, 228 pp., 1997. ISBN: 84-8017-074-3. PVP: 800 ptas. ($ 8.00).
- *Cuba: La conspiración del silencio,* de John A. Pérez Sampedro, 160 pp., 1998. ISBN: 84-8017-088-3. PVP: 1.000 ptas. ($ 10.00).
- *Asedios al texto literario (Arenas, Borges, Carpentier, Diego, Góngora, Herrera y Reissig, Lezama Lima, Martí, Onetti, Quevedo, Rulfo, San Juan de la Cruz, Sarduy, Vallejo),* de María Elena Blanco, 232 pp., 1999. ISBN: 84-8017-092-1. PVP: 2.000 ptas. ($ 20.00).

• COLECCIÓN EDICIONES CENTRO DE ESTUDIOS POÉTICOS HISPÁNICOS Dirigida por Ramiro Lagos:

- *Oficio de Mudanza,* de Alicia Galaz-Vivar Welden, 64 pp. , 1987. ISBN: 84-86662-04-4. PVP: 400 ptas. ($ 6.00).
- *Canciones olvidadadas,* de Luis Cartañá. Prólogo de Pere Gimferrer, 48 pp. 1988. ISBN: 84-86662-11-1. PVP: 400 ptas. ($ 10.00). **(6.ª edición).**
- *Permanencia del fuego,* de Luis Cartañá. Prólogo de Rafael Soto Vergés, 48 pp. 1989. ISBN: 84-86662-19-2. PVP: 400 ptas. ($ 6.00).
- *Tetuán en los sueños de un andino,* de Sergio Macías, 72 pp. , 1989. ISBN: 84-86662-47-8. PVP: 700 ptas. ($ 8.00).
- *Disposición de bienes,* de Roberto Picciotto, 112 pp., 1990. ISBN: 84-86662-63-X. PVP: 1.000 ptas. ($ 10.00).
- *La región perdida,* de Jorge Nef. Prólogo de Alicia Galaz Vivar, 48 pp., 1997. ISBN: 84-8017-085-9. PVP: 1.000 ptas. ($ 10.00).
- *De vida o muerte,* de Antonio Barbagallo. Prólogo de Carlos Miguel Suárez Radillo, 56 pp., 1998. ISBN: 84-8017-093-X. PVP: 1.000 ptas. ($ 10.00).
- *Tríptico de Furias,* de Carlota Caulfield, 48 pp., 1999. ISBN: 84-8017-055-7. PVP: 800 ptas. ($ 8.00).

- **COLECCIÓN CIENCIAS SOCIALES. Dirigida por Carlos J. Báez Evertsz:**

– *Educación Universitaria y Oportunidad Económica en Puerto Rico,* de Ramón Cao García y Horacio Matos Díaz, 216 pp., 1988. ISBN: 84-86662-10-9. PVP: 1.000 ptas. ($ 14.75).

- **COLECCIÓN PALABRA VIVA:**

– *Conversación con Gastón Baquero,* de Felipe Lázaro, 40 pp. , 1987. ISBN: 84-86662-07-9. PVP: 400 ptas. ($ 6.00). **Agotado.**
– *Conversación con Reinaldo Arenas,* de Francisco Soto, 72 pp. , 1990. ISBN: 84-86662-5759. PVP: 1.000 ptas. ($ 10.00).
– *Conversación con Gastón Baquero,* de Felipe Lázaro. Prólogo de Juan Gustavo Cobo Borda. Epílogo de José Prats Sariol, 88 pp. , 1994. ISBN: 84-8017-032-8. PVP: 1.000 ptas. ($ 10.00). (**2.ª edición aumentada y revisada**).
– *Entrevistas a Gastón Baquero,* de Felipe Lázaro, Carlos Espinosa Domínguez, Bladimir Zamora Céspedes, Efraín Rodríguez Santana, Alberto Díaz Díaz, Niall Binns. Prólogo de Pedro Shimose. Epílogo de Pío E. Serrano, 104 pp. , 1998. ISBN: 84-8017-091-3. PVP: 1.500 ptas. ($ 15.00).

- **COLECCION NARRATIVA:**

– *Al otro lado de la zarza ardiendo,* de Graciela García Marruz, 232 pp., 1989. ISBN: 84-86662-31-1. PVP: 1.000 ptas. ($ 15.00).
– *Hace tiempo... Mañana,* de Rodrigo Díaz-Pérez, 144 pp., 1989. ISBN: 84-86662-45-1. PVP: 1.000 ptas ($ 10.00).
– *El arrabal de las delicias,* de Ramón Díaz Solís, 176 pp., 1989. ISBN: 84-86662-49-4. PVP: 1.000 ptas. ($ 12.00).
– *Ruyam,* de Pancho Vives, 112. pp., 1990. ISBN: 84-86662-00-0. PVP: 1.000 ptas. ($ 10.00).
– *Mancuello y la perdiz,* de Carlos Villagra Marsal, Prólogo de Rubén Bareiro Saguier y Epílogo de Juan Manuel Marcos, 168 pp., 1990. ISBN: 84-86662-64-8. PVP: 1.000 ptas. ($ 10.00).
– *Pequeñas pasiones de mujer,* de Guillermo Alonso del Real, Prólogo de Leopoldo Castilla, 64 pp., 1990. ISBN: 84-86662-65-6. PVP: 500 ptas. ($ 6.00).
– *Memoria de siglos,* de Jacobo Machover, 112 pp., 1991. ISBN: 84-86662-71-0. PVP: 1.000 ptas. ($ 10.00).
– *El Cecilio y la Petite Bouline,* de Emeterio Cerro, Prólogo de José Kozer, 136 pp., 1991. ISBN: 84-86662-95-8. PVP: 1.000 ptas. ($ 10.00).
– *Dicen que soy y aseguran que estoy. (Las Memorias de una Loca, Loca),* de Raúl Thomas, 184 pp., 1993. ISBN: 84-8017-008-5. PVP: 1.500 ptas. ($ 15.00). **Agotado.**
– *Cartas al Tiempo,* de Ana Rosa Núñez y Mario G. Benavidez, 64 pp., 1993. ISBN: 84-8017-011-5. PVP: 1.000 ($ 10.00).
– *Yo acuso y perdono (Confesiones de una mujer en los oscuros años del franquismo),* de Maite García Romero, 224 pp., 1993. ISBN: 84-8017-016-6. PVP: 1.500 ptas. ($ 15.00).
– *Las Orquídeas del naranjo (Cartas para condenarme),* de Alberto Díaz Díaz, 88 pp., 1994. ISBN: 84-8017.031-X. PVP: 1.000 ptas. ($ 10.00).

- *Nuevos encuentros*, de Martín-Armando Díez Ureña, 72 pp., 1994. ISBN: 84-8017-038-7. PVP: 800 ptas. ($ 8.00).
- *Móvil 8 (Testimonios del delito común en la Cuba castrista)*, de Severino Puente, 144 pp., 1994. ISBN: 84-8017-043-4. PVP: 1.500 ptas. ($ 15.00).
- *La hija del cazador*, de Daniel Iglesias Kennedy, 112 pp., 1995. ISBN: 84-8017.049-2. PVP: 1.500 ptas. ($ 15.00).
- *Las caras de la Luna*, de Raúl Thomas, 200 pp., 1996. ISBN: 84-8017-068-9. PVP: 1.500 ptas. ($15.00).
- *Viento de Lebeche*, de Carmen Hernández García, 80 pp., 1996. ISBN: 84-8017-067-0. PVP: 1.000 ptas. ($ 10.00).
- *Chivitas*, de Adriana Restrepo, 48 pp., 1996. ISBN: 84-8017-071-9. PVP: 1.000 ptas. ($ 10.00).
- *Carta para Beatriz*, de Luz Mercedes Pardo de Meyer, 96 pp., 1997. ISBN: 84-8017-073-5. PVP: 1.000 ptas. ($ 10.00).
- *Ceiba Mocha (Cuentos y relatos cubanos)*, de Roberto Cazorla. Prólogo de Isabel Martínez Pita, 200 pp., 1997. ISBN: 84-8017-077-8. PVP: 1.500 ptas. ($ 15.00).
- *Pagadero al portador*, de Carlos Pérez Ariza, 224 pp., 1997. ISBN: 84-8017-080-8. PVP: 1.700 ptas. ($ 15.00).
- *Cincuenta años de amor*, de Raúl Thomas, 208 pp., 1999. ISBN: 84-8017-097-2. PVP: 1.500 ptas. ($ 15.00).
- *Cuba y la noche*, de José Prats Sariol, 104 pp., 1999. ISBN: 84-8017-061-1. PVP: 1.000 ptas. ($ 10.00).
- *Balseros cubanos*, de Carmen Vázquez Fernández, 56 pp., 1999. ISBN: 84-8017-101-4. PVP: 1.000 ptas. ($ 12.00).
- *Discretos aportes*, de Emilio M. Mozo, Prólogo de Alfredo Pérez Alencart, Epílogo de Carmen Ruiz Barrionuevo, 72 pp., 1999. ISBN: 84-8017-050-6. PVP: 1.000 ptas ($ 10.00).

- **COLECCION TEATRO:**

- *La Puta del Millón*, de Renaldo Ferradas, 80 pp., 1989. ISBN: 84-86662-36-2. PVP: 1.000 ptas. ($ 10.00).
- *La Visionaria*, de Renaldo Ferradas, 96 pp., 1989. ISBN: 84-86662-48-6. PVP: 1.000 ptas ($10.00).
- *El Último Concierto*, de René Vázquez Díaz, 80 pp., 1992. ISBN: 84-8017-002-6. PVP: 1.000 ptas. ($10.00).
- *HoloCastro*, de Ileana González Monserrat, 112 pp, 1999, ISBN: 84-8017-099-9. PVP: 1.000 ptas. ($ 10.00).

- **COLECCION DOCUMENTOS:**

- *Un Plebiscito a Fidel Castro*, de Reinaldo Arenas y Jorge Camacho, 152 pp., 1990. ISBN: 84-86662-68-0. PVP: 1.000 ptas. ($ 10.00).
- *El Cocinero de los Enfermos, Convalecientes y Desganados. Manual de Cocina Cubana (1862)*, Anónimo. Prólogo de Eusebio Leal, 184 pp., 1996. ISBN: 84-8017-063-8. PVP: 1.000 ptas ($ 10.00).
- *Déjame guardar la ilusión*, de Blas de Otero y Yolanda Pina, 36 pp., 1998. ISBN: 84-8017-079-4. PVP: 1.500 ptas ($ 15.00).

• COLECCION LITERATURA INFANTIL:

- *Juego y Fantasía*, de Nereyda Abreu Olivera, 56 pp., 1993. ISBN: 84-8017-024-7. PVP: 800 ptas. ($ 8.00).
- *El Carrusel*, de Ernesto Díaz Rodríguez. Prólogo de Jorge Valls, 88 pp., 1994. ISBN: 84-8017-021-2. PVP: 1.000 ptas. ($ 10.00). Ilustraciones de portada e interiores: David Díaz.
- *Cuentos para niños traviesos*, de Emilio M. Mozo, 56 pp., 1994. ISBN: 84-8017-028-X. PVP: 1.000 ptas. ($ 10.00). Ilustraciones de portada e interior: Pablo Mozo.

• EN DISTRIBUCIÓN:

- *Poesía Cubana Contemporánea (Antología)*, Madrid, 1986. 288 pp. PVP: 1.000 ptas. ($ 10.00).

• LIBROS FUERA DE COLECCIÓN:

- *Querrán ponerle nombre*, de Dulce Chacón. Prólogo de Leopoldo Castilla, 48 pp., 1992. ISBN: 84-8017-077-7. PVP: 800 ptas. ($ 8.00).
- *Poemas del hombre y su sombra*, de Óscar Gómez-Vidal. Coedición a cargo de Editorial Betania, Gráficas I.V.F. y Editorial Verbum, 40 pp., 1995. ISBN: 84-7962-075-7. PVP: 700 ptas. ($ 8.00).

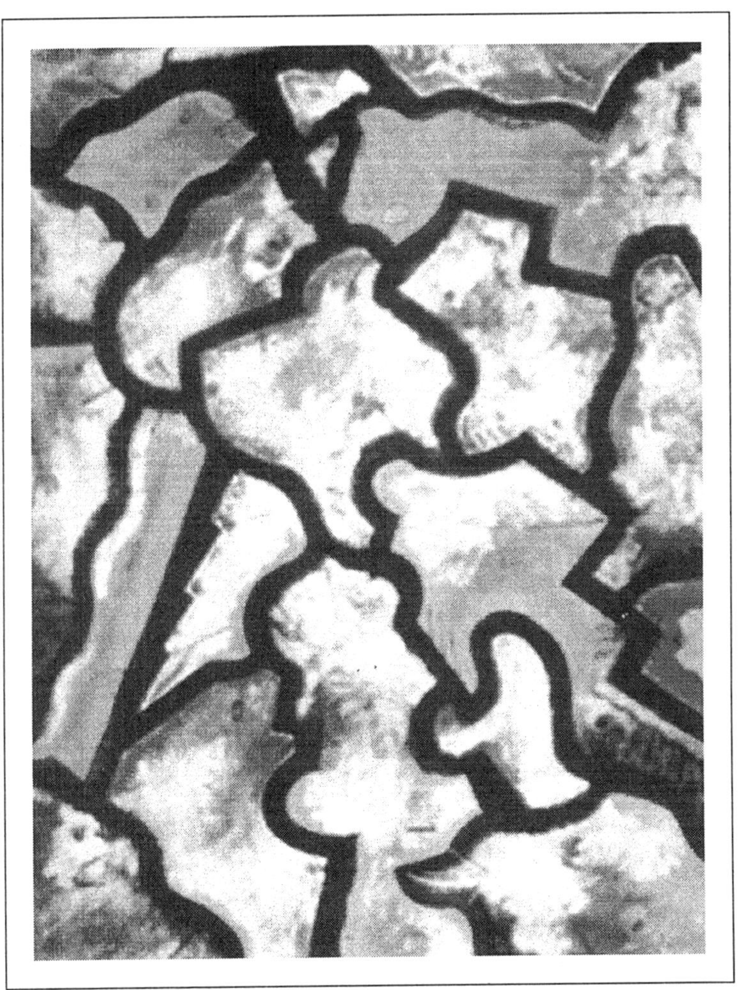

Las palomas de Obatalá (1996). © Leandro Soto.